Work Out

French

'A' Level

The titles
in this
series

For GCSE examinations

Accounting	Graphic Communication
Biology	Human Biology
Business Studies	Maths
Chemistry	Modern World History
Computer Studies	Numeracy
Economics	Physics
English	Social and Economic History
French	Sociology
Geography	Spanish
German	Statistics

For 'A' level examinations

Accounting	English Literature
Applied Maths	French
Biology	Physics
Business Studies	Pure Maths
Chemistry	Statistics
Economics	

Macmillan College Work Outs for degree and professional students

Dynamics	Mathematics for Economists
Electric Circuits	Molecular Genetics
Electromagnetic Fields	Operational Research
Electronics	Organic Chemistry
Elements of Banking	Physical Chemistry
Engineering Materials	Structural Mechanics
Engineering Thermodynamics	Waves and Optics
Fluid Mechanics	

MACMILLAN
WORK OUT
SERIES

Work Out

French

'A' Level

I. Maun

Editorial Consultant

BETTY PARR

MACMILLAN

First published in 1989 by
THE MACMILLAN PRESS LTD
Houndmills, Basingstoke, Hampshire RG21 2XS
and London
Companies and representatives
throughout the world

ISBN 0–333–43553–2

Printed in Hong Kong

10   9   8   7   6   5   4   3   2
00 99 98 97 96 95 94 93 92

ERRATUM

The Publisher very much regrets that three pages in this
edition of *Work Out French 'A' Level* are transposed.

The table of the Examination Board's tests referred to on
page 254 erroneously appears facing page 146.

The Part III title page facing page 254 should be on page
249, and the Part II title on page 249 should face page 146.

We hope this mistake does not affect the usefulness of this
Work Out to your studies.

Contents

Series Editor's Preface   viii

Author's Preface   ix
  How to Use this Book

Acknowledgements   xii
  Organisations Responsible for Examinations at 'A' Level and 'AS' Level   xii

PART I   TEACHING UNITS

1   Paris   **3**
  1.1   Le Centre Pompidou: Beau ou Laid?
       Victor Vasarely   3
  1.2   Un Amateur de Paris
       L. A. Prévost-Paradol   7
  1.3   Conversation   11
  1.4   Promenade Poétique
       Louis Aragon   13
  1.5   Further Reading   14

2   Une Région — La Bretagne   **15**
  2.1   Une Vision
       Anatole Le Braz   15
  2.2   L'Avenir et la Culture
       H. Krier et L. Ergan   20
  2.3   Conversation   25
  2.4   Promenade Poétique
       J.-M. de Heredia   27
  2.5   Further Reading   27

3   L'Environnement   **28**
  3.1   Le Peuple des Campagnes — *J. Vidalenc*   28
  3.2   Un Nouveau Dragon — *Brigitte Friang*   31
  3.3   Conversation   35
  3.4   Promenade Poétique — *Jacques Maillart*   37
  3.5   Further Reading   37

4   Une Société Qui Evolue   **38**
  4.1   L'Industrie Depuis 1945 — *C. Stoffaes*   38
  4.2   Le Fléau du Chômage — *Gérard Mermet*   42
  4.3   La Crise du Logement — *Alain Kimmel*   45

		4.4	Conversation	50
		4.5	Promenade Poétique — *Paul Verlaine*	52
		4.6	Further Reading	52
5	**L'Enfance**			**53**
		5.1	Une Jeune Fille Rangée — *Simone de Beauvoir*	53
		5.2	Une Enfance Provençale — *Marcel Pagnol*	57
		5.3	Conversation	61
		5.4	Promenade Poétique — *Victor Hugo*	62
		5.5	Further Reading	63
6	**L'Adolescence**			**64**
		6.1	Une Adolescence de Génie — *Eve Curie*	64
		6.2	Une Adolescence d'Avant-Guerre — *Robert Sabatier*	69
		6.3	Une Leçon de Conduite — *Christiane Rochefort*	74
		6.4	Conversation	78
		6.5	Promenade Poétique — *Jacques Prévert*	79
		6.6	Further Reading	79
7	**L'Education**			**80**
		7.1	La Raison — Pour ou Contre? — *J.-J. Rousseau*	80
		7.2	Rebrousser Chemin — *Sophie Latil*	84
		7.3	En Classe On Se Laisse Aller — *Maurice T. Maschino*	87
		7.4	Conversation	92
		7.5	Promenade Poétique — *Claude Roy*	93
		7.6	Lecture Supplémentaire	94
8	**La Communication**			**95**
		8.1	Le Français Tel Qu'on le Parle — *Henri Mitterand*	95
		8.2	Un Cinéaste Extraordinaire — *Jean Renoir*	99
		8.3	Conversation	102
		8.4	Promenade Poétique — *Paul Verlaine*	105
		8.5	Lecture Supplémentaire	105
9	**La Condition Féminine**			**106**
		9.1	L'Ecole des Femmes — *Molière*	106
		9.2	Nature ou Culture? — *M.-J. et P. H. De Lauwe*	110
		9.3	Les Femmes Travailleuses — *Pascal Lainé*	115
		9.4	Conversation	119
		9.5	Promenade Poétique — *Charles Baudelaire*	120
		9.6	Lecture Supplémentaire	120
10	**La Violence**			**121**
		10.1	Victimes de la Peste — *Albert Camus*	121
		10.2	La Psychose de la Violence — *Minelle Verdié*	125
		10.3	Conversation	131
		10.4	Promenade Poétique — *Arthur Rimbaud*	133
		10.5	Lecture Supplémentaire	133
11	**La Littérature**			**134**
		11.1	L'Analyse de Caractère: *La Porte Etroite* d'André Gide	134
		11.2	La Technique du Conte: *La Parure* de Guy de Maupassant	138
		11.3	Approfondir un Thème: L'Honneur dans *Becket* par Jean Anouilh	143

PART II   REFERENCE SECTION

1.   **Key to Questions and Exercises**   **149**

2.   **Grammar Summary**   **179**
     Table of Contents   179
     Index to Grammar Summary   232

3.   **Guide to Pronunciation**   **241**

PART III   THE 'A' LEVEL EXAMINATIONS

Aims   **251**
The Examinations   **251**
Schemes of Examination   **254**
Sample Material   **254**

Bibliography and Sources of Information   **265**

Series Editor's Preface

This course is intended for students who wish to extend still further their command of spoken and written French, and to deepen their understanding of France and the French people. The book and its accompanying cassette, which can be used with or without a teacher, should prove valuable to those seeking to attain a standard similar to that required for a good grade in the 'A' Level examination*. Students without an examination in view should also benefit from this stimulating and well-co-ordinated programme of study for advanced work.

The course has certain distinctive features. The basic teaching material, which consists of carefully chosen texts from contemporary sources as well as from established writers from the seventeenth century to the present day, relates to a range of topics on various aspects of French life and thought. Each extract is followed by ingenious and progressive exercises, planned to develop in the student an understanding and mastery of the French language, as well as an appreciation of its special qualities. In the first six chapters, the explanations and instructions are in English, but thereafter all the material is in French, so that a sense of style may be developed naturally, through consistent use. Each chapter includes a recorded discussion on the main topic under review, so that the differences between educated speech and good writing may be studied at first hand. Though the reading material is inevitably limited by the space available, the student is encouraged to read more widely by the inclusion of a programme of supplementary reading, which amplifies and enriches the themes of the chosen texts.

The Reference Section contains a key to the exercises, to help students to work independently and assess their own progress. In the substantial grammar summary, reference is made to the selected texts, in which relevant passages exemplify the item in question. Other useful material, including a section on developments in the 'A' Level examination, is mentioned in the Author's Preface, which gives invaluable advice on ways of using the course effectively.

It is hoped that this stimulating book may bring to the thoughtful student a growing mastery of the French language and a deeper understanding of France and her people.

Yeovil, 1989   Betty Parr

---

* An earlier publication — *Work Out French GCSE*, by E. J. Neather — was devised for students with more modest linguistic equipment and objectives (1986, Macmillan). *Mastering French 2 — France and the French* — also by E. J. Neather (Macmillan Education, 1985), would provide an admirable bridge between *Work Out French GCSE* and this course.

Author's Preface

The Series Editor's Preface has already indicated that this Course is intended for students, with a good command of spoken and written French, who now wish to develop their proficiency, either with a view to attempting the 'A' or 'AS' Level examination, or for the simple pleasure of learning more French and becoming better acquainted with France and her people.

The Course aims to provide a sound understanding not only of the grammar required for a more advanced level of French study, but also of the differences between the written and spoken language, and the rich variety of styles in French. It is often assumed that the learning of an amorphous mass called 'French' will equip the student to understand, speak and write it in most situations. Even a superficial study of a variety of texts and recordings in different registers will expose this fallacy, and show that a much broader conception of the language is needed. Within the limited scope of this book, a serious attempt is made to show something of the rich variety of the French language and its development from the seventeenth century to its contemporary mode, which reflects some of the complexities of present-day life while still maintaining its essential clarity.

The title of the book indicates the level of linguistic study involved, but it will be obvious that no attempt is made — even if it were feasible — to 'prepare' the student for a specific 'A' Level examination syllabus. The demands of the Boards vary considerably and the very nature of the examination is in the process of change, as will be seen in Part III of this book. It can be said, however, that this Course does contain a good range of the type of test set at 'A' Level, as well as a variety of exercises designed to develop all the language skills.

How to Use this Course

As the table of contents indicates, each chapter deals with a topic which is presented in two or three selected texts, followed by a recorded conversation on the theme. A general introduction and explanatory notes, together with varied exercises, are devised to help the student to understand the language and to use it in different ways. No vocabulary list is provided, for the intelligent use of a dictionary is essential at this stage (see Bibliography for suggestions).

With chapters dealing with contemporary issues such as nuclear power and unemployment, it may be helpful to read about the same subject in English, before tackling the French text. This preparatory work may well help to provide the meaning of newly encountered words or suggest possible translations of key phrases.

Each text is followed by a set of comprehension questions. In the first six chapters, these questions and all explanations are in English. From Chapter 7 onwards, all questions and explanations are in French, the only English being an occasional translation exercise. If the text has provided difficulties, the comprehension questions themselves may help to solve these by suggesting a point on which to focus. The answers to the comprehension sections, as well as to all other exercises, are to be found in the Key in Part II.

The exercises on each text are divided into two sections.

Section A is concerned with vocabulary and style, and has a number of short exercises. A commentary draws attention to features of interest, both linguistic and cultural, and attempts to show differences of style and register, and to point out problems of translation. It is recommended that a dictionary be used to assist in checking possible answers, before the student refers to the Key.

Section B is concerned with grammar, and an introduction to the section lists the points on which the exercises are based, and indicates the relevant items in the grammar reference section at the end of the book. Before consulting the grammar summary, the student may like to look at the example given at the head of each exercise and deduce how this particular piece of language works. Having made the deduction, or checked the grammar, the student should then attempt the exercise. Some exercises require the use of the accompanying cassette, and for others it is recommended that the students practise saying their answers aloud. Indeed, for all the exercises, no harm will be done if students practise saying their answers or recording them on a cassette, although some constructions practised will tend to occur more in the written than the spoken language.

It is not expected that candidates at 'A' Level will be able to use actively all the constructions that occur in the exercises in this book, but it is certain that practice with them will be a valuable preparation for any possible encounter in an 'A' Level text. Having done the exercises, the student should check the answers in the Key, and if there are any mistakes, the text, the grammar and the exercise should obviously be revised.

A detailed Index is provided at the end of the grammar section. This lists the text in which particular words and grammatical points occur, and the section of the Grammar Summary giving a detailed explanation. For example, the Index lists **dont** which appears also under Relative pronoun.

After the grammatical exercises, the majority of the texts have an assignment. This exercise is designed to help the student to manipulate the language in more continuous prose. Various types of exercise are included, including précis and dialogue-writing. Other assignments will involve the use of information in the text to answer questions or to refute or support arguments. An orderly approach is essential, as these exercises will help in the writing of essays and presentation of arguments, in which both content and exposition are important at this level. Each student will, of course, produce a different answer to the assignment, but a suggested response will be found in the Key, and this will form a useful basis of comparison. It is advisable to note any useful words and expressions from the suggested answer, as well as any tricks of argument.

At the end of each chapter, there is a recorded conversation, the text of which will be found on the accompanying cassette. The exercise which precedes the printed transcript should be read through before listening to the cassette or reading the transcript. The cassette should be played through as many times as is necessary, before answering the questions or preparing a summary as required. The transcript will help to fill any gaps, and the answers should then be checked against those in the Key. It will certainly be useful to go through the transcript with the aid of a dictionary.

Following the conversation, there is a section entitled **Promenade Poétique**. This contains a poem, related as closely as possible to the theme of the chapter. There are, however, no exercises associated with the poem, which has been included purely for the reader's pleasure.

Finally, a short section suggests books and magazines which students might wish to read to enlarge their knowledge and understanding of the themes of the chapters. Some will be more easily obtainable than others. If a university library is accessible, much help could be found there. Addresses of some bookshops dealing in French books are listed in the Bibliography.

Chapter 11 deals with three works of literature, and shows how different aspects of a work may be approached. Each section takes the form of a critical essay, which also explains some of the characteristics of a work of literature and ways in which an author achieves his effects. The works discussed here may not be the set texts for one particular Board, but the general principles hold true for any book.

A selection of 'A' Level questions is to be found in Part III. These have been chosen to tie up as closely as possible with the topics discussed in this book. Such a choice of themes is, however, in the final analysis, fairly arbitrary, and students should be aware of the variety of topics dealt with at 'A' Level. Past examination papers are available from the Examination Boards, whose addresses are listed in the preliminary pages.

To study a language out of a book is a second-best measure, and students must be aware that it is vital to have first-hand experience of speaking French with native speakers. It is virtually essential for the student to visit France and to absorb as much as possible of the language through speaking to people, reading, listening to the radio and watching television, writing letters and visiting sites of cultural interest. Learning a language is not easy, but I hope that this Course will bring pleasure to the difficult but rewarding task of mastering French.

Teignmouth, 1989   I. C. M.

Acknowledgements

This book is dedicated to Ted Neather in grateful acknowledgement for all that he has done for the author over the last few years.

The author wishes to thank all those who assisted in the preparation of this book, in particular André Stervinou, Bernard Cabon and Marc and Catherine Regnault, who recorded the original interviews.

The author and publishers wish to thank the following Examination Boards for permission to reproduce specimen examination questions:

The Associated Examining Board
The Joint Matriculation Board
The Oxford and Cambridge Schools Examination Board
The University of Oxford Delegacy of Local Examinations
The University of London School Examinations Board

The author and publishers wish to acknowledge the following photograph and drawing sources:

Vidocq Photo Library, Frome (particularly for the cover illustration)
André Laubier, Bath
Camera Press Ltd, London
BBC Hulton Picture Library
The National Film Archive
The Mansell Collection, London
Ram Ahronov

The author and publishers would also like to thank R. E. Batchelor and M. H. Offord for their kind permission to quote from *A Guide to Contemporary French Usage* (Cambridge University Press).

Every effort has been made to trace all the copyright holders but if any has been inadvertently overlooked the publishers will be pleased to make the necessary arrangements at the first opportunity.

Organisations Responsible for Examinations at 'A' Level and 'AS' Level

In the United Kingdom, 'A' Level and 'AS' Level examinations are administered by the following organisations (syllabuses and examination papers can be ordered from the addresses given here):

The Associated Examining Board (AEB)
Stag Hill House
Guildford
Surrey GU2 5XJ

University of Cambridge Local Examinations Syndicate (UCLES)
Syndicate Buildings
1 Hills Road
Cambridge CB1 2EU

University of Oxford
Delegacy of Local Examinations
(OLE)
Ewert House
Ewert Place
Summertown
Oxford OX2 7BZ

Southern Universities' Joint Board
Cotham Road
Bristol BS6 6DD

University of London School
Examinations Board
Stewart House
32 Russell Square
London WC1B 5DN

Northern Ireland Schools
Examinations Council
Examinations Office
Beechill House
Beechill Road
Belfast BT8 4RS

Oxford and Cambridge Schools
Examination Board (O & C)
Elsfield Way
Oxford OX2 8EP

Joint Matriculation Board (JMB)
Manchester M15 6EU

Publications available from:
   John Sherratt & Son Ltd
   78 Park Road
   Altrincham
   Cheshire WA14 5QQ

Welsh Joint Education Committee
245 Western Avenue
Cardiff CF5 2YX

Part I Teaching Units

1 Paris

Paris — la Ville-Lumière — is the cradle of the French nation. This most beautiful of cities has many admirers, but neither the city nor its inhabitants are without critics, as the following passages reveal.

1.1 Le Centre Pompidou: Beau ou Laid?

Victor Vasarely, one of the co-founders of the Op-Art school of art, writes here of the criticisms of the Centre Georges Pompidou in Beaubourg. This ultramodern building, with its steel and glass, its external pipes and an escalator snaking up its side, was designed by an Englishman and an Italian, but the inspiration for its existence came from Georges Pompidou, President of France from 1969 to 1974, who was a great lover of the arts.

The Pompidou Centre. (Courtesy Vidocq Photo Library, Frome and André Laubier, Bath)

1.1.1 Text

Les merveilles ne font pas de cadeaux. Elles coûtent cher aux gens de leur temps. Que se serait-il passé si on avait demandé aux esclaves des pharaons leur avis sur les pyramides, aux carriers du Moyen Age leur opinion sur les cathédrales? Le Roi-Soleil n'a pas fait accepter Versailles de but en blanc. Il fallait un monstre sacré comme Louis XIV pour faire passer la chose. Tout cela existe parce que des hommes l'ont voulu et imposé.

Il ne faut pas penser, non plus, qu'une fois réalisés, tous ces édifices se sont imposés au goût de la foule immédiatement. Non, il a fallu du temps pour qu'ils deviennent beaux. Maintenant encore, essayez d'aborder Notre-Dame de Paris par derrière. Les arcs-boutants sont une nécessité technique que seule l'habitude permet d'accepter. Quant au clocheton, il est parfaitement disgracieux.

Il faut du temps pour faire accepter les constructions humaines; le beau parfait reconnu apparaît comme une négation de l'art; bouquet de fleurs, océan, coucher de soleil, arc-en-ciel, animal de race. S'il faut s'en tenir là, que nous reste-t-il? Là-dessus vient une oeuvre controversée qui apparaît refoulée par la tradition, le Centre Pompidou. On parle d'un conglomérat de poutrelles, d'une sorte de raffinerie. Puis-je citer mon expérience? J'ai, à mes frais, réalisé une fondation à Aix-en-Provence et le chauffeur de taxi qui m'y amène ricane. Est-ce un crématoire? Un supermarché? Je ne peux que laisser dire. La France a toujours été cruelle pour ses maîtres. A Aix-en-Provence justement, il n'y a pas un tableau de Cézanne, l'enfant du pays.

Il fallait faire quelque chose. L'école de Paris a marqué le monde pendant des décennies, elle fut le critère des arts plastiques, un événement dans l'histoire de la culture. Tous les grands noms étrangers venaient s'y parfaire, les acheteurs du monde entier n'avaient d'autre solution que d'y passer. Depuis quelques années, New York domine à tort ou à raison et la France n'a rien fait pour retrouver sa prépondérance naturelle. Jusqu'au moment où elle a trouvé à sa tête un président qui aimait tout ce qui était jeune et neuf. Il a eu l'idée de ce centre, une sorte d'aimant esthétique destiné à rendre sa place au pays. Peut-être n'était-il même pas tout à fait conscient de rendre au pays sa place légitime.

Victor Vasarely

1.1.2 Comprehension

(a) Who might have been asked for their opinions on architecture in earlier periods of history?
(b) Why do such architectural novelties come to exist?
(c) What criticisms does Vasarely level at Notre-Dame de Paris?
(d) What are standard examples of recognised beauty?
(e) How has the Pompidou Centre been described?
(f) What shows that 'a prophet is without honour in his own country'?
(g) What used to demonstrate the domination of Paris in the art world?
(h) When did France have the opportunity to regain her rightful position?
(i) How did Georges Pompidou view the proposed Centre?
(j) Of what was he perhaps unaware?

1.1.3 Exercises — Section A

1. *Phrasal verbs*   Match the infinitives on the left to the words on the right to create common French expressions, some of which appear in the text above.

    couper   faux
    s'arrêter   clair
    chanter   net
    voir   fort
    parler   lourd
    peser   court

    Give the English equivalents of these expressions.

2. *Word families*   The words given in the table below have been taken from the text. Complete the table with words which are related to the one already given.

Noun	Adjective	Verb
merveille (f.)		
		coûter
	beau	
		parfaire
existence (f.)		
	reconnu	
		dominer

3. *Expressions using* tenir   In the text appears the expression *S'il faut s'en tenir là* (= If we have to stick to that). Match the English expressions on the right with their French equivalents.

    il ne tient qu'à (vous)   he's holding out
    il tient ferme   is it still on?
    ça tient toujours?   it's up to (you)
    il tient de (vous)   we can't stand it any longer
    il tient beaucoup à (vous) connaître   he's very like (you)
    on ne tient plus ça   he's longing to meet (you)

4. *Prepositions used otherwise*   In the text, find the French equivalents of the following expressions, and note the preposition that is used:

    their opinion *of*; *from* behind; these buildings impressed themselves *on* the taste of the common people; cruel *towards*; until (the time *when*)

Commentary

The tone of this extract is familiar and, in part, colloquial. This is explained in part by Vasarely's use of everyday language:

Les merveilles ne font pas de cadeaux
un monstre sacré
faire passer la chose
Tout cela . . .

5

Vasarely's style is almost intimate in tone because of two particular devices that he uses. The first is the question addressed directly to the reader:

Que se serait-il passé . . . ?
S'il faut s'en tenir là, que nous reste-t-il?
Puis-je citer mon expérience?

The taxi-driver's direct questions 'Est-ce un crématoire? Un super-marché?' are addressed to the author, but fall into the same intimate style as those mentioned above. The second of Vasarely's devices is the imperative addressed to the reader:

Il ne faut pas penser, non plus . . .
Maintenant encore, essayez d'aborder Notre-Dame de Paris par derrière.

The overall effect achieved by these stylistic devices is that of a monologue being delivered in the presence of the reader, to whom Vasarely makes occasional reference.

1.1.4 Exercises — Section B

The following are the points which form the basis of the exercises.

(1) The subjunctive after *pour que* (Grammar 5.5(c)(xi)).
(2) Absolute adjectives used with *une fois* (Grammar 8.3).

1. Translate the following sentences into French, using the subjunctive after *pour que*, as in the example.

    Example It took time for these buildings to become beautiful.
    Response Il a fallu du temps pour que ces bâtiments deviennent beaux.

    (a) It took time for these buildings to be accepted.
    (b) We need experience for these constructions to appear beautiful.
    (c) It has taken the Pompidou Centre for the critics to open their eyes.
    (d) A little time is necessary for justice to be done to artists like Cézanne.
    (e) It took the vision of a President for France to regain her rightful place.

2. Shorten the following sentences, using the construction *une fois* and an absolute adjective, as in the example.

    Example (Lorsqu'on a réalisé ces édifices) ces édifices s'imposent peu à peu au goût de la foule.
    Response Une fois réalisés, ces édifices s'imposent peu à peu au goût de la foule.

    (a) (Lorsqu'on a créé une telle construction) une telle construction ne se laisse jamais oublier.
    (b) (Quand on a examiné des dessins de ce genre) des dessins de ce genre révèlent leur vrai potentiel.

6

(c) (Quand la prépondérance naturelle a été perdue) la prépondérance naturelle d'un pays ne se retrouve qu'à peine.

1.1.5 Assignment

Read through the text again, and attempt to summarise Vasarely's arguments in French. The following points may be of help:

Ce qui est nouveau ne se fait pas facilement accepter.
Les goûts d'un peuple ont tendance à changer.
Le temps y est pour quelque chose.
Qu'est-ce que c'est que la beauté?
La modernité n'est pas toujours acceptable.
Paris n'était plus ce qu'il avait été.
Il a fallu un homme visionnaire.
Tout inconsciemment, Pompidou a changé le rôle de Paris.

1.2 Un Amateur de Paris

Lucien-Anatole Prévost Paradol (1829–1870) was a writer and diplomat, who served as France's ambassador to Washington. He was also a great lover of France's beautiful capital.

1.2.1 Text

Je l'aime passionnément, non seulement pour tout ce qu'il contient, mais pour lui-même. J'aime ses rues, ses places, ses jardins, son fleuve, ses aspects variés de jour et de nuit, ses bruits et ses silences. Quiconque a un peu voyagé me peut comprendre, si je dis que c'est une ville bien faite. Les villes ont leurs proportions comme les créatures humaines; elles peuvent être disgracieuses ou charmantes, et, comme les femmes, avoir une vilaine taille ou une ravissante tournure. Il y a des capitales qui ne sont que de gros villages; il en est d'autres qui sont des labyrinthes, ou d'immenses nécropoles, ou de vastes fabriques; mais aucune ne semble, comme Paris, avoir été créée et mise au monde pour être le vrai théâtre de la pensée et des passions. Tout grand qu'il est, il n'a rien d'accablant par son étendue; il est harmonieux dans toutes ses parties, agréable à parcourir, aisé à connaître, commode sans uniformité, infiniment varié sans bizarrerie, riche en points de vue de toutes sortes et propre à tous les états de l'âme, admirablement adapté, enfin, à la race ingénieuse, sensible et légère qui l'habite.

On parle souvent de l'attachement du montagnard pour sa maison, du paysan pour sa chaumière; mais qu'est-ce que tout cela à côté de l'invisible chaîne qui attache à Paris les plus malheureux de ses enfants? J'entends par là ceux qui y sont nés ou qui sont venus l'habiter de bonne heure; en un mot ceux auxquels chacune de ses rues, chacun de ses coins, chacun de ses pavés dit quelque chose. Ne contient-il pas toute notre histoire? N'est-ce pas comme une grande maison dont nous aurions habité toutes les chambres, et dans laquelle, à chaque pas, nous retrouvons un souvenir? Où pouvons-nous passer sans avoir aux lèvres le mot du fabuliste: «J'étais là, telle chose m'advint.» Nulle trace ne subsiste de

Colonne Vendôme, Paris. (Courtesy Vidocq Photo Library, Frome and André Laubier, Bath)

notre ancien passage; cette vaste mer, où chaque flot pousse l'autre, a recouvert et effacé notre empreinte; mais sous cette nouvelle surface de joies et de douleurs, aussi mobile, aussi éphémère que l'ancienne, nous évoquons notre propre histoire, nous nous voyons encore sourire, nous nous sentons encore pleurer.

L.-A. Prévost-Paradol

1.2.2 Comprehension

(a) To what does the author compare the proportions of a city?
(b) To what things does he compare large cities?
(c) For what does Paris seem to have been created?
(d) How does the author describe the people of Paris?
(e) What comparison does he use to show the link between Parisians and their city?
(f) Who are 'the most unfortunate of her children'?
(g) Why is Paris like the sea?

1. *Prepositions used otherwise*   In the text above, find the following expressions, and note the prepositions involved.

   (a) *by* day
   (b) *by* night
   (c) brought *into* the world
   (d) *because of* her size
   (e) without having *on* our lips

2. *Positive and negative*   Pick out of the text as many words as possible that are positive in their meaning or connotation (e.g. passionnément, j'aime, charmante) and as many as possible that are negative in meaning or connotation (e.g. gros, nécropole, disgracieuse)

3. *Faux amis*   The following words look like English words, but have a very different meaning. What is the meaning of each one?

   la place; disgracieux; vilain; agréable; propre; sensible; le coin; le souvenir

---

Commentary

One of the most striking aspects of this author's style is his love of repetition and addition. Having settled on a particular construction, e.g. J'aime ses rues, he repeats the last section, i.e. a noun phrase, several times, building up a list of things that he loves: J'aime ses rues, ses places, ses jardins, son fleuve, ses aspects variés de jour et de nuit, ses bruits et ses silences. Other examples of this construction include il en est d'autres qui sont des labyrinthes, ou d'immenses nécropoles ou de vastes fabriques and il est harmonieux dans toutes ses parties, agréable à parcourir, aisé à connaître, commode sans uniformité, etc. When three phrases are used in this way, it is known as 'triple rhythm' or 'ternary rhythm'. Can you find other examples in the text?

This passage also shows a feature of the French language of which the English reader should be aware — that of classically based words whose English equivalents are much less learned, e.g. des labyrinthes = mazes, des nécropoles = graveyards. What everyday English equivalents can you find for : disgracieuse, le fabuliste, notre empreinte, éphémère?

Note the unusual order of pronoun and verb in Quiconque a un peu voyagé me peut comprendre, rather than the more usual peut me comprendre. The word order in the text is a relic of seventeenth century French, and is used for stylistic purposes in writing of quality. Similarly, il en est d'autres qui sont des labyrinthes is a stylistic variant of il y en a d'autres . . . . This use of il est is confined to writing and highly formal versions of spoken French.

1.2.4 Exercises — Section B

The following are the points which form the basis of the exercises.

(1) Impersonal verbs and *aucun* (Grammar 5.4(d); 3.2(g(i)).
(2) Adverbs of manner (Grammar 6.1).
(3) Past infinitive of the passive (Grammar 5.5(e)).
(4) *Si* + subjunctive and *tout* + indicative (Grammar 5.5(c)(xiii); 6.2 (xi)).
(5) *Tout ce qui* and *tout ce que* (Grammar 3.2(g)(xv)).

1. Rewrite the following sentences, using *nul* to replace *aucun*, and altering the impersonal verb, as in the example.

   Example   Il ne subsiste aucune trace de notre passage.
   Response   Nulle trace ne subsiste de notre passage.

   (a) Au centre de Paris, il n'existe aucun coin tranquille.
   (b) Aujourd'hui, il ne subsiste aucune trace des Parisii, premiers habitants de la ville.
   (c) De nos jours, il ne se produit aucun miracle en matière d'architecture.

2. *Adverbs*   Replace the italicised expressions with an adverb.

   (a) Certains écrivains réfléchissent *d'une façon profonde* sur leur capitale.
   (b) Prévost-Paradol écrit *d'une manière aisée* sur cette ville bien-aimèe.
   (c) La ville de Paris est variée *à l'infini*.
   (d) Il est possible d'écrire *d'une façon savante* sur une ville de ce genre.
   (e) Par rapport à ceux qui écrivent en «hexagonal», cet auteur écrit *d'une manière* presque *gaie*.

3. *Past infinitive of the passive*   Rewrite the following sentences, using the past infinitive of the passive, as in the example.

   Example   Il semble qu'on a créé une ville de ce genre pour être le vrai théâtre de la pensée.
   Response   Une ville de ce genre semble avoir été créée pour être le vrai théâtre de la pensée.

   (a) Il semble qu'on a développé Paris pour le seul plaisir des écrivains.
   (b) Il semble que l'on a construit les monuments bien connus à l'intention de touristes étranges.
   (c) Il semble que la ville de Paris a été beaucoup appréciée par Prévost-Paradol.

4. *'However . . .'*   Rewrite the following sentences, first with *si* and a subjunctive, then with *tout* and an indicative, as in the example.

   Example   Il paraît animé, mais Paris décèle des coins tranquilles.
   Response   (i) Si animé qu'il paraisse, Paris décèle des coins tranquilles

(ii) Tout animé qu'il paraît, Paris décèle des coins tranquilles.

(a) Il est énorme, mais Paris plaît toujours au touriste.
(b) Ils pensent en être éloignés, mais ceux qui sont nés à Paris
éprouvent toujours de l'amour envers la ville.
(c) Vous pouvez le considérer laid, mais Paris reste une des plus belles
villes du monde.

5. *Tout ce qui/tout ce que*   Translate the following sentences into French.

(a) Everything that I see is typically Parisian.
(b) I don't accept everything that Prévost-Paradol says — he's a romantic!
(c) Everything Parisian is harmonious — except the Parisians themselves!
(d) I like everything to do with Paris.
(e) Everything to do with Paris and France attracts me.

1.2.5 Assignment

Using the points listed below, write a short summary in French of the passage by
Prévost-Paradol:

aimer tout ce que contient Paris — villes comme des créatures
humaines — villes comme villages ou labyrinthes — Paris pas accablant — agréable, harmonieux — attachement de ses habitants — Paris
contient toute notre histoire — tous nos souvenirs disparus reviennent

1.3 Conversation

Marc and Catherine Regnault discuss Paris and its inhabitants. Listen to the
cassette, and try to answer the following questions before consulting the
transcript.

1. Why is it difficult to talk about 'real Parisians'?
2. What, according to Marc, is the attitude of Parisians towards their fellow-
countrymen?
3. When did the atmosphere in the Latin Quarter change?
4. What examples does Marc quote to illustrate the liveliness of Paris?
5. Why might it be better to visit Paris on holiday, rather than to live there?
6. Why might it be better to live in the provinces?
7. How are Parisians reacting to the high cost of living?
8. What is the approximate population of the city of Paris?
9. What is the approximate population of the whole Paris region?
10. What may be the consequences for Paris of the exodus?

1.3.1 Transcript

Interviewer: Quelle est l'opinion des autres Français sur les Parisiens?
Marc: Moi, personnellement, je ne suis pas Parisien. J'ai habité à Paris
pendant sept ans environ, et sinon je suis de Tours. On a . . . euh . . .
il faudrait d'abord dire que les vrais Parisiens, il n'y a pas beaucoup de
vrais Parisiens, puisque les gens arrivent tous les jours depuis des

années à Paris, et deviennent Parisiens. C'est-à-dire que finalement les Parisiens viennent d'Auvergne, d'autres régions, mais il n'y a pas de Parisiens de génération en génération, il n'y en a pas tant que ça. Donc, les gens qui arrivent à Paris se veulent Parisiens, ils disent «Je suis de Paris», et un petit peu comme s'ils avaient une sorte de ... cela a une sorte de prétention. Ils sont un peu ... au-dessus des autres. Les autres, bon, vous êtes des Français des autres régions, mais nous, on est de Paris, on est de la capitale, ça donne un petit côté ... un peu d'orgueil. On est de Paris, on est des gens bien, quoi? Un petit peu, quoi? Ça revient à dire ça.

Interviewer: Alors, vous, Catherine, vous êtes Parisienne. Qu'est-ce que vous avez à dire à tout ça?

Catherine: Je ne sais pas. Moi, je ne me suis jamais fait une gloire d'habiter Paris. C'était comme ça. J'étais à Paris et ... bon, je trouve que Paris est une ville agréable, très agréable. C'est une belle ville. Il y a des monuments historiques, il y a des vieux quartiers, il y a des espaces verts ... euh ... Ç'a peut-être été plus agréable pour y vivre que ça ne l'est maintenant, parce que Paris s'est ... s'est quand même transformé. Je viens du Quartier Latin, donc j'y ai habité, j'y ai habité vingt-cinq ans ... euh ... ça faisait peut-être ... enfin l'ambiance était plus ... plus calme il y a quelques années et puis ... euh ... au fur et à mesure que le temps passait, c'est devenu un peu ... surtout après mai soixante-huit ... cette ambiance a changé, et ... euh ... c'était un peu plus ... mal-fréquenté, si je puis dire.

Marc: Pour ce quartier-là.

Catherine: Oui, pour ce quartier-là, qui est un quartier estudiantin traditionnellement, hein? Euh ... bon, v'là.

Marc: Ben, on peut dire une chose, c'est qu'à Paris, on a l'impression, par ce que disent les Parisiens, qu'il y toujours quelque chose à faire. Il y a soit une pièce de théâtre, une nouvelle pièce de théâtre, un nouveau film, une nouvelle exposition, on peut sortir le soir, tandis que, en province, il n'y a pas grand'chose à faire, que c'est plutôt mort, et qu'à Paris et en province on ne vit pas.

Catherine: Oui, et à Paris on vit vingt-quatre heures sur vingt-quatre ... euh ... et on peut ... même sans aller au théâtre, au cinéma ou à un concert ... on descend dans la rue et on regarde passer les gens. C'est un spectacle, hein?

Marc: Il y a toujours quelque chose à faire à Paris, tandis que dans les petites villes c'est ... c'est un peu mort. Il n'y a plus grand'chose à faire le soir. Les gens rentrent chez eux, c'est fini. Y a moins d'attractions.

Catherine: Mais d'un autre côté, je pense que Paris est peut-être plus agréable à visiter comme ça, pendant quelques jours, hein? Passer quelques jours de vacances à Paris que d'y vivre finalement d'un bout à l'autre de l'année. Ou alors il faudrait avoir des moyens extraordinaires pour vraiment en profiter. Pour sortir souvent, il faudrait enfin vivre de ses rentes.

Marc: Parce que vivre à Paris revient finalement très cher. C'est une ville chère, pour y vivre, et si vous n'avez pas beaucoup d'argent, bon ben, à ce moment-là vous sortez moins, et finalement c'est moins agréable.

Catherine: Les loyers sont très chers.

Marc: Les loyers sont très chers. Par exemple, pour des gens qui gagnent pas énormément, il vaut mieux finalement habiter en province, parce qu'ils peuvent faire plus de choses, parce que ça revient trop cher à vivre, à Paris.

Catherine: A l'heure actuelle il y a un effort qui est fait, un effort de décentralisation en France, et...euh...bon, il y a des villes de province qui se...qui s'animent un petit peu, notamment Avignon. Il y a un festival à Avignon, mais enfin Paris garde quand même la primauté.

Marc: Il y a une autre chose qui veut dire...c'est que les habitants de Paris finalement sortent de plus en plus de Paris. C'est qu'on n'habite plus dans Paris, mais dans les faubourgs...euh...dans Paris maintenant ce sont plutôt...il y a beaucoup plus de bureaux...il n'y a que deux millions cinq cent mille habitants finalement dans Paris. C'est devenu plutôt une agglomération de peut-être dix ou douze millions d'habitants. Les vieilles personnes ne peuvent plus vivre à Paris, parce que c'est trop cher. Ils vont vivre dans les grands faubourgs. Donc, il y a un problème, c'est que Paris, petit à petit, peut aussi mourir à cause de ça.

1.4 Promenade Poétique

Connaissez-vous l'île
Au coeur de la ville
Où tout est tranquille
Eternellement

L'ombre souveraine
En silence y traîne
Comme une sirène
Avec son amant

La Seine profonde
Dans ses bras de blonde
Au milieu du monde
L'enserre en rêvant

Enfants fous et tendres
Ou flâneurs de cendre
Venez-y entendre
Comment meurt le vent

La nuit s'y allonge
Tout doucement ronge
Ses ongles, ses songes
Tandis que chantant

Un air dans le noir
Est venu s'asseoir
Au fond des mémoires
Pour passer le temps [...]

Louis Aragon (1897–1982), *Il ne m'est Paris que d'Elsa*,
© Editions Robert Laffont

1.5 Further Reading

An excellent study of the Parisians is *Les Parisiens*, by Louis Chevalier, published by Hachette. He has also written a lament for the demolition of the old Paris, entitled *L'Assassinat de Paris*, published by Calmann Lévy.

Statistical facts and figures about Paris (and the other regions of France) can be found in the *Nouveau Guide France*, which is updated regularly by its publishers, Hachette.

2 Une Région – La Bretagne

Brittany — la Bretagne — sits almost uneasily at the most westerly point of France. A dwindling number of people speak Breton, the regional Celtic language, but there has been in recent years a revival in interest in Breton culture.

2.1 Une Vision

Writing earlier this century, Anatole Le Braz (1859–1926), professor of French Literature at the University of Rennes and a fiercely proud Breton, had a vivid, almost visionary view of the future of the region.

Carnac, Brittany. (Courtesy Vidocq Photo Library, Frome and André Laubier, Bath)

2.1.1 Text

Le facteur souverain de sa prospérité réside pour la presqu'île bretonne dans la situation sans rivale qu'elle occupe à la proue de l'Europe. Quand, de son tillac de pierre, Heredia croyait respirer dans le vent marin

15

ce n'était point là pure hallucination de poète. La rive américaine de l'Océan est bien dans le prolongement immédiat de la Bretagne, et les Bretons ne seraient guère moins justifiés que leurs pères irlandais à la surnommer «la paroisse voisine», *the next parish*. Entre l'ancien et le nouveau monde, leur pays s'inscrit dans les eaux comme un trait d'union tiré en droite ligne, de toute éternité. C'est vraiment ici la tête de pont de l'Atlantique, le wharf de granit construit par la nature pour être le terminus du transit continental et la clef des deux mers qui lui assurent le plus vaste essor. Vidal de la Blache le déclare expressément: le jour où la Bretagne sera devenue par Brest, la grande route du Rhin à New York et, par Saint-Nazaire, celle des Alpes aux Antilles, évitant ainsi à la circulation humaine les dangers de la traversée de la Manche et lui abrégeant d'un chiffre respectable de milles le trajet de l'aller comme du retour, ce jour-là, elle aura enfin assumé la maîtresse fonction qui lui incombe dans la géographie européenne et levé le dernier obstacle à l'accomplissement de ses propres destins. «C'est sur les vagues, conclut-il, qu'est tracé le chemin du progrès pour la Bretagne.» Sur les vagues et — ajouterons-nous — dans les nues. Car, avec le développement vertigineux de l'aviation, il est fatal qu'au dessus des services de navigation maritime s'organisent des services de navigation céleste. Et quelles «bases» incomparables, aménagées d'avance comme à dessein, la péninsule ne leur offrira-t-elle pas dans ces prestigieuses terrasses finistériennes dont les ultimes contre-forts, Colonnes d'Hercule de la France, s'appellent la Pointe du Raz, la Pointe Saint-Mathieu, la Pointe de Corsen! Des landes du Cap Sizun aux bruyères de Locronan, des cimes du Ménez Hom aux côtés du Quéménet-Ili, les hauts lieux de la Cornouaille et du Léon s'érigent à l'entrée de l'immensité comme autant de rades propices d'où il semble que l'on voie déjà cingler vers un Occident plus rapproché que jamais le vol des transatlantiques aériens, paquebots ailés de l'espace.

Oui, pour peu que les circonstances te favorisent, tu as devant toi de larges perspectives, ô Bretagne.

Anatole Le Braz

2.1.2 Comprehension

(a) What is the principal factor in Brittany's future, according to Le Braz?
(b) What link might there be between the Irish, the Bretons and America?
(c) What dangers would be removed for travellers, if they went from the Rhine to New York via Brittany?
(d) For Vidal de la Blache, what constituted Brittany's road to progress?
(e) What addition does Le Braz see to this vision of the future?
(f) Why would Brittany be particularly suited to transatlantic air travel?

2.1.3 Exercises — Section A

1. Find words in the text of which the following are dictionary definitions.

   (a) Etendue de terre qui s'avance assez loin dans la mer et semble une île reliée au continent par une bande de terrain plus ou moins large.

(b) Station extrême d'une ligne de chemin de fer, d'autobus, etc.
(c) Va-et-vient des personnes et des véhicules sur la voie publique.
(d) Exécution entière.
(e) Disposées selon une règle; organisées.
(f) Etendue de terre inculte et pauvre où ne poussent qu'ajoncs, genêts, bruyères (sols granitiques et sablonneux)

2. Find in the text nouns and adjectives referring to geographical areas, so as to complete the following table.

Nouns	Adjectives
	breton
	européen
l'Amérique	
l'Irlande	
le Finistère*	
	occidental
	atlantique

* Finistère: One of the four departments making up the administrative region of Brittany.

Commentary

To the reader of present-day prosaic analyses of regional development and scientific and technological progress, this passage will almost certainly seem vividly romantic and almost excessive in its vision. Le Braz, a Breton by birth and a passionate believer in the future of Brittany and the Breton culture, sets out not to give an objective picture, but to extol the virtues of his region, and it is this intent that lends the tone of positive romanticism. Notice how positive expressions abound: la situation *sans rivale*; c'est *vraiment* ici . . .; la *maîtresse* fonction qui lui incombe; l'*accomplissement* de ses propres destins; quelles bases *incomparables*; ces *prestigieuses* terrasses; autant de rades *propices*.

The vocabulary contains much that is figurative in usage: e.g. le facteur *souverain*; le *tillac* (upper deck); leurs *pères*; la *clef*; la *rade* (roadstead); *paquebots ailés de l'espace*. These are vivid images rather than prosaic facts.

A sense of size and space is conveyed by expressions such as *les ultimes contreforts*, *l'immensité* and *de larges perspectives*, the latter expression being positive in its connotations as well.

Figures of speech contribute much to the tone. Note the personification in: le wharf de granit *construit par la nature* and *tu as devant toi de larges perspectives, ô Bretagne*. This latter rhetorical address finally stamps the passage as rhetorical rather than factual, romantic rather than scientific.

Used in isolation, many of these figures of speech and rhetorical devices would merely give spice to a potentially dull piece of writing. Used in abundance, they appear almost excessive to the modern reader, and lend to the passage a certain dated and romantic feeling.

Beg-Meil, Finistère, Brittany. (Courtesy Vidocq Photo Library, Frome and André Laubier, Bath)

2.1.4 Exercises — Section B

The following are the points which form the basis of the exercises.

(1) *Croire* + infinitive (Grammar 5.5(d)(iii)).
(2) Position of adjectives (Grammar 3.1(e)).
(3) Highlighting, using *c'est . . . que . . .* (Grammar 9.3).
(4) *Il semble que* + subjunctive (Grammar 5.5(c)(vi)).
(5) *Il semble que . . ., pour peu que . . .* and *il est fatal que* + subjunctive (Grammar 5.5(c)(vi), (xiii), 7).

1. *Croire + infinitive*   Rewrite the following sentences, using *croire* followed by an infinitive, as in the example.

    Example   L'auteur croit qu'il voit un avenir riche et passionnant pour la Bretagne.
    Response   L'auteur croit voir un avenir riche et passionnant pour la Bretagne.

    (a) Le Braz croit qu'il voit l'avenir de la Bretagne résider dans les services de navigation aériens.
    (b) Il croit qu'il prévoit un avenir riche pour cette région.
    (c) On croit qu'on perçoit dans la mer les progrès futurs de la Bretagne.

2. *Adjectives*   Below are a series of parallel statements in French and English. Insert the adjective at the end of the French sentence into the correct place, so that the English and French correspond in meaning. Make the adjective agree if necessary.

18

(a) The ideas of Le Braz are not mere speculation.
Les idées de Le Braz ne sont pas de spéculations (pur).

(b) This former Celtic region is now an integral part of France.
Cette région celtique fait maintenant partie intégrante de la France (ancien).

(c) Brittany is a region which has its own regional government.
La Bretagne est une région qui possède son gouvernement régional (propre).

(d) During the last few centuries, Brittany's culture has been eroded by that of France.
Pendant les siècles, la culture bretonne s'est vue éroder par celle de la France (dernier).

(e) Distance remains the last obstacle to Brittany's complete union with the rest of Europe.
La distance constitue l'obstacle qui empêche une union complète avec le reste de l'Europe (dernier).

(f) The heathlands of the area are sprinkled with broom and gorse, and here and there ancient menhirs rise against the sky.
Les landes de cette région sont jonchées de genêts et d'ajoncs, et çà et là on voit se dresser sur le ciel des menhirs (ancien).

(g) It is rare to see a cloudless sky in Brittany.
Il est rare que l'on voie en Bretagne un ciel (pur).

(h) Despite the oil pollution of the 1970s, Brittany now has safe, clean beaches.
Malgré les marées noires des années soixante-dix, la Bretagne dispose maintenant de plages où l'on peut se baigner en toute sécurité (propre).

3. *Highlighting* Rewrite the following sentences, using c'est . . . que . . ., as in the example.

Example Le chemin du progrès est tracé sur les vagues, selon Vidal de la Blache.
Response C'est sur les vagues qu'est tracé le chemin du progrès, selon Vidal de la Blache.

(a) Le facteur souverain de sa prospérité réside dans sa situation sans rivale.
(b) L'avenir de la Bretagne se dessine plutôt dans le ciel.
(c) La grande route du Rhin à New York pouvait s'ouvrir par le port de Brest.

4. *Subjunctive* Rewrite the following sentences, using *il semble que* + subjunctive, as in the example.

Example On a l'impression que la Bretagne est une région ayant de bonnes perspectives.
Response Il semble que la Bretagne soit une région ayant de bonnes perspectives.

(a) On pense que cette région peut espérer un riche avenir.
(b) On croit que l'avenir touristique de cette région est bien assurée.
(c) A l'avis de tous, la Bretagne a des attraits régionaux uniques.

(d) On trouve que la culture bretonne ne fait vraiment pas partie intégrante de la culture française.

(e) On estime que le peuple breton veut jouir d'une certaine indépendance.

5. *Subjunctive* Translate the following sentences into French, using il semble que . . ., pour peu que . . . or il est fatal que . . ., all of which require the subjunctive.

(a) However little circumstances favour her, Brittany's future as a tourist area is assured.

(b) It seems that Brest is going to have considerable importance in regional affairs.

(c) It is inevitable that air transport will play a major role in the development of the area.

(d) However little progress affects the area, the Bretons will continue to work towards a prosperous future.

(e) It is inevitable that Paris will continue to regard Brittany as a backward area.

2.1.5 Assignment

Reply to the following criticisms, using points made by Le Braz:

La Bretagne est située trop loin de Paris pour avoir un bon avenir économique.
Aujourd'hui les transports maritimes tombent en désuétude.
Pas besoin d'aéroports dans une région perdue!

2.2 L'Avenir et la Culture

In this text Henri Krier and Louis Ergan examine the cultural heritage of Brittany and the role of Breton culture in the development of the region.

2.2.1 Text

La Bretagne, héritière d'un riche passé, pourra-t-elle et saura-t-elle préserver et renouveler le caractère qui fonde l'attachement de ses habitants et attire un si grand nombre de visiteurs, en face des risques de standardisation et de nivellement de la vie contemporaine? La Bretagne revient à la mode grâce à quelques chanteurs et quelques écrivains de talent. Mais, ce qui importe en définitive, c'est la richesse de la vie individuelle et la qualité de la relation entre les personnes, plus encore que la préservation à tout prix du passé.

Les sites, la langue, on l'a vu, sont en danger, le patrimoine architectural et immobilier aussi. Le travail considérable accompli en Bretagne, dans le cadre de l'inventaire des richesses artistiques, doit et peut servir à autre chose qu'à dénoncer notre laxisme dans 30 ans.

Les vieilles pierres, le mobilier paysan traditionnel et les objets d'art, religieux notamment, ont été l'objet d'un pillage véritablement scandaleux, contre lequel la Bretagne n'a pas réussi à se défendre efficacement.

Que ce pillage se soit effectué par vol pur et simple ou par troc honteux, de la vieille armoire ou l'ancien lit clos contre le buffet et la table de formica, le résultat est le même. Les prix des choses anciennes sont devenus tellement élevés, qu'ils les ont revalorisées aux yeux même de ceux qui se sont un moment laissé abuser. La Bretagne a la chance d'avoir conservé un secteur artisanal plus florissant que dans beaucoup d'autres régions. Il peut largement contribuer à maintenir et enrichir une ancienne tradition, à condition de ne pas se cantonner à une imitation trop servile des oeuvres du passé.

Mais il est grand temps qu'une sorte de «sanctuaire» tente de rassembler les témoins du passé les plus précieux et les plus significatifs. Ce pourrait être l'une des missions de l'Institut Culturel de la Bretagne.

Si l'architecture bretonne récente ne déplaît pas, le plus souvent, aux visiteurs, il faut admettre qu'elle n'a rien de bien enthousiasmant. La villa bien en vue, prétentieuse et banale, se rencontre malheureusement plus souvent que l'oeuvre originale, discrète et de bon goût.

Si l'art et la création ne se décrètent pas, l'éducation peut faciliter la découverte et l'épanouissement des dons individuels. Les enseignements artistiques toujours négligés en France pourraient pourtant s'enrichir d'une ouverture plus grande de l'Ecole sur le monde extérieur et sur la vie locale. Depuis quelques années, des mesures ont été prises en ce sens, mais les habitudes ne se changent pas du jour au lendemain, surtout dans ce domaine.

En réaction à l'uniformisation des modes de vie, à la consommation massive d'objets stéréotypés, la Bretagne, forte d'une tradition, menacée mais encore vivante, peut être un lieu privilégié de création artistique et de renouveau de l'expression culturelle. Rien de tout cela ne se planifie ni ne se légifère. Tout cela a d'autant plus de chance de s'épanouir que la tutelle est moins pesante et l'autorité plus libérale, à quelque niveau qu'elles s'exercent.

L'initiative prise par les Assemblées Régionales de créer un Institut Culturel de la Bretagne doit permettre de coordonner et rendre plus efficaces les actions des nombreuses associations culturelles aux moyens trop limités.

Henri Krier et Louis Ergan, *Bretagne de 1975 à 1985*, © Informations et Conjoncture.

2.2.2 Comprehension

(a) Why is the character of Brittany economically important?
(b) Why is Brittany again becoming a fashionable area?
(c) What is in danger, apart from tourist sites and the Breton language?
(d) What have Bretons exchanged for formica-topped tables and sideboards?
(e) How can Brittany ensure the continuation and enrichment of its artistic tradition?
(f) What could be one of the missions of the Institut Culturel de la Bretagne?
(g) Why is modern Breton architecture not particularly pleasing?
(h) What does education in the field of art require?
(i) What could Brittany become?
(j) In what circumstances could such a scheme succeed?

Breton folklore: Fête des Filets Bleus, Concarneau. (Courtesy Vidocq Photo Library, Frome and André Laubier, Bath)

2.2.3 Exercises — Section A

1. The following table contains nouns and verbs drawn from the text. In each line there is a relationship between the noun on the right and the verb which precedes it. This verb, in its turn, is based on the left-hand noun. Complete the table, following the example.

Example:

Noun	*Verb*	*Noun*
croix	croiser	croisement

Complete the table.

Noun	*Verb*	*Noun*
renouveau	renouveler	
		nivellement
		standardisation
		uniformisation

22

2. *Expressions with de* Find in the text expressions with *de* equivalent to the following.

   (a) . . . as part of . . .
   (b) . . . have been subjected to . . .
   (c) Brittany has the luck to have preserved . . .
   (d) . . . provided it does not . . .
   (e) . . . overnight . . .
   (f) . . . all the more chance of . . .

Commentary

Attention has already been drawn to the use of 'triple rhythm' in the language (see Section 1.2.3). Not only do the present authors use triple rhythm in a simple way (Les vieilles pierres, le mobilier paysan traditionnel et les objets d'art . . .), but also they use the rhythm to balance two halves of a sentence: La villa bien en vue, prétentieuse et banale, se rencontre malheureusement plus souvent que l'oeuvre originale, discrète et de bon goût. What is notable in this passage, however, is the use of a 'double rhythm', i.e. constructions appear in pairs.

Thus we have verbs:

La Bretagne . . . pourra-t-elle et saura-t-elle . . .
Le travail considérable . . . doit et peut servir . . .
Rien de tout cela ne se planifie ni ne se légifère

Nouns, too, are used in pairs:

. . . en face des risques de standardisation et de nivellement . . .
. . . c'est la richesse de la vie individuelle et la qualité de la relation entre les personnes . . .
Si l'art et la création ne se décrètent pas . . .

Note that these pairs are linked by *et*. Pairs are also linked by *ou*:

Que ce pillage se soit effectué par vol pur et simple ou troc honteux, de la vieille armoire ou l'ancien lit clos contre le buffet et la table de formica . . .

Conjunction with the use of nouns and adjectives also occurs:

. . . s'enrichir d'une ouverture plus grande de l'Ecole sur le monde extérieur et sur la vie locale.

Sometimes the link word is omitted in a sentence in which a construction is used twice:

En réaction à l'uniformisation des modes de vie, à la consommation massive d'objets stéréotypés . . .
. . . la Bretagne, forte d'une tradition, menacée mais encore vivante . . .

The overall effect achieved by the authors is that of having thoroughly covered the subject, and of having exhausted the possibility of further examples. This is, of course, deceptive, but the technique is a useful one to note for essay-writing.

2.2.4 Exercises — Section B

The following are the points on which the exercises are based.

(1) Preposition + *lequel, laquelle*, etc. (Grammar 4.4(b)(iii)).
(2) *A condition de* + infinitive (Grammar 5.5(d)(iv)).
(3) *Il est grand temps que* + subjunctive (Grammar 5.5(c)(vi)).
(4) Reflexives in French rendered by passives in English (Grammar 5.4(b)).

1. Rewrite the following sentences, using the correct form of *lequel* after the preposition, as in the example.

    Example L'Institut Culturel de la Bretagne est une institution importante. C'est par celle-ci qu'on pourra rassembler les témoins du passé.
    Response L'Institut Culturel de la Bretagne est une institution importante par laquelle on pourra rassembler les témoins du passé.

    (a) La Bretagne a un caractère particulier. C'est par celui-ci qu'elle a su conserver son héritage culturel.
    (b) Les monuments historiques ont été l'objet d'un véritable pillage. On n'a pu se défendre efficacement contre celui-là.
    (c) La Bretagne doit maintenir et enrichir sa tradition artisanale. Elle est partout célèbre pour celle-ci.

2. Translate the following sentences into French, using *à condition de* and an infinitive.

    (a) The Bretons can contribute to their own future, provided that they don't limit themselves to a regional viewpoint.
    (b) Art and architecture will flourish, provided that they are not planned or legislated for.
    (c) Brittany can become a centre for creative art, provided it doesn't limit itself to a slavish imitation of the past.

3. Answer the following questions, using *il est grand temps que* + subjunctive and the correct form of *tel*, as in the example.

    Example Est-ce qu'il y aura un renouveau de la création bretonne?
    Response Oui, il est grand temps qu'il y ait un tel renouveau.

    (a) Est-ce qu'on fera un effort pour sauver la culture bretonne?
    (b) Est-ce qu'on verra une renaissance de la culture bretonne?
    (c) Est-ce qu'on tiendra des congrès sur l'avenir de la Bretagne?

4. Find sentences in the text which match the following, and which use a reflexive verb where English uses a passive.

(a) Whether this pillage has been carried out by pure and simple theft or by underhand dealing . . . the result is the same.

(b) . . . provided that it is not restricted to an excessively slavish imitation of works from the past.

(c) The all-too-prominent villa, pretentious and vulgar, is unfortunately more often encountered than the original article, which is both tasteful and discreet.

(d) . . . habits can't be changed overnight . . . .

(e) None of this can be planned or legislated for.

2.2.5 **Assignment**

Using the text, draw up a list of elements of Breton culture that you consider should be saved at any price. Using the expressions below, defend your choices:

Il faut absolument qu'on défende . . . parce que . . .
Il serait honteux de voir disparaître . . . parce que . . .
Il est absolument nécessaire de préserver . . . sinon . . .
Que l'on veille à . . . pour ne pas . . .
Au cas où l'on négligerait . . . on perdrait . . .
Plus on essaie de conserver . . . plus on . . .
Si l'on ne veut pas voir s'éteindre . . . il faut . . .

2.3 Conversation

Two Bretons, André Stervinou and Bernard Cabon, express their thoughts on Brittany, and what it means to be a Breton.

Listen to the cassette, and try to answer the questions below before consulting the transcript which follows the questions.

1. How does Bernard define a 'nation'?
2. How does André feel the Breton culture has been treated?
3. What difference does Bernard see between Bretons and the Irish, Welsh and Scots?
4. Why was André ashamed of his father?
5. In what year did Brittany become a part of France?
6. When was the first Breton literature written?
7. What is a biniou?
8. What modern instruments came to be used in the 1960s?
9. For André, what represents the essence of Breton culture?
10. Why is the Breton language likely to die out?

2.3.1 **Transcript**

Interviewer: Bernard, pour vous, qu'est-ce que c'est que la Bretagne?

Bernard: La Bretagne, je crois que tout le monde n'est pas d'accord avec cette idée-là, mais la Bretagne au sens propre où on l'entend, c'est une nation, c'est-à-dire que c'est un peuple qui a sa propre histoire, sa propre culture, et qui ne se distingue pas d'un point de vue de race ou autre des autres peuples de l'ouest de l'Europe, hein? mais qui correspond à ce qu'on appelle une nation.

André: Je suis tout à fait d'accord avec ce que dit Bernard là-dessus. Nous sommes une nation à part entière, qui a toujours été . . . enfin, la plupart du temps . . . été rejetée par le gouvernement français, et on a essayé de . . . très souvent de tuer cette culture . . . par divers moyens, quoi? Et même encore aujourd'hui, on sent que cette culture est plus ou moins bafouée.

Bernard: Oui, je crois qu'il y a une différence entre nous les Bretons et les Gallois, les Irlandais et les Ecossais, qui s'affirment, eux, comme ayant cette identité, avant l'identité britannique, alors qu'ici on fait passer toujours la notion d'attachement à la nation française avant la qualité de Breton.

André: C'est tout à fait exact. Le Breton, même de mon âge encore, se souvient d'avoir eu honte, d'avoir eu peur de parler breton, d'avoir été élevé en Breton. Mon père était fermier, cultivateur, et fournissait l'école primaire où j'allais en pommes de terre. Et je me souviens de toujours faire la leçon à mon père avant d'aller à l'école de me parler en français devant le directeur. Eh bien, mon père oubliait puisque c'était . . . ce n'était pas naturel devant moi de parler français. Donc, il parlait breton, naturellement, et j'en souffrais énormément.

Interviewer: A part la langue, Bernard, qu'est-ce qui constitue pour vous la culture bretonne?

Bernard: A part la langue, d'abord il y a l'histoire, hein? puisque l'histoire de la Bretagne était jusqu'en 1532, date de l'Acte d'Union de Rattachement de la Bretagne à la France, jusqu'en 1532, l'histoire de la Bretagne a été différente de l'histoire de France. Or, en France, on connaît les rois de France. En Bretagne on ne connaît pas les noms des ducs ni même des rois de Bretagne, puisqu'il y en a eu aussi, et je crois qu'il faudrait faire un effort à l'avenir pour que cette histoire soit connue.

Interviewer: Et à part l'histoire?

Bernard: Bon, il y a encore la littérature aussi, une littérature bretonne en breton, et qui vaut bien une autre. Euh . . . les oeuvres les plus anciennes datent du quatorzième siècle, mais il y a eu des siècles où l'on produisait beaucoup en vers, par exemple aux seizième et dix-septième siècles. En ce qui concerne la musique, André, toi qui as été joueur de «biniou», tu peux . . .?

André: Oui. En ce qui concerne la musique, il y avait une musique traditionnelle en Bretagne qui . . . avait deux instruments privilégiés, c'est-à-dire la bombarde et le biniou. Le biniou est une variante de la cornemuse écossaise. Pour les fêtes, ce qu'on appelle les Fest Noz, les fêtes de nuit, on utilise surtout le biniou qui donne un son très, très, très aigu, et il joue en ce qu'on appelle chant et contre-chant avec un autre instrument qu'on appelle la bombarde, un instrument qui joue très, très, très fort.

Interviewer: Est-ce qu'il y a eu une renaissance de la musique bretonne?

André: Oui. A partir des années soixante, soixante-cinq . . . on a vu les instruments modernes, guitares et . . . batterie être investis dans l'orchestre de musique bretonne. Un des instigateurs de . . . de cette nouvelle tendance a été Alan Stivell, qui était un des premiers dans les années soixante justement à donner à la musique bretonne un nouvel essor, et à essayer de la sortir justement de la frontière de la Bretagne elle-même.

Bernard: Oui, il y a quelque chose qui renaît d'une manière très nette, c'est la danse bretonne. Il y a beaucoup de gens qui dansent des danses bretonnes, mais ce que l'on peut déplorer c'est que ça se fait un petit peu comme on fait de l'aérobic.

Interviewer: André, en résumé, pour vous, qu'est-ce que la culture bretonne?

André: En ce qui me concerne, moi, personnellement, c'est toute ma formation en . . . comment dirai-je? . . . en langue bretonne. J'ai été élevé en breton, j'ai appris le français en breton, et j'ai été nourri de cette culture-là. C'est surtout la langue, quoi? Toute la culture se véhicule par l'intermédiaire de cette langue.

Interviewer: Bernard, pensez-vous que la culture et la langue bretonnes puissent survivre?

Bernard: C'est vrai que, actuellement, les Bretons ne croient pas qu'on puisse conserver cette langue-là, tout au moins en langue vivante. Or, le drame de la langue bretonne, c'est que . . .il meurt beaucoup plus de bretonnants qu'il n'en naît, hein? Et les gens . . .euh . . . il faut qu'ils se disent une chose. C'est que, s'ils n'ont pas le coeur à défendre le breton, eh bien, demain ils n'auront pas le coeur à défendre le français, qui se trouvera bien un jour menacé. C'est une responsabilité vis-à-vis de l'histoire qui est considérable.

2.4 Promenade Poétique

L'hiver a défleuri la lande et le courtil.
Tout est mort. Sur la roche uniformément grise
Où la lame sans fin de l'Atlantique brise
Le pétale fané pend au dernier pistil.

Et pourtant je ne sais quel arome subtil
Exhalé de la mer jusqu'à moi par la brise
D'un effleuve si tiède emplit mon coeur qu'il grise
Ce souffle étrangement parfumé, d'où vient-il?

Ah! Je le reconnais. C'est de trois mille lieues
Qu'il vient, de l'Ouest, là-bas où les Antilles bleues
Se pâment sous l'ardeur de l'astre occidental;

Et j'ai, de ce récif battu du flot kymrique,
Respiré dans le vent qu'embauma l'air natal
La fleur jadis éclose au jardin d'Amérique.

J.-M. de Heredia (1842–1905), *Brise Marine*

2.5 Further Reading

One of the most popular works on Brittany to emerge in recent years is *Le Cheval d'Orgueil*, by Pierre Jakez Hélias, published by Plon. It gives an account of Breton life in the early years of this century. For a more general historical and economic survey see *La Bretagne et les Bretons*, by Maurice Le Lannou, published by Presses Universitaires de France in the *Que Sais-Je?* series.

3 L'Environnement

Man's relationship to the world that surrounds him has always been of importance. In this chapter, we take a historical look at farming, and consider the question of nuclear power today.

In the nineteenth century, the peasantry formed the largest social class. Largely neglected by the ruling classes, they constituted a vital element in France's economy. In *Le Peuple des Campagnes*, Jean Vidalenc, drawing on contemporary sources, examines the relationship of the people to their surroundings, and the influence of social development on the environment.

Le département de la Marne présentait assurément plus de zones fertiles que les Ardennes, mais il s'en fallait de beaucoup que tous les villages eussent une richesse comparable, en raisons des variations géologiques auxquelles les techniques empiriques du temps interdisaient d'apporter les correctifs indispensables.

Il se peut d'ailleurs que la seule tradition ait contribué à faire persister des différences sensibles entre les terroirs et entre la prospérité de villages voisins, fût-ce sur de petites distances. C'est ainsi que sur la route des Grandes-Loges à Chalons on trouvait dans le premier village «des maisons assez bien bâties, grandes et aisées ... les granges, les étables, sont triples des habitations. Presque tous les habitants sont propriétaires, aussi il règne dans ce village une sorte d'aisance». Quelques kilomètres plus loin, à La Veuve, dans une agglomération pourtant plus peuplée et qui contredisait la formule de Bodin: «Il n'est de richesse que d'hommes», le tableau était bien différent: «Les maisons y sont mal bâties et malpropres. Les mendiants y abondent, l'église tombe en ruines.» La seule ressource extérieure de cette pauvre collectivité était la vente des oeufs, des beurres et des volailles à des intermédiaires, qui s'en allaient ensuite écouler les produits sur les marchés des villes. Au village suivant, à Juvigny, les circonstances étaient plus favorables: «Les habitations sont pour la plupart couvertes en chaume et bâties en terre. Leur construction est peu propre et en général les écuries et les étables sont malsaines à cause de leur petitesse et du peu d'air qu'on y laisse introduire. Tous les habitants sont cultivateurs ou propriétaires. Le nombre des fermiers diminue de jour en jour.» Même en faisant la part d'une certaine complaisance à l'égard du trésorier-payeur du département, auquel on attribuait le mérite d'avoir donné l'exemple de la modernisation des cultures dans un domaine attenant au château qu'il avait acheté dans la commune en question, il est incontestable que les trois agglomérations voisines correspondaient à trois types bien distincts de ruraux et à trois niveaux de vie encore plus différenciés.

Un facteur défavorable pour l'ensemble de la France avait accru les ressources habituelles de la Marne; c'était la crise agricole de 1817, qui avait en effet décidé les négociants de la capitale à chercher une nouvelle source d'approvisionnement, créant un courant qui avait duré. «Le blé ayant manqué il y a cinq ou six ans en Normandie et en Picardie, on a eu recours à la Champagne, et l'on s'est aperçu que le froment y était aussi bon et à un prix plus modéré. Depuis cette époque, il a été fait beaucoup de demandes.» Toutefois, quel que pût être l'essor de la production céréalière, elle demeurait d'une importance moindre, et surtout bien moins prestigieuse que celle du vin de Champagne.

Jean Vidalenc, *Le Peuple des Campagnes*, © Marcel Rivière et Cie

Millet: *Les Glaneuses* (the original is in the Louvre). (Courtesy Vidocq Photo Library, Frome)

3.1.2 Comprehension

(a) What was the principal cause of the difference in prosperity between villages?
(b) In Chalons, what was the ratio of barns and cowsheds to houses?
(c) How did the village of La Veuve contradict Bodin's maxim: 'The only wealth consists of manpower'?
(d) How did the survey describe the state of La Veuve?
(e) How did the inhabitants earn money?
(f) What were the houses like in Juvigny?
(g) How had the paymaster-general of the department set an economic example to the area?
(h) What was the effect on corn merchants of the agricultural crisis of 1817?

(i)   What crop did they decide to buy?
(j)   What product did cereals fail to surpass?

3.1.3 Exercises — Section A

1.   Find in the text the opposites of the expressions listed below:

    (a) mal bâties
    (b) pauvreté
    (c) propres
    (d) intérieure
    (e) saines
    (f) grandeur
    (g) augmente
    (h) indistincts

2.   *Faux amis*   Find in the text French words which look like the following English words. What do the French words in fact mean?

    sensible; grand; grange; stable; vent; proper; culture

Commentary

Drawing on contemporary sources, to which it makes constant reference, this passage switches frequently from a modern analytical style of French to the simple descriptive style of the nineteenth-century survey. Notice how nearly all the quoted sentences begin with the subject:

    Presque tous les habitants . . .
    Les maisons y sont . . .
    Les mendiants y abondent . . .
    Les habitations sont pour la plupart . . .
    Leur construction est . . .
    Tous les habitants sont . . .

Such repetition leads to monotony of style, and should be avoided in essay-writing. The author's own style here is much more complex. Even where he begins a sentence like his nineteenth-century counterpart (Le département de la Marne présentait . . .), he uses another two clauses to contradict his initial statement. Read through the passage again and note how the author avoids beginning the sentence with its subject.

3.1.4 Exercises — Section B

The following are the points on which the exercises are based.

(1) *Il se peut que* + perfect subjunctive (Grammar 5.5(c)(vi)).
(2) *Il s'en fallait de beaucoup* + imperfect subjunctive (Grammar 5.5(c)(vi); 5.3).
(3) *Quel que* + imperfect subjunctive of *être* (Grammar 5.5(c)(xiii); 5.2(b)).

1. Rewrite the following sentences, using *il se peut que* and the perfect subjunctive, as in the example.

   Example Il est probable que la seule tradition a fait persister des différences.
   Response Il se peut que la seule tradition ait fait persister des différences.

   (a) Il est probable que les habitants ont construit leurs propres habitations.
   (b) Il est probable que le département a bénéficié de la crise agricole.
   (c) Il est probable que vous avez mal compris les effets de l'homme sur le paysage rural.

2. Translate the following sentences into French, using *il s'en fallait de beaucoup* and the imperfect subjunctive, as in the example.

   Example The inhabitants were far from being poor in certain villages.
   Response Il s'en fallait de beaucoup que les habitants fussent pauvres dans certains villages.

   (a) Circumstances were far from being better in the more populated regions.
   (b) The villagers were far from having the necessary resources.
   (c) Cereal production was far from being more prestigious than that of champagne.

3. Translate the following sentences into French, using the correct form of *quel que* and the imperfect subjunctive of *être*, as in the example.

   Example Whatever the rise in cereal production, it remained much less important than that of champagne.
   Response Quel que fût l'essor de la production céréalière, elle demeurait beaucoup moins importante que celle du vin de Champagne.

   (a) Whatever the difference in size, the villages remained important to agriculture.
   (b) Whatever the results of the agricultural crisis, dealers had to find a source of supply.
   (c) Whatever the merit of modernising crops, it is certain that considerable differences remained between the wealth of neighbouring villages.

3.1.5 Assignment

Translate into English the section beginning Quelques kilomètres plus loin . . . and ending . . . de jour en jour. Note that un cultivateur = a farmer, un fermier = a tenant farmer.

3.2 Un Nouveau Dragon

It is not difficult to find writings in which the use of nuclear power is attacked. In our next text, however, Brigitte Friang draws our attention to the many other dangers that surround us, and points out some inconsistencies of argument.

3.2.1 Text

Nous venons de nous forger un éclatant motif de trembler: l'énergie nucléaire.

Pourtant, pas un Français, que l'on sache, n'est jamais mort des oeuvres de ce nouveau dragon. En revanche, des milliers de mineurs ont été écrasés, asphyxiés dans nos galeries de charbon. Et les coups de grisou ne ressortissent plus à la mythologie du passé que le cancer de la silicose. Des centaines de cheminots, de manoeuvres ont été brûlés par l'explosion des premières machines à vapeur. Chaque année encore, des dizaines d'ouvriers meurent dans les usines de produits chimiques dont l'une ou l'autre explose, de-ci de-là, tout comme, ici ou là, saute un immeuble pour cause de fuite de gaz. Il n'importe, c'est le nucléaire qui est dangereux.

Tous les ans, 13 000 Français succombent sur nos routes dans des accidents de voiture, 30 000 sont blessés dont beaucoup trépassent des suites de leurs lésions ou restent handicapés à vie. Plaisanterie! C'est l'énergie nucléaire qui est dangereuse.

Au reste, vous l'avez constaté, en accord avec eux-mêmes, tous ceux qui la refusent ne s'éclairent pas à l'électricité, car pour partie issue du nucléaire. Ils n'utilisent aucun produit façonné par l'industrie, dont un important contingent est fourni par le nucléaire. Pour ces raisons évidentes, ils n'usent d'aucun moyen de transport, pas même de la bicyclette, tout aussi usinée que l'automobile ou le chemin de fer, souvent propulsé, de plus, à l'aide d'électricité nucléaire. Ils ne se nourrissent que des produits (biologiques) de leur jardin, puisqu'ils ne pourraient tolérer que leur approvisionnement soit véhiculé par quelque engin manufacturé que ce soit. Bien entendu, ils ne regardent pas la télévision, dont le récepteur ne saurait être branché sur une prise électrique. «A fortiori», sous aucun prétexte, ils n'accepteraient de se servir du petit écran pour stigmatiser . . . l'énergie nucléaire.

Si on vous les a montrés descendant d'avions, de trains, de voitures, vêtus comme vous et moi de tissus plus ou moins synthétiques, chaussés de souliers confectionnés dans des ateliers alimentés par une électricité d'origine nucléaire afin de manifester contre l'énergie nucléaire à Creys-Malville ou ailleurs, sachez que ces images étaient mensongères puisque impressionnées, imprimées et diffusées peu ou prou grâce à l'énergie nucléaire. En réalité, ces croisés s'étaient rendus sur les hauts lieux du refus en des semaines de marche, pieds nus ou protégés par des sandales de paille tressée (même pas dans des sabots qui exigent la mort d'un arbre), couverts de la laine de leurs brebis filée au rouet, nourris des seules racines déterrées le long des chemins.

Car on se doit d'être conséquent, au pays de Descartes, même s'il est doux de s'y faire peur.

© Brigitte Friang, *Le Figaro*

Notes

Creys-Malville: The site of a Phénix fast-breeder reactor, and of many anti-nuclear protests.
Descartes: René Descartes (1596–1650), France's most famous philosopher, author of the *Discours de la Méthode*, and originator of the philosophical tenet 'Je pense, donc je suis'.

Observation post at Tricastin nuclear power station in southern France. An accident here could threaten almost 12 000 people directly. The local fire brigade is equipped with special clothing to deal with any emergency. (Courtesy Camera Press Ltd, London)

3.2.2 Comprehension

(a) How many French people have been killed by nuclear power?
(b) How many miners have been asphyxiated or killed in coal-mines?
(c) How many people are killed or injured every year on French roads?
(d) Why do those who reject nuclear power not use electricity?
(e) Why do they use no product manufactured by industry?
(f) Why do they live only on organically produced food?
(g) How do these people appear to be dressed when they get off the plane?
(h) How, according to the writer, were they really dressed?
(i) What point is the writer trying to make about these people?

3.2.3 Exercises — Section A

1. What do the following verbs, taken from the text, all have in common with regard to their meaning?

    mourir; être écrasé; être asphyxié; être brûlé vif; succomber; trépasser

2. List all the nouns in the text which are given as causes of death.

3. Find sentences or expressions in the text for which the following are synonyms:

    (a) Aucun Français ... n'a jamais succombé aux ...
    (b) Cela n'a aucune importance.
    (c) ... un grand nombre (de personnes) meurent par suite de leurs blessures.
    (d) ... parce qu'elle a été en partie produite par l'énergie atomique.
    (e) Ils ne mangent que ...
    (f) ... ces photos ne vous montraient pas la vérité.
    (g) Parce qu'il faut être logique ...

Commentary

This passage is, of course, heavily dependent on the use of irony to make its point. By saying one thing, the author is putting over exactly the opposite viewpoint — she is being heavily sarcastic in her tone. The opening statement appears to be a matter of fact with which the author can agree. The list of terrible accidents in the second paragraph confutes the initial statement, but the comment Il n'importe, c'est le nucléaire qui est dangereux reveals the author's intention to be ironic. Similarly, C'est l'énergie nucléaire qui est dangereuse at the end of the next paragraph confirms the reader's impression that the author is not, in fact, saying what she means.

The fourth paragraph uses negatives, where Brigitte Friang intends us to understand the contrary — these people *do* do all these things. The final paragraph leaps into the realms of excess, drawing on Biblical language and language with religious connotations — ces croisés; les hauts lieux; pieds nus; sandales de paille tressée; leurs brebis.

The tone rises from simple statement of fact at the beginning to exaggerated, almost hysterical rhetoric at the end, but shows a technique which can be useful in argument — stating a case by pointing out the shortcomings of supporters of the opposing case.

3.2.4 Exercises — Section B

The following are the points on which the exercises are based.

(1) Prepositions (Grammar 7).
(2) Negatives (Grammar 6.6).

1. Without looking at the text, try to restore the missing words in the following extract. Choose from à, au, avec, de, d', du, en, par, pour, que.

> —— reste, vous l'avez constaté, —— accord —— eux-mêmes, tous ceux qui la refusent ne s'éclairent pas —— l'électricité, car —— partie issue du nucléaire. Ils n'utilisent aucun produit façonné —— l'indus-trie, dont un important contingent est fourni —— le nucléaire. —— ces raisons évidentes, ils n'usent —— aucun moyen —— transport, même pas —— la bicyclette, tout aussi usinée —— l'automobile ou le chemin —— fer, souvent propulsé, —— plus, —— l'aide d'électricité nucléaire . . . . Ils ne pourraient tolérer que leur approvisionnement soit véhiculé —— quelque engin manufacturé que ce soit.

2. Using sentences in the text as models, translate the following sentences into French. All contain a negative.

   (a) Not a single Frenchman has died from a nuclear accident.
   (b) None of those who reject nuclear power, of course, uses electricity for their lighting.
   (c) They don't use a single manufactured product.
   (d) They don't use any means of transport, either.
   (e) They wouldn't agree to use television to protest about nuclear power.

(f) Their food must not be produced by any manufactured device whatsoever.

3.2.5 Assignment

Below is a list of arguments *for* the use of nuclear power. Reject each one in some way, and introduce each sentence with one expression from the list at the end.

(a) La radio-activité n'est pas dangereuse.
(b) Elle n'est pas très redoutable.
(c) Nous avons un fort besoin d'électricité en ce moment.
(d) Personne n'est mort par suite d'un accident nucléaire.
(e) Les produits chimiques sont, en fin de compte, beaucoup plus dangereux que la radioactivité.
(f) Il faut absolument accepter l'arrivée de l'énergie nucléaire.
(g) Sans le nucléaire, la France ne saurait pas s'approvisionner en énergie.
(h) Il s'agit surtout de l'avenir de notre pays.

> Je ne suis pas d'accord
> Ce n'est pas vrai
> Absolument pas
> C'est faux
> Pas du tout
> Au contraire
> En aucun cas
> Jamais!

3.3 Conversation

Listen to the cassette, on which Marc and Catherine Regnault discuss the environment and its problems. Attempt to answer the questions below before consulting the transcript which follows.

1. Why do people not really understand the term 'environment'?
2. What risk is there to beauty spots?
3. What concern does Marc express concerning the Ministry of the Environment?
4. How do people regard political parties who attempt to make people aware of environmental issues?
5. Which environmental problem stirs up public opinion every year?
6. What criticism does Catherine have of picnickers?
7. What factor can influence the granting of permission to build a factory?
8. What was the result of the petition against plans to build a factory locally?
9. What problem confronts those who wish to solve environmental problems?
10. How do authorities react to people's concerns?

3.3.1 Transcript

Marc: En ce qui concerne l'environnement, personnellement, je pense que les gens ne sont pas encore... pas encore au courant des problèmes. Le terme «environnement» est un terme qui est assez récent en France. On n'utilisait pas le terme «environnement» y a vingt ans . . . ça n'existait pas. C'est un terme un peu nouveau et les gens ne le connaissent pas. Donc, ne connaissant pas vraiment les problèmes de l'environnement ils n'ont pas conscience, pour l'instant, des problèmes. Mais je pense que dans les années à venir les gens vont prendre conscience des problèmes d'environnement, et ça risque, peut-être, d'être un peu tard . . . euh . . . le risque de mettre les autoroutes trop proches des monuments historiques . . . et . . . bon, les monuments historiques sont protégés, mais les abords, peut-être pas suffisamment. La construction d'usines dans des endroits, dans des paysages, qui étaient des sites naturels agréables à regarder, qui risqueraient d'être anéantis. Il y a bien sûr, un Ministère de l'Environnement, mais est-ce qu'il a tous les pouvoirs? Les pouvoirs locaux sont quelquefois plus forts et arrivent, peut-être à contourner des lois. Je pense que les gens ne sont pas suffisamment concernés.

Catherine: Oui, je suis tout à fait d'accord avec cela. L'environnement paraît pour la grande masse des Français un problème totalement secondaire . . . et . . . les partis politiques qui essaient de sensibiliser l'opinion font encore un peu figure de . . . de rigolo. Ils sont vraiment pas pris au sérieux. On s'y intéresse ponctuellement quand, par exemple, il y a de gros incendies de forêt dans le Midi. Alors, ça émeut un peu l'opinion . . . puis on oublie très vite, puisque tous les ans, ça recommence . . . euh . . . Quand il y a eu les retombées de Tchernobyl, on en a parlé, mais on ne se sent pas concerné par ça.

Marc: La masse des gens, bien sûr, dans l'ensemble.

Catherine: Oui, la grande masse des gens, je pense. Dans les forêts, le dimanche, on va pique-niquer, ils laissent tout n'importe comment, les boîtes, les papiers, tout ça. Ils ne font pas du tout attention.

Marc: Il n'y a pas encore de sens civique qui s'est développé. Ça sera nécessaire, je pense, dans les années à venir, à développer ce . . . ce problème-là. Il y a la pollution, les petites cochonneries que les gens laissent, mais il y a aussi le problème de vouloir installer une usine, et il y a un pouvoir d'argent supérieur. L'argent est plus fort peut-être, donc, l'usine va s'implanter.

Catherine: Il y a eu une histoire avec une usine qui allait être construite près d'un petit village . . . et . . . bon, les gens ont fait signer des pétitions et autres, mais ça n'a rien donné.

Marc: Les gens ne savent pas à qui s'adresser quand il y a un problème d'environnement. J'ai le cas particulier de ma soeur. Elle a, donc, une vieille maison, une ferme, avec un petit terrain, et il va passer prochainement peut-être une grande autoroute. Bon c'est très gênant, ils ne savent pas comment faire pour manifester, à qui demander pour que cela ne se fasse pas.

Catherine: Et en plus, les pouvoirs publics se renvoient la balle aussi. Jamais personne n'est responsable. Et puis quand par moments il y a une menace, par exemple, le problème nucléaire ou autre, eh bien, à ce moment-là on nous rassure en disant que . . . des incidents peuvent se produire à l'étranger, mais pas en France.

3.4 Promenade Poétique

Petite Mer sois douce aux hommes
laisse-les passer en canot
et ne fais pas de vagues.
Petite Mer, sois douce aux gens.

Quand tu vois des transatlantiques
à côté des falaises,
ne fais pas de tempêtes.
Petite Mer, sois douce aux transatlantiques.

Quand tu vois des poissons
ne descends pas trop vite,
parce que les poissons pourraient rester sur la plage
et les petits garçons les prendraient
Petite Mer, sois douce aux poissons.

Jacques Maillart (âgé de 9 ans), «La Mer», © La Guilde du Livre

3.5 Further Reading

Environmental issues are regularly discussed in the press, and much may be gleaned from a regular perusal of newspapers and magazines (see Section 7.6 for a list of the main publications in France). For a readable account of the problems of the environment, see *L'Environnement*, by P. George, published by Presses Universitaires de France in the *Que Sais-Je?* series.

4 Une Société Qui Evolue

French society is changing rapidly, and this chapter looks at some economic and sociological factors which have contributed to the many changes.

4.1 L'Industrie Depuis 1945

The nature of manufacturing industry has altered considerably in the post-war years. In an analysis of what he sees as an economic crisis, C. Stoffaes here examines the situation of the consumer goods industries.

4.1.1 Text

Le secteur des biens de consommation est traditionnellement un des secteurs forts de l'industrie française. Ainsi la France apparaissait-elle comme relativement spécialisée dans des secteurs comme les industries textiles et de l'habillement, les industries du cuir et de la chaussure, les industries agricoles et alimentaires.

Mais cette «force» française dans les industries de biens de consommation est, en fait, une faiblesse. La balance extérieure du textile-habillement et du cuir-chaussure s'est ainsi très fortement dégradée. Ce phénomène apparaît traduire à la fois une perte des marchés européens au bénéfice des productions des pays en voie de développement dotés d'une main d'oeuvre à bon marché, ainsi qu'une invasion du marché français par ces mêmes productions, mais aussi par des produits allemands ou italiens plus compétitifs parce que mieux adaptés aux goûts du public et réalisés dans des entreprises qui ont su investir et se moderniser pour devenir plus productives.

Contrastant avec cette spécialisation dans les biens de consommation, la France fait preuve d'une faiblesse particulière qui ne se dément pas dans le domaine des biens de consommation électriques et électroniques. Qu'il s'agisse d'appareils ménagers, d'appareils de radio et de télévision, d'appareils photographiques, sa balance extérieure est déficitaire. Le taux de couverture pour les biens de consommation durables des ménages n'est, en moyenne, que de 50%. Le marché français est envahi de productions allemandes, italiennes ou japonaises en voie d'être relayées par les exportations du tiers monde.

En 1960 la France tirait des biens de consommation un important solde commercial, notamment des anciennes colonies, et bénéficiait d'une forte rentabilité, grâce en partie à un appareil de production vieilli et amorti.

Cette rentabilité a progressivement baissé et le capital n'a pu être modernisé. En Allemagne au contraire, la rentabilité du secteur a fortement progressé en même temps que se réalisait une modernisation vigoureuse grâce à un investissement soutenu.

A l'inverse, la supériorité française dans les industries agro-alimentaires est sans rapport avec la puissance de l'agriculture française. En 1970, si 7,4% de la valeur ajoutée de l'économie française était dans l'agriculture, l'industrie agro-alimentaire n'occupait que 6,8% seulement de cette valeur ajoutée. Il est clair qu'elle n'utilise pas à plein l'atout d'une agriculture compétitive et qu'elle lui laisse exporter trop de produits à l'état brut.

C. Stoffaes, *La grande menace industrielle*, © Calmann-Lévy 1978

From an agrarian economy to an industrial economy: the new Fleetguard factory in Quimper, Brittany. (Courtesy Ram Ahronov)

4.1.2 Comprehension

(a) Which sector of industry is traditionally regarded as being strong?
(b) In which industries was France considered to be relatively specialised?
(c) Which countries have benefited from the loss of European and other markets?
(d) Why have German and Italian products gained ground?
(e) In which particular area has France proved to be particularly weak?
(f) What percentage of household goods is produced within France?
(g) Which parts of the world used to contribute an important share to France's balance of trade?
(h) What has contributed to Germany's growth in profitability?
(i) What conclusion does the author reach with regard to France's economy?

4.1.3 Exercises — Section A

1. Listen to the cassette and write down the figures that you hear. All are percentages, and some involve decimals.

2. *Cognates* Using the examples given, work out the French equivalents of the following English words.

(a) industry   industrie (f.)
(b) economy   économie (f.)
(c) energy
(d) autonomy
(e) sociology
(f) psychology
(g) biology
(h) photography

What will be the gender of these words?

3. *Prepositions used otherwise*   Find in the text the French equivalents of the following expressions, and note the prepositions that are used.

(a) endowed *with*
(b) invaded *by*
(c) bearing no relation *to*
(d) *in* their raw state

Commentary

The style of language used in texts of this type is particularly interesting when looked at from the point of view of translation into English. In order to obtain a natural-sounding piece of English, the translator must resort to a number of devices, which generally involve a deviation from the style or structure of the original.

Thus, a noun qualified by another noun must be translated by an adjective and a noun:

... des pays *en voie de développement* — *developing* countries

The reverse also happens — a noun and an adjective in French become two nouns in English:

... appareils *ménagers* — *household* gadgets

The English will sometimes have to be a contraction of the French:

... la France *fait preuve* d'une faiblesse — ... France *shows* a weakness

On other occasions, the English must expand the French:

... des produits ... plus compétitifs parce que mieux adaptés — products *which are* more competitive *because they are* better adapted

The rather mundane *être* is often best translated by another, more vivid verb:

... sa balance extérieure *est* déficitaire — her overseas trade balance *shows* a deficit

> ... la supériorité française ... *est* sans rapport avec la puissance de l'agriculture française — ... French superiority ... *bears* no relation to the strength of French agriculture
>
> Many other devices are used by the translator to arrive at a piece of English which sounds natural, while remaining very close to the spirit of the French original. Any reader who would like to investigate further the 'tricks of the trade' of the translator should consult the two books by Eric Astington which are listed at the end of this book in the Bibliography.

4.1.4 Exercises — Section B

The exercises in this section are based upon the following points.

(1) *Etre* + *de* + number (Grammar 3.2(c)(iii)).
(2) Reduction of sentences by the removal of relative clauses and *être* (Grammar 8.3).
(3) *Que* + subjunctive, used to mean *whether* (Grammar 5.5(c)(xiii)).

1. Listen to the cassette, and complete the following sentences.

   (a) Le taux de couverture n'est en moyenne que de ...
   (b) La valeur ajoutée de l'économie française qui se situe dans l'agriculture ...
   (c) La part de l'industrie agro-alimentaire ...

2. *Reduced clauses* Reduce the length of the following sentences by taking out *qui* + *être*, and any other instance of *être* and its subject, as in the example.

   Example Il s'agit de produits qui sont plus compétitifs parce qu'ils sont mieux adaptés au marché français.
   Response Il s'agit de produits plus compétitifs parce que mieux adaptés au marché français.

   (a) Le secteur des biens de consommation est un des secteurs qui sont traditionnellement forts parce qu'ils sont enracinés dans l'histoire économique du pays.
   (b) Il s'agit ici d'un marché qui est envahi par des produits étrangers parce qu'il est incapable de concurrencer ceux-ci.
   (c) Il reste un autre secteur qui est très fort parce qu'il est indépendant des influences étrangères.

3. *Whether* Translate the following sentences into French, using *que* + subjunctive, as in the example:

   Example Whether the French market is weak or strong, foreign products are always a serious threat.
   Response Que le marché français soit faible ou fort, les produits étrangers constituent toujours une grande menace.

(a) Whether the market is invaded by German or Italian goods, France remains superior in the area of agriculture.

(b) Whether France shows any weakness or not, her markets are being invaded by foreign products.

(c) Whether the consumer goods sector appears strong or not, the overseas trade balance has gone rapidly downhill.

4.1.5 Assignment

Translate into English the first two paragraphs of Section 4.1.1.

4.2 Le Fléau du Chômage

Unemployment has been one of the great scourges of Western society over the last decade, and France has not escaped its lash. In a wide-reaching study of contemporary French society, Gérard Mermet examines the effect of unemployment on French workers.

4.2.1 Text

Qu'est-ce qu'un chômeur? Sous ce terme, pourtant fort évocateur, se cachent des situations bien différentes. Les plus courantes sont celles des travailleurs qui ont perdu leur emploi, à la suite d'un licenciement, d'un départ volontaire, de la fin d'une période d'essai, d'un contrat à durée déterminée, ou encore d'une retraite anticipée. D'autres, parmi les plus jeunes, n'ont pas réussi à trouver leur **premier** emploi. Ils ne garderont pas un excellent souvenir de leur entrée dans la vie professionnelle. La façon dont les chômeurs vivent leur chômage est tout aussi variée. Celui qui se désespère après des mois de recherche vaine ne vit pas dans le même monde que celui qui s'efforce de profiter jusqu'au bout de l'«année sabbatique» financée par l'Etat. Les premiers sont, quoi qu'on en dise, beaucoup plus nombreux que les seconds. Entre ces extrêmes, il y a des milliers de cas particuliers. On trouve, en tout cas, beaucoup de frustration et de souffrance dans une société qui proclame bien haut le droit au travail, mais qui n'a plus les moyens de le reconnaître à tous. En refusant un emploi à un individu, on touche en effet à sa dignité personnelle, autant qu'à son pouvoir d'achat.

Depuis 10 ans, les Français n'ont vraiment pas ressenti la crise qu'à travers l'inflation et le chômage. Le premier fléau est, semble-t-il, en voie d'être enrayé, bien que la France ait pris quelque retard par rapport aux autres pays industrialisés. Le second continue de se répandre dans la société, malgré les tentatives faites pour le stabiliser. Si la proportion de chômeurs est actuellement de 10% de la population active, on peut estimer qu'environ un tiers des travailleurs ont fait l'expérience du chômage depuis le début de la crise. La proportion est encore plus élevée si l'on exclut tous ceux qui bénéficient de la garantie de l'emploi.

Les jeunes sont trois fois plus touchés que la moyenne, et plus d'un quart des jeunes de 15 à 25 ans sont chômeurs. Il ne fait pas bon avoir 18 ans et chercher son premier emploi. Surtout lorsqu'on ne peut se prévaloir de l'un de ces diplômes qui simplifient grandement les premiers contacts avec les employeurs. Les chiffres officiels sont d'ailleurs inférieurs à la réalité, puisqu'ils ne prennent pas en compte les quelque 200 000 jeunes qui, chaque année, sont en formation, au titre des pactes pour l'emploi. On peut considérer qu'au moins la moitié des jeunes qui sortent de l'école commencent leur vie professionnelle par … le chômage. La durée de cette période de «purgatoire» est variable selon les individus, en fonction de leur formation, leurs caractéristiques personnelles, sans oublier, bien sûr, la chance.

Il est clair que cette première expérience, qu'elle soit personnelle ou vécue à travers les difficultés des camarades du même âge, n'est pas sans effet sur la perception qu'ont les jeunes du travail et de la vie en général.

Gérard Mermet, Francoscopie, © Larousse 1987

4.2.2 Comprehension

(a) Which is the largest category of unemployed people?
(b) Why are many young people unemployed?
(c) Who finances the 'sabbatical year' for those who cannot find a job?
(d) Is France ahead of other countries in conquering inflation?
(e) What proportion of workers have been unemployed since the beginning of the economic crisis?
(f) Why are the official figures on employment below the true level?
(g) What three factors affect the length of unemployment for the young?

4.2.3 Exercises — Section A

1. Find in the text the French expressions which correspond to the following.

    (a) an unemployed person
    (b) a job
    (c) a redundancy
    (d) a short-term contract
    (e) working life
    (f) the right to work
    (g) purchasing power
    (h) attempts
    (i) security of job-tenure
    (j) training

2. Put *à*, *de* or — after the following infinitives to indicate the preposition that is used to govern another verb. The dash indicates that no preposition is required. Check your answers with verbs in the text.

    (a) réussir
    (b) s'efforcer
    (c) faire bon
    (d) continuer
    (e) avoir les moyens
    (f) être en voie

Commentary

The sentences of this passage are, in general, modified in some way to add to the central sense of each. There are few simple sentences of the following type: Ils ne garderont pas un excellent souvenir de leur entrée dans la vie professionnelle. The modifications to sentences take a number of forms.

First, there is the comment:

Sous ce terme, *pourtant fort évocateur*, se cachent des situations bien différentes.

Les premiers sont, *quoi qu'on en dise*, beaucoup plus nombreux que les seconds.

On trouve, *en tout cas*, beaucoup de frustration . . .

Second, there is the addition to some fact already given:

. . . celles des travailleurs qui ont perdu leur emploi, *à la suite d'un licenciement, d'un départ volontaire* . . .

D'autres, *parmi les plus jeunes*, n'ont pas encore réussi à trouver leur premier emploi . . .

Other devices used to lengthen and modify sentences are adverbial phrases:

En refusant un emploi à un individu . . .

and subordinate clauses of various types, e.g. adverbial:

Si la proportion de chômeurs est actuellement de 10%, . . .

and relative:

La proportion est encore plus élevée si l'on exclut tous ceux qui bénéficient de la garantie de l'emploi.

When writing an essay or letter, it is a useful exercise to write a very short sentence, and then to attempt to modify it by some of the devices used above. Professor R. L. G. Ritchie wrote: 'The French sentence tends to be shorter than the English — often occupying about one and a half lines. It usually gives the impression of being carefully written.' Sound advice. Think carefully about what you want to say, and aim for a well-balanced sentence of the right length, using the devices mentioned here.

The exercises in this section are based on the following points.

(1) *Bien que* + the perfect tense of the subjunctive (Grammar 5.5(c)(xiii); 5.5(c)(b)).
(2) *Quoi que* + the present tense of the subjunctive (Grammar 5.5(c)(xiii); 5.1; 5.3).

1. Rewrite the following sentences, using *bien que* and the perfect tense of the subjunctive, as in the example:

   Example La France a essayé d'enrayer le problème de l'inflation, mais elle n'a pas encore réussi à le faire.
   Response Bien que la France ait essayé d'enrayer le problème de l'inflation, elle n'a pas encore réussi à le faire.

   (a) Les jeunes ont cherché du travail, mais ils n'ont pas eu de succès.
   (b) Beaucoup de gens ont perdu leur emploi, mais ils peuvent profiter d'une année sabbatique.
   (c) La société a proclamé bien haut le droit au travail, mais elle n'a pas les moyens de le reconnaître à tous.

2. Translate the following sentences into French, using *quoi que* and the present tense of the subjunctive.

   (a) Whatever people do, they will find frustration and suffering in unemployment.
   (b) Whatever we think of unemployment, we don't have the means to guarantee the right to work.
   (c) Whatever we give an individual, we affect his personal dignity if we cannot offer him a job.

4.2.5 **Assignment**

Translate into French:

Many young people have not yet found their first job. Others, including older people, have lost their job following a redundancy or the end of a trial period. Whatever the State does, however, it cannot guarantee the right to work. Although a sabbatical year is offered to unemployed people, they are certainly going to experience suffering and frustration. It is not very pleasant to be 18 and looking for your first job, and about half of the youngsters leaving school start their working life by being unemployed. About 200 000 a year undergo training under the training schemes, but it is obvious that these first experiences will have considerable effect on the way youngsters look at work and life in general.

4.3 **La Crise du Logement**

Since the 1950s, France has moved from being a predominantly rural society to a society in which most of the inhabitants live in towns and cities. In this text, Alain Kimmel examines some of the social effects of this change.

4.3.1 Text

De 1950 à 1968, se produisent d'importants flux migratoires en direction des grandes métropoles, notamment Paris et sa périphérie, et des régions industrielles de l'Est. A cet exode massif de populations venues des zones rurales de l'Ouest et Sud-Est s'ajoutent l'arrivée d'un million et demi de Français d'Algérie et celle de centaines de milliers de travailleurs immigrés. Il s'ensuit, durant ces quelque vingt ans, une très forte croissance urbaine. Celle-ci va modifier considérablement les habitudes des Français en matière de logement.

Dès 1950, la construction immobilière s'industrialise: de «grands ensembles» surgissent de terre dans la banlieue parisienne, près de Lyon et de Rouen.

Au début des années soixante est envisagée la création de cinq villes nouvelles dans la région parisienne. Dans le même temps, de nombreux logements sont construits dans les agglomérations des grandes capitales régionales (Lille, Nancy, Grenoble, Marseille, Bordeaux . . .).

A partir de 1970 des immeubles de taille plus modeste et de meilleure qualité succèdent aux grands ensembles, tandis que se développe la construction de maisons individuelles et de «villages pavillonnaires».

Ce mouvement de croissance immobilière diversifiée va se poursuivre jusqu'à l'aube des années quatre-vingts. Sous l'effet de la crise, il se ralentit alors nettement, avec seulement 378 000 nouveaux logements en 1980 (contre 500 000 en 1975) et 314 000 en 1983.

Les différentes phases de l'urbanisation ont progressivement transformé le visage des villes et le mode d'habitat des Français. Ce que les spécialistes appellent «l'unité urbaine» se divise désormais en trois «espaces»:

Le centre ville: de plus en plus consacré aux affaires et aux commerces, il conserve quelques quartiers «bourgeois» que côtoient des quartiers anciens, assez pauvres, dans lesquels vivent souvent des personnes âgées, des ménages à faibles ressources ou des chômeurs . . . .

La banlieue: d'anciens bourgs ou villages ont laissé la place aux grands ensembles anonymes de béton ou de bitume où se retrouvent «petits» salariés, travailleurs immigrés et leurs familles, jeunes sans emploi, etc . . . .

L'espace «péri-urbain»: celui que décrivait l'humoriste Alphonse Allais lorsqu'il imaginait l'installation des villes à la campagne. Aux concentrations verticales d'immeubles succèdent désormais des concentrations horizontales de villages pavillonnaires et des groupes de maisons individuelles chères au coeur des Français. Cette division en trois espaces géographiques, mais aussi sociaux, doit, à l'évidence, être relativisée. Au sein de chacun de ces espaces coexistent divers modes d'habitat, tout comme différentes catégories sociales.

L'examen de la situation de l'habitat dans la France d'aujourd'hui permet de faire ressortir trois points:

— La crise du logement, souvent observée ou dénoncée, n'est qu'un des aspects de la crise économique que connaît la France depuis une dizaine d'années.

— La situation des ménages se diversifiant de plus en plus, il paraît indispensable de prévoir également une large diversification du parc immobilier, avec notamment différents types de localisation, de logement, de coût, etc.

— Cette différenciation de l'habitat peut déboucher sur le brassage social, mais aussi sur la séparation, voire la ségrégation entre catégories sociales ou ethniques. Des quartiers riches aux quartiers pauvres de naguère, on risque d'instituer des quartiers de groupes minoritaires ou marginaux sinon des «ghettos», avec leur cortège de chômage, de délinquance ou de violence.

Alain Kimmel, *Vous Avez Dit France?*, © Hachette 1987

Housing today: Place des Fêtes, Quartier Belleville, Paris, 19e. (Courtesy Vidocq Photo Library, Frome and André Laubier, Bath)

4.3.2 Comprehension

(a) What added to the influx of people to the towns between 1950 and 1968?
(b) What began to appear around Paris and Lyon?
(c) What typified the blocks of flats built after 1970?
(d) Who lives in the older parts of city centres?
(e) Which four categories of people are quoted as living in the suburbs?

(f) What characterises the third type of 'space'?

(g) Is the housing crisis considered to be a part of the economic crisis?

(h) What does the variation in types of family necessitate with regard to housing?

(i) What can be the results of mixing different types of housing?

(j) What may be the results of segregating different types of housing?

4.3.3 Exercises — Section A

1. One word in English sometimes requires several in French. Find in the text phrases which correspond to the following words.

   (a) towards
   (b) from
   (c) meanwhile
   (d) smaller
   (e) increasingly
   (f) poor
   (g) unemployed
   (h) obviously
   (i) within

2. The reverse case is also true — one word in French may require several in English. Match the following.

connaître	to rub shoulders with
notamment	unemployed people
côtoyer	to go through
chômeurs	(of) recent years
(de) naguère	in particular

3. *Nouns and verbs* Find in the text nouns corresponding to the following verbs.

   (a) créer
   (b) construire
   (c) urbaniser
   (d) installer
   (e) concentrer
   (f) situer
   (g) diversifier
   (h) localiser
   (i) différencier
   (j) séparer

   What is the gender of all these nouns?

Commentary

This piece of writing is typical of the style that might best be described as 'socio-economic'. As would be expected in a survey of the present-day housing situation, the present tense predominates. Note, however, the use of the present tense to denote the past:

De 1950 à 1968 se produisent d'importants flux migratoires...

The more recent past is therefore necessarily rendered by a future tense or by using **aller**:

Celle-ci va modifier considérablement...

A particularly striking feature of this text is the inversion of subject and verb. As is usually the case, this device is used in a relative clause in which the subject is longer than the verb:

...il conserve quelques quartiers bourgeois que côtoient des quartiers anciens... dans lesquels vivent souvent des personnes âgées...

In this text, however, inversion is also much used by placing adverbial phrases in initial position:

A cet exode massif de populations... s'ajoutent l'arrivée d'un million et demi de Français d'Algérie...

While the present writer uses the expression **dans la région parisienne**, you will increasingly see and hear **en région parisienne**. This has probably been created by analogy with **en France**.

The vocabulary of the passage is typical of much writing of this genre. Note the clichés:

les grands ensembles; les agglomérations; le parc immobilier; des ménages à faibles ressources; une très forte croissance

A glance at any British newspaper will reveal similar clichés.

4.3.4 Exercises — Section B

The exercises in this section are based on the following points.

(1) Inversion after an adverbial phrase in initial position (Grammar 9.5).
(2) High numbers (Grammar 3.2(a)).

1. Starting with the adverbial phrase, rewrite the following sentences, inverting subject and verb to produce a version which corresponds to the sentence in the text.

   (a) D'importants flux migratoires en direction des grandes métropoles se produisent de 1950 à 1968.
   (b) L'arrivée d'un million et demi de Français d'Algérie et celle de centaines de milliers de travailleurs immigrés s'ajoutent à cet exode massif de populations venues des zones rurales de l'Ouest et Sud-Ouest.

(c) La création de cinq villes nouvelles dans la région parisienne est envisagée au début des années soixante.

2. The following numbers correspond to figures in the text. Rewrite them as figures.

   (a) dix-neuf cent quatre-vingt-trois
   (b) trois cent quatorze mille
   (c) mil neuf cent soixante-dix
   (d) cinq cent mille
   (e) mil neuf cent soixante-huit
   (f) trois cent soixante-dix-huit mille
   (g) mil neuf cent quatre-vingts
   (h) dix-neuf cent cinquante
   (i) mil neuf cent soixante-quinze

4.3.5 Assignment

Using the three texts of this chapter, draw up a chronological chart in French, beginning in 1950, to show the industrial, social and economic development of France up to the present day. The first entries have been done for you, and the years in question listed:

1950 — Industrialisation de la construction immobilière
     — Début des flux migratoires en direction des grandes villes
1960
1968
Années 70
1977
1980
1983
1987

4.4 Conversation

Listen to the cassette, on which Marc and Catherine Regnault discuss changes in French society, and try to answer the questions below, before consulting the transcript.

1. What example of technological development does Marc quote?
2. What alternative does Catherine offer to France as a world power?
3. What problem does France continue to have?
4. What example does Marc quote to illustrate that standards of living have risen?
5. What examples does Catherine quote to show that people have money?
6. How has the economic recession affected the Seine valley?
7. How many foreigners are there in France, according to Marc's estimate?
8. Where do the majority of them come from?
9. What is Catherine's explanation of the success of the right-wing parties?
10. What spectre does Marc raise at the end?

Interviewer: A votre avis, la société française, est-elle en pleine évolution?

Marc: J'ai l'impression, déjà, d'une chose, c'est . . . euh . . . en France, en vingt ans on a évolué au point de vue de . . . je dirais pas de technique . . . mais . . . à un certain moment après la guerre, ça faisait un peu vieillot en France, mais là je trouve qu'on va vers un modernisme qui est assez intéressant avec . . . bon . . . le TGV, beaucoup de projets nouveaux. On a l'impression qu'on va vers quelque chose de . . . d'une France qui devient forte dans le monde. On a l'impression qu'il y a une avance par rapport à certains pays. J'ai l'impression d'un pays qui avance vers un modernisme.

Catherine: Oui, bien sûr, la France est un pays moderne, mais pas plus moderne que l'Allemagne ou l'Angleterre. J'ai l'impression que le Français est un peu orgueilleux, et la France, peut-être à cause de son passé, de son histoire, veut toujours avoir un rôle prépondérant. Je ne crois pas à la grandeur de la France à l'heure actuelle. Je pense plutôt qu'une force possible, c'est l'Europe, mais pas la France toute seule.

Interviewer: Comment est-ce que la vie de tous les jours a changé?

Catherine: Il y a eu une évolution dans les dernières années, c'est-à-dire qu'il y a quand même des pauvres. On ne ressent pas beaucoup ça. Ça dépend évidemment des milieux qu'on fréquente, mais enfin, on a été frappé une fois à Paris de voir des queues devant les soupes populaires.

Marc: Mais, dans la rue, on n'a pas l'impression de voir des gens pauvres.

Catherine: Non, mais c'est pour ça que c'est si surprenant justement de voir que ça existe. Il faut quand même croire qu'il y a des gens qui ont du mal à y arriver. On nous dit bien que ce problème n'existe pas, mais il y a des pauvres en France.

Marc: Comme il y a des gens excessivement riches qui ont des fortunes considérables. On a l'impression quand même que le niveau matériel a augmenté. Ça dépend, mais on a l'impression que tout le monde a au moins une voiture.

Catherine: Quand on se déplace aussi, du moins dans la région parisienne, les trains sont toujours pleins, les cinémas sont pleins, les théâtres aussi. Donc, il y a évidemment des gens qui ont de l'argent. Mais si on s'aperçoit que quelqu'un qu'on connaît est touché par le chômage, là on se dit «Quand même, si, ça existe». Et tout d'un coup la situation peut se détériorer. Là, je pense qu'il y a eu une évolution depuis quelques années. Dans la région où nous habitons, dans la vallée de la Seine, petit à petit la vallée de la Seine est en train de mourir. Les usines qui s'étaient implantées ferment leurs portes, les unes après les autres.

Marc: Il y a aussi une évolution par rapport à la masse d'étrangers vivant en France. Avant, on ressentait pas ce problème-là, on y faisait moins attention, tandis qu'on nous dit maintenant qu'il y en a quatre ou cinq millions. Bon, un sur dix, c'est beaucoup, et on se pose des questions. Est-ce que ça peut poser des problèmes dans les années à venir ou pas? C'est une question que les partis politiques d'extrême droite font souvent ressortir en disant «Attention, les étrangers vont finir par vous prendre votre travail». Il y a une sorte de transformation, une petite inquiétude par rapport aux travailleurs étrangers. Il y a des

Portugais, des Italiens, surtout des Nord-Africains. Ça, ce n'était pas senti avant, tandis que maintenant on le ressent plus.

Catherine: Mais peut-être que cela traduit une inquiétude générale. Cette politique, cette xénophobie, notamment avec Le Pen, ça marche, ça a beaucoup de succès auprès des gens les plus divers. On trouve là un bouc émissaire. Pendant qu'on s'occupe de ça, ça rassure.

Marc: C'est par rapport au chômage. On nous dit «On aurait du travail si les étrangers n'étaient pas en France». Je pense que dans tous les pays où il y a un problème, on va le mettre sur le compte de ceux qui n'étaient pas là au départ. Ça, c'est une petite transformation dans la population. C'est une sorte de racisme, finalement, qui peut se révéler.

Note

Le Pen Jean-Marie Le Pen, controversial leader of France's extreme right-wing party, Le Front National.

4.5 **Promenade Poétique**

Vers Saint-Denis c'est bête et sale la campagne.
C'est pourtant là qu'un jour j'emmenai ma compagne.
Nous étions de mauvaise humeur et querellions.
Un plat soleil d'été tartinait ses rayons
Sur la plaine séchée ainsi qu'une rôtie.
C'était pas trop après le Siège: une partie
Des «maisons de campagne» était à terre encor.
D'autres se relevaient comme on hisse un décor,
Et des obus tout neufs encastrés aux pilastres
Portaient écrit autour: Souvenir DES DESASTRES.

Paul Verlaine (1844–1896), «Paysage»

4.6 **Further Reading**

For an excellent summary of the state of present-day France, the student should consult the work from which the second text of this chapter is drawn, namely *Francoscopie*, by Gérard Mermet, published by Larousse. Another excellent study is *L'Etat Actuel de la France et de Ses Habitants*, edited by J.-Y. Potel and published by Editions La Découverte.

5 L'Enfance

Childhood is a theme which runs through the literature of all countries. In this chapter, we look at the childhood of two great writers as seen through their memoirs, and hear about a childhood spent in Paris.

5.1 Une Jeune Fille Rangée

Simone de Beauvoir (1908–1986) is certainly best known for her writings on the role of women in society. Her early autobiography recounts her strict upbringing in a family and a world in which everything is clearly defined in black and white, and in which the young Simone has to struggle to grasp paradoxes and create her own vision of the world.

5.1.1 Text

Maman contrôlait mes devoirs, et me faisait soigneusement réciter mes leçons. J'aimais apprendre. L'Histoire sainte me semblait encore plus amusante que les contes de Perrault puisque les prodiges qu'elle relatait étaient arrivés pour de vrai. Je m'enchantais aussi des planches de mon atlas. Je m'émouvais de la solitude des îles, de la hardiesse des caps, de la fragilité de cette langue de terre qui rattache les presqu'îles au continent; j'ai connu à nouveau cette extase géographique quand, adulte, j'ai vu d'avion la Corse et la Sardaigne s'inscrire dans le bleu de la mer, quand j'ai retrouvé à Calchis, éclairée d'un vrai soleil, l'idée parfaite d'un isthme étranglé entre deux mers. Des formes rigoureuses, des anecdotes ferme- ment taillées dans le marbre des siècles: le monde était un album d'images aux couleurs brillantes que je feuilletais avec ravissement.

Si je pris tant de plaisir à l'étude, c'est que ma vie quotidienne ne me rassasiait plus. J'habitais Paris, dans un décor planté par la main de l'homme, et parfaitement domestiqué; rues, maisons, tramways, réverbères, ustensiles; les choses, plates comme des concepts, se réduisaient à leurs fonctions. Le Luxembourg, aux massifs intouchables, aux pelouses interdites, n'était pour moi qu'un terrain de jeu. Par endroits, une déchirure laissait entrevoir, derrière la toile peinte, des profondeurs confuses. Les tunnels du métro fuyaient à l'infini vers le coeur secret de la terre. Boulevard Montparnasse, sur l'emplacement qu'occupe aujourd'hui la Coupole, s'étendait un dépôt de charbon «Juglar», d'où sortaient des hommes aux visages barbouillés, coiffés de sacs en jute: parmi les monceaux de coke et d'anthracite, comme dans la suie des cheminées, rôdaient en plein jour ces ténèbres que Dieu avait séparées de la lumière. Mais je n'avais pas de prise sur eux. Dans l'univers policé où j'étais cantonnée, peu de chose m'étonnait, car j'ignorais où commence, où s'arrête le pouvoir de l'homme. Les avions, les dirigeables, qui parfois

Les Jardins du Luxembourg, Paris. (Courtesy Vidocq Photo Library, Frome and André Laubier, Bath)

traversaient le ciel de Paris, émerveillaient beaucoup plus les adultes que moi-même.

Quant aux distractions, on ne m'en offrait guère. Mes parents m'emmenèrent voir défiler sur les Champs-Elysées les souverains anglais; j'assistai à quelques cortèges de mi-carême, et plus tard, à l'enterrement de Gallieni. Je suivis des processions, je visitai des reposoirs. Je n'allais presque jamais à Guignol. J'avais quelques jouets qui m'amusaient: un petit nombre seulement me captivèrent. J'aimais coller mes yeux au stéréoscope qui transformait deux plates photographies en une scène à trois dimensions, ou voir tourner dans le kinéoscope une bande d'images immobiles dont la rotation engendrait le galop d'un cheval. On me donna des espèces d'albums qu'on animait d'un simple coup de pouce: la petite fille figée sur des feuillets se mettait à sauter, le boxeur à boxer. Jeux d'ombres, projections lumineuses: ce qui m'intéressait dans tous les mirages optiques, c'est qu'ils se composaient et se recomposaient sous mes yeux. Dans l'ensemble les maigres richesses de mon existence de citadine ne pouvaient rivaliser avec celles qu'enfermaient les livres.

Simone de Beauvoir, *Mémoires d'une Jeune Fille Rangée*, © Editions Gallimard

5.1.2 Comprehension

(a) Why did Bible stories seem more enjoyable to Simone than Perrault's fairy tales?
(b) What experience as an adult reminded Simone of her childhood fondness for her atlas?
(c) What significance did historical sites such as the gardens of the Luxembourg have for Simone?

(d) Which two things mentioned by the author suggest darkness and mystery?

(e) Why was Simone unmoved by such modern wonders as aeroplanes and airships?

(f) What suggests that Simone's parents had little idea of a child's need for amusement?

(g) What caused the dancer to dance and the boxer to box?

(h) What, above all, gave Simone real delight?

5.1.3 Exercises — Section A

1. *Prepositions used otherwise* In the text above, find the following expressions, and note the prepositions involved.

    (a) I was enraptured *by*
    (b) I was moved *by*
    (c) lit *by*
    (d) cut *from* the marble
    (e) so much pleasure *in* study
    (f) *as for* entertainment
    (g) *down* the Champs-Elysées

2. *Nouns and verbs* Complete the table below by finding nouns and verbs in the text which match those that are given:

Nouns	Verbs
émotion (f.)	
	étudier
	déchirer
la fuite	
	diriger

Commentary

Simone de Beauvoir narrates her life-story in chronological order, placing all the events in the past. She uses the imperfect tense as her principal tense — she describes things as they were; she narrates what used to happen.

When recounting events, she moves easily between the perfect and past historic throughout the book, the latter tense making the events seem more distant from the present and less vivid — (adulte) j'ai vu d'avion la Corse et la Sardaigne... (enfant) j'assistai à quelques cortèges de mi-carême....

Note the use of the past historic in the sentence Si je pris tant de plaisir à l'étude, c'est que ma vie quotidienne ne me rassasiait plus. Here the *si* is followed by a past historic because the construction is rhetorical — she did, in fact, take pleasure in study, and there is no hypothesis suggested here, for which the imperfect would be required.

5.1.4 Exercises — Section B

The following are the points which form the basis of the exercises.

(1) Verbs of perception + infinitive (Grammar 5.5(d)(ii)).
(2) Negation (Grammar 6.6).
(3) Order of pronouns (Grammar 4.1(b)).
(4) Pronouns used with *faire* and *laisser* (Grammar 4.1(b)(ix)).

1. Rewrite the following, using the infinitive construction, as in the example.

   Example J'ai vu la Corse et la Sardaigne qui s'inscrivaient dans le bleu de la mer.
   Response J'ai vu la Corse et la Sardaigne s'inscrire dans le bleu de la mer.

   (a) J'ai regardé les objets quotidiens qui se réduisaient à leurs fonctions.
   (b) J'épiais des hommes aux visages barbouillés qui sortaient du dépôt de charbon.
   (c) On entendait toujours les voitures qui passaient dans la rue.
   (d) Mes parents m'emmenèrent voir les souverains anglais qui défilaient sur les Champs-Elysées.
   (e) J'aimais voir la bande d'images qui tournait rapidement dans le kinéoscope.

2. Rewrite the following sentences, using the negative indicated, as in the example.

   Example A cette époque-là, nous allions voir mes parents à la campagne (ne . . . jamais).
   Response A cette époque-là, nous n'allions jamais voir mes parents à la campagne.

   (a) Le décor domestiqué de Paris m'étonnait à cette époque-là (ne . . . guère).
   (b) On était allé au cinéma (ne . . . jamais), ce qui surprit mes amis (ne . . . point).
   (c) Nous allions aux Champs-Elysées pour voir les défilés et les cortèges (ne . . . plus).
   (d) A cette époque-là, j'avais quitté Paris pour aller à la campagne (ne . . . jamais).
   (e) Je m'intéressais aux choses enfantines (ne . . . plus).

3. Re-read the text, and then answer the following questions, using pronouns for the italicised expressions.

   (a) Est-ce que Simone s'enchantait *de son atlas*?
   (b) Est-ce qu'elle a vu *la Corse dans son atlas*?
   (c) Est-ce que l'on emmenait *Simone aux jardins du Luxembourg*?
   (d) Est-ce qu'on offrait *des distractions à Simone*?
   (e) Est-ce qu'elle s'intéressait *aux défilés et aux cortèges*?

4. Insert the pronoun indicated into the sentence at the correct point.

   (a) Maman faisait soigneusement réciter mes leçons (me).
   (b) De temps en temps on laissait sortir (me).
   (c) Lorsque mes cousins venaient voir (nous), je faisais voir mes jouets (leur).
   (d) Ce que je ne laissais pas faire (les), c'était de faire abandonner mes études. (me).
   (e) Mes parents voulaient faire sortir de la maison de temps en temps (me).

5.1.5 Assignment

Simone de Beauvoir here divides her narrative into three sections, concerned, respectively, with books, places and toys. Under these three headings, make a short list of things and places that influenced you in your childhood. Then write a brief paragraph on each, using some or all of the following expressions.

Je me rappelle
Je me souviens de
A cette époque-là
J'aimais
Je m'enchantais de
Je prenais beaucoup de plaisir à
Je fréquentais
J'ignorais
Je n'avais aucune connaissance de

5.2 Une Enfance Provençale

Marcel Pagnol is best known as a dramatist, his most successful work being *Topaze* (1928), a play about a teacher corrupted by money. This has been filmed in both French and English.

Pagnol's work is generally centred on his native Marseilles, and his gentle humour fills his plays about that city, notably *Marius* and *Fanny*. Much gentle irony, too, is found in his *Souvenirs d'Enfance*, of which *La Gloire de Mon Père* is the first part. The following extract is typical of the glimpses that we are given of Pagnol's childhood in Provence.

5.2.1 Text

Nous allions dormir de bonne heure, épuisés par les jeux de la journée, et il fallait emporter le petit Paul, mou comme une poupée de chiffons: je le rattrapais de justesse au moment où il tombait de sa chaise, en serrant dans sa main crispée une pomme à demi rongée, ou la moitié d'une banane.

En me couchant, à demi conscient, je décidais chaque soir de me réveiller à l'aurore, afin de ne pas perdre une minute du miraculeux lendemain. Mais je n'ouvrais les yeux que vers sept heures, aussi furieux que si j'avais manqué le train.

Alors j'appelais Paul, qui commençait par grogner lamentablement en se retournant vers le mur; mais il ne résistait pas à l'ouverture de la fenêtre, soudain resplendissante au claquement des volets de bois plein, tandis que le chant des cigales et les parfums de la garrigue emplissaient d'un seul coup la chambre élargie.

Nous descendions tout nus, et nos vêtements à la main. Mon père avait adapté un long tuyau en caoutchouc au robinet de la cuisine. Il en sortait par la fenêtre, et venait aboutir à un bec de lance de cuivre, sur la terrasse.

J'arrosais Paul, puis il m'inondait. Cette façon de faire était une invention géniale de mon père, car l'abominable «toilette» était devenue un jeu, elle durait jusqu'à ce que ma mère nous criât par la fenêtre: «Assez! Quand la citerne sera vide, nous serons obligés de partir!»

Après cette effroyable menace, elle fermait irréparablement le robinet.

Après le déjeuner, lorsque le soleil africain tombe en pluie de feu sur l'herbe mourante, on nous forçait à nous «reposer» une heure, à l'ombre du figuier, sur ces fauteuils pliés nommés «transatlantiques» qu'il est difficile d'ouvrir correctement, qui pincent cruellement les doigts, et qui s'effondrent parfois sous le dormeur stupéfait.

Ce repos était une torture, et mon père, grand pédagogue, c'est-à-dire doreur de pilules, nous le fit accepter en nous apportant quelques volumes de Fenimore Cooper et de Gustave Aymard.

Le petit Paul, les yeux tout grands, la bouche entrouverte, m'écouta lire à haute voix le *Dernier des Mohicans*. Ce fut pour nous la révélation, confirmée par le *Chercheur des Pistes*: nous étions des Indiens, des fils de la Forêt, chasseurs de bisons, tueurs de grizzlys, étrangleurs de serpents boas, et scalpeurs de Visages Pâles.

J'avais un arc véritable, venu tout droit du Nouveau Monde en passant par la boutique de brocanteur. Je fabriquai des flèches avec des roseaux, et, caché dans les broussailles, je les tirais férocement contre la porte des cabinets, constitués par une sorte de guérite au bout de l'allée. Puis je volai le couteau «pointu» dans le tiroir de la cuisine: je le tenais par la lame, entre le pouce et l'index (à la façon des Indiens Comanches) et je le lançais de toutes mes forces contre le tronc d'un pin, tandis que Paul émettait un sifflement aigu, qui en faisait une arme redoutable.

Lorsque nous revenions à la maison, le jeu continuait. Le couvert était mis sous le figuier. Dans une chaise-longue, mon père lisait la moitié d'un journal, car l'oncle Jules lisait l'autre.

Nous nous présentions, graves et dignes, comme il convient à des chefs, et je disais: «Ugh!».

Mon père répondait:

— Ugh!

— Les grands chefs blancs veulent-ils recevoir leurs frères rouges sous leur wigwam de pierre?

— Nos frères rouges sont les bienvenus, disait mon père. Leur route a dû être longue, car leurs pieds sont poudreux.

— Nous venons de la Rivière Perdue, et nous avons marché trois lunes!

— Tous les enfants du Grand Manitou sont des frères: que les chefs partagent notre pemmican! Nous leur demanderons seulement de respecter les coutumes sacrées des Blancs: qu'ils aillent d'abord se laver les mains.

Marcel Pagnol, *La Gloire de Mon Père*, Courtesy of Jacqueline Pagnol

5.2.2 **Comprehension**

(a) What shows that Paul was extremely tired?
(b) What was Marcel's resolution on going to bed?
(c) How had Marcel's father made washing a pleasure for the boys?
(d) What was his father's purpose in giving the boys books by Fenimore Cooper and Gustave Aymard?
(e) What effect did these books have on the two boys?
(f) What part did Paul play in the knife-throwing?
(g) Where was the family to eat?
(h) What conformity was demanded of the 'Indians'?

5.2.3 **Exercises — Section A**

1. Below are definitions of words found in the text. To which words do they correspond?

   (a) complètement fatigués
   (b) mangée à petits coups de dents
   (c) émettre un bruit sourd
   (d) grand conteneur d'eau
   (e) se plient soudainement sur eux-mêmes
   (f) abri de sentinelle
   (g) partie aiguë d'un couteau
   (h) nourriture indienne, faite de viande hachée et de graisse

2. From the first seven paragraphs, pick out all the words and expressions that indicate *a point in time* and those that indicate *a sequence of events*.

Commentary

Authors looking back at childhood generally discuss two things — events that were often repeated and those that occurred only once. To distinguish between these, a difference in tense is required. Pagnol uses the imperfect and the past historic — the former for repeated actions, the latter for single occurrences. Thus, the first section of the text refers entirely to things that happened several times. The second section, however, contains not only repeated events:

on nous *forçait* à nous «reposer» une heure

but also events which occurred only once:

Le petit Paul, les yeux tout grands, la bouche entrouverte, m'*écouta* lire à haute voix le *Dernier des Mohicans*.

Notice how one single activity leads on to an activity which was often repeated:

Je *fabriquai* des flèches . . . et . . . je les *tirais* férocement contre la porte des cabinets . . . . Puis, je *volai* le couteau pointu . . . et je le *lançais* de toutes mes forces . . . .

The following are the points which form the basis of the exercises.

(1) The negative infinitive (Grammar 5.5(d)(vi)).
(2) The adverb *tout* (Grammar 6.2(xi)).
(3) *Ne . . . que* used to mean 'not . . . until' (Grammar 6.6(vi)).
(4) The use of *devoir* to express certainty (Grammar 5.5(d)(ii)4).

1. Rewrite the following sentences, using *afin de* and the negative infinitive, as in the example.

    Example Nous nous réveillions de bonne heure, parce que nous ne voulions pas perdre une minute du matin.
    Response Nous nous réveillions de bonne heure, afin de ne pas perdre une minute du matin.

    (a) Je rattrapai Paul, parce que je ne voulais pas le laisser tomber.
    (b) Paul se retourna vers le mur, parce qu'il ne voulait pas être obligé de se lever.
    (c) Nous nous reposions une heure, ne voulant pas prendre un coup de soleil.
    (d) Nous sortîmes en catimini, ne voulant pas être vus de papa.

2. Translate the following sentences into French, using the adverb *tout* in each case.

    (a) He opened his eyes wide.
    (b) We used to come downstairs stark naked.
    (c) Mother was quite angry.
    (d) In the end, we were completely soaked.
    (e) Mother and Aunt Rose were completely astonished by our escapades.

3. Translate the following sentences into French, using *ne . . . que* to mean 'not . . . until'. Use the imperfect tense.

    (a) We didn't go out until after our rest.
    (b) We didn't come back until midday.
    (c) Paul didn't return until the evening.
    (d) We didn't have lunch until we got home.
    (e) We weren't allowed to eat until our hands were clean.

4. Rewrite the following sentences, using the appropriate tense of *devoir* to express certainty, as in the example.

    Example Leur route a certainement été longue, car leurs pieds sont poudreux.
    Response Leur route *a dû être* longue car leurs pieds sont poudreux.

    (a) Le petit Paul voulait certainement continuer à dormir, car il grognait lamentablement au réveil.
    (b) Mon père avait certainement eu une idée géniale, car il nous a créé une douche improvisée.

(c) Mon arc est certainement le vrai article, car il est venu tout droit de la boutique du brocanteur.

(d) Nous avons certainement joué aux Indiens pendant de longues journées, car j'en garde d'excellents souvenirs.

(e) J'étais certainement très sale, car mon père m'a dit d'aller me laver les mains.

5.2.5 Assignment

Write a short section of your own autobiography. Describe in the first part your home, family and daily routine, and in the second narrate an amusing event, on the lines of the return home by Pagnol's Indians. Pay attention to the tenses required. Use some or all of the following expressions:

A cette époque-là
D'habitude
Il m'arrivait de
De temps à autre
Cela nous faisait grand plaisir de
Un jour que
On décida
Par la suite
Finalement

5.3 Conversation

Listen to the cassette, on which Catherine talks about her childhood, and try to answer the following questions before looking at the transcript which follows.

1. What do Catherine's memories at the age of three consist of?
2. Where did she go to school?
3. Where did she go to play?
4. What did she see there?
5. What two reasons does she give for seeing little of her friends at home?
6. How does she feel about being an only child?
7. What toys does she list?
8. What criticism does she have of modern children?
9. In what ways may modern children be different from her?
10. When do the real problems begin?

5.3.1 Transcript

Interviewer: Quels sont vos souvenirs d'enfance?

Catherine: Alors, mes souvenirs d'enfance ... euh ... remontent, à vrai dire, je ne sais pas exactement à quel âge. Je revois quelques images ... euh ... de la période où j'avais peut-être trois ans, mais ce sont juste des images furtives, des petits flashes, hein? Les souvenirs, ça commence un peu plus tard. J'ai toujours habité en ville, à Paris. Donc, je me souviens de l'école où j'allais, petite école maternelle, boulevard Saint-Michel et ... je me souviens bien de ma maîtresse, qui s'appelait Hélène, que j'aimais beaucoup, et puis ... euh ... les

loisirs, c'était le jardin du Luxembourg. J'allais . . . c'était à l'époque
. . . c'était jeudi, je crois, le . . . le jour de congé en France, donc j'allais
au jardin du Luxembourg jouer dans le sable . . . la balançoire. Il y
avait aussi un Guignol . . . et puis . . . euh . . . bon . . . j'avais des
petites amies, mais à l'époque on ne se recevait pas beaucoup. Je ne
sais pas si c'était dû à ma famille ou, enfin, si ça se faisait moins qu'à
l'heure actuelle. On était peut-être . . . chacun vivait davantage chez
soi, et puis c'était peut-être le fait de la grande ville . . . on se rencontre
moins . . . c'est plus animé dans une grande ville.

Et puis pour les vacances, je partais avec mes parents à la mer, à la
montagne. Bon . . . traditionnellement on partait chaque vacance à
peu près . . . Euh . . . je suis fille unique, donc je n'ai pas de souvenirs
de jeux avec mes frères et soeurs, mais je ne . . . je n'ai pas l'impression d'avoir souffert de cela. Je n'étais pas une enfant parti . . . enfin,
gâtée, pourrie. J'ai eu juste ce qu'il me fallait, mais je ne crois pas que
j'aie le caractère de la fille unique, enfin, de ce qu'on appelle fille
unique, qui est assez péjoratif. Donc . . . euh . . . je n'avais pas . . .
j'avais des jeux plutôt individuels, étant donné que je n'avais pas de
frères et soeurs, que j'étais seule, et puis que des amies, comme je
vous l'ai dit, on . . . on se recevait quand même relativement rarement. Alors, je jouais . . . euh . . . toute seule, à la poupée, à la
poupée . . . enfin . . . avec des . . . oui . . . euh . . . j'avais une poupée,
des poupées, des ours, des poussettes. C'étaient beaucoup moins
perfectionnés qu'aujourd'hui . . . que ce que peuvent avoir les enfants
à l'heure actuelle, mais c'était très bien comme ça. Et d'ailleurs . . . à
l'heure actuelle, euh . . . souvent les enfants, on voit que . . . quand on
leur offre un cadeau, enfin quelque chose de superbe, on croit que ça
va leur faire plaisir, ils sont contents trois minutes, et puis bien
souvent, ils jouent avec un bout de chiffon, les enfants en bas âge, du
moins, hein? Euh . . . donc . . . j'étais . . . j'étais très heureuse comme
ça, j'ai eu une enfance . . . j'ai gardé de très bons souvenirs de mon
enfance, et alors, je pense qu'il est à savoir si les enfants à l'heure
actuelle sont plus heureux qu'à mon époque. Je ne sais pas. Je trouve
que les choses vont plus vite. Ils ont des besoins différents, ils ont plus
de besoins que nous peut-être . . . euh . . . mais tout ça est
éphémère . . . euh . . . ils ne s'attachent pas beaucoup aux choses
et . . . et après, lorsqu'ils sont adolescents, il me semble qu'ils ont
souvent plus de problèmes qu'il y a quelques années.

5.4 Promenade Poétique

L'enfant chantait; la mère au lit, exténuée,
Agonisait, beau front dans l'ombre se penchant;
La mort au-dessus d'elle errait dans la nuée;
Et j'écoutais ce râle, et j'entendais ce chant.

L'enfant avait cinq ans, et près de la fenêtre
Ses rires et ses jeux faisaient un charmant bruit;
Et la mère, à côté de ce pauvre doux être
Qui chantait tout le jour, toussait toute la nuit.

La mère alla dormir sous les dalles du cloître:
Et le petit enfant se remit à chanter. —

Le douleur est un fruit; Dieu ne le fait pas croître
Sur la branche trop faible encor pour le porter.

Victor Hugo, «L'Enfance»

5.5 Further Reading

The student should certainly read the complete texts of the books from which the two studies of childhood in this chapter have been taken. Another delightful study of childhood is *Les Allumettes Suédoises*, by Robert Sabatier, published by Albin Michel.

6 L'Adolescence

Adolescence is a time of difficult changes for all young people. In this chapter, we look at adolescence as seen in a biography and two novels.

6.1 Une Adolescence de Génie

With the possible exception of Louis Pasteur, Marie Curie is probably the most famous of all French scientists. She was, however, Polish by birth, and met her future husband, Pierre Curie, while studying physics at the Sorbonne in Paris.

Madame Marie Curie (1867–1934) in her laboratory, 1906. (Courtesy BBC Hulton Picture Library)

In a very readable biography of her mother, Eve Curie recounts the early academic successes of the young Maria Sklodowska. At the end of her secondary schooling, Maria, known in the family as Mania, carried off a gold medal. Eve Curie here tells of the year that followed.

6.1.1 Text

Mania a beaucoup travaillé — et très bien travaillé. M. Sklodowski décide qu'avant de choisir une carrière, elle ira, pendant an un, vivre à la campagne.

Un an de vacances! On serait tenté d'imaginer l'enfant de génie obsédée par une vocation précoce, et étudiant en secret des manuels scientifiques. Mais non . . ., au cours du mystérieux passage de l'adolescence, tandis que son corps se transforme, que son visage s'affine, Mania devient subitement indolente. Délaissant les livres de classe, elle savoure, pour la première et la dernière fois de sa vie, la griserie de l'oisiveté.

Un bel entracte champêtre s'intercale dans l'histoire de cette fille de professeur. «Je ne puis croire à l'existence de la géométrie et de l'algèbre, écrit-elle à Kazia. Je les ai complètement oubliées.» Loin de Varsovie et du gymnase, elle séjourne chez ses parents de province qui l'hébergent des mois durant, en échange de vagues leçons qu'elle donne à leurs enfants, ou du paiement d'une pension minime. Et elle s'abandonne à la douceur de vivre.

Comme elle est insouciante! Comme elle est soudain joyeuse et jeune — tellement plus jeune qu'aux sombres jours de son enfance. Entre une excursion et une sieste, elle trouve à peine l'énergie de prendre la plume pour décrire sa béatitude, dans des lettres qui commencent par «Mon cher petit diable» ou par «Kazia mon coeur!».

Pendant cette année de paresse, où l'ardeur intellectuelle de Mania semble assoupie, une passion qui durera autant que son existence envahit la jeune fille; la passion de la campagne. En guettant dans une province, puis dans une autre, le changement de saisons, elle découvre constamment de nouvelles beautés à la terre polonaise sur laquelle sa famille est dispersée. A Zwola, c'est une contrée paisible où rien n'arrête le regard, rien que le rond horizon qui paraît être plus loin que dans aucun autre point du monde. A Sawieprzyce, chez l'oncle Xavier, il y a dans les prés une cinquantaine de chevaux de race — tout un élevage. Affublée de culottes peu élégantes, empruntées à ses cousins, Mania apprend le galop et le trot enlevé, et devient une cavalière.

Et lorsqu'elle aperçoit les Carpathes, quel ravissement! Les sommets brillants de neige, les sapins noirs et raides frappent d'une stupeur émerveillée l'enfant de la plaine. Elle n'oubliera jamais les montées dans les sentiers tapissés de myrtilles, et les cabanes des montagnards où chaque objet est un chef-d'oeuvre de bois sculpté, et là-haut, pressé entre les cimes, le petit lac pur et glacé, bleu comme un regard, et qui se nomme, exquisément, «l'Oeil de la Mer».

C'est assez près de là, sur la frontière de Galicie, que Mania va passer l'hiver, dans la bruyante famille de son oncle Zdzislaw, notaire à Skalbmierz. Le maître de la maison est un joyeux vivant, sa femme est très belle, ses trois filles ne pensent qu'à rire. Comment Mania s'ennuierait-elle? Chaque semaine, l'arrivée d'un invité ou l'approche d'une fête donnent le signal de passionnants branle-bas. Les parents apprêtent le gibier, les jeunes filles confectionnent des gâteaux, ou bien, enfermées dans leurs chambres, elles cousent à la hâte des rubans sur un costume bigarré qui sera leur déguisement au prochain «kulig».

Le «kulig» . . . Est-ce assez de dire que c'est un bal? Non, naturellement! C'est, dans l'excitation du carnaval, un voyage tournoyant et féerique. Ce sont deux traîneaux qui partent le soir, dans la neige, emportant, blotties sous des couvertures, Mania Sklodowska et ses trois cousines, masquées et vêtues en paysannes cracoviennes. Des garçons, qui arborent des habits pittoresques et rustiques, les escortent à cheval, en brandissant des torches.

D'autres torches clignotent entre les sapins et la nuit froide s'emplit de rythme: le traîneau des musiciens approche, portant quatre petits juifs de village qui, pendant deux nuits et deux jours, arracheront à leurs violons les airs enivrants des valses, des krakowiaks, des mazurkas, dont les refrains seront repris en choeur par tout le monde. Ils joueront, ces petits juifs frénétiques, jusqu'à ce que trois, cinq, dix autres traîneaux, répondant à leur appel, les retrouvent dans la nuit. Malgré les cahots et les descentes vertigineuses sur les pentes glacées, ils ne manqueront pas un seul coup d'archet et ils conduiront triomphalement, jusqu'à la première étape, la fantastique farandole nocturne.

Eve Curie, *Madame Curie*, © Gallimard

6.1.2 Comprehension

(a) What decision did M. Sklodowski put off for Mania?
(b) What new pleasure did Mania discover during this year?
(c) What effect did the stay in the country have on her spirits?
(d) Which two activities took up Mania's attention?
(e) What three things would she always remember?
(f) What activities went on when festivities were in the offing?
(g) What was the task of the boys on the way to the kulig?
(h) What showed the sheer skill of the four musicians?

6.1.3 Exercises — Section A

1. *Prepositions used otherwise*   From the text, pick out the expressions which correspond to the English phrases below, and note the prepositions which are used in French.

   (a) in exchange *for*
   (b) her passion *for*
   (c) dressed up *in*
   (d) shining *with*
   (e) the climbs *up*
   (f) the signal *for*
   (g) *in* haste (hastily)
   (h) dressed *as*
   (i) *through* the snow
   (j) *down* icy slopes

2. *Nouns*   From the paragraph beginning Pendant cette année . . ., pick out all the nouns whose gender is determined by their ending (see Grammar 1.2(b)), and classify them as masculine or feminine.

Commentary

This passage has several examples of the importance of word order, and of difficulties in this respect for the English speaker.

Adverbs are usually placed immediately after the main verb:

Mania devient *subitement* indolente . . .

In compound tenses, the adverb usually occurs after the auxiliary verb:

Mania a *beaucoup* travaillé — et *très bien* travaillé.

Adverbial phrases (those introduced by a preposition) are also placed after the main verb:

. . . elle trouve *à peine* l'énergie de prendre la plume pour décrire sa béatitude.

. . . elle ira, *pendant un an*, vivre à la campagne.

Because of the tendency of English to be flexible in its placing of adverbs, the student should pay close attention to word order in French. How would you translate the above two examples into English? Where would the adverbial phrases fall?

The placing of an adverb in an unusual position in the sentences produces emphasis at that particular point, and a similar effect is produced by the positioning of adjectives.

Since most adjectives are placed after the noun, an adjective placed in initial position will produce a distinctive effect. The adjective may be used figuratively:

. . . qu'aux sombres jours de son enfance . . .

The force of the adjective may be strengthened:

. . . en échange de vagues leçons . . .

. . . dans la bruyante famille de son oncle . . .

Le maître de la maison est un joyeux vivant . . .

. . . le signal de passionnants branle-bas.

Where two adjectives are used which are widely separated in meaning (and which cannot easily be joined by *et*), one may be placed before and one after the noun:

. . . la fantastique farandole nocturne.

Note that this use is different from that of such cases as:

Un bel entr'acte champêtre . . .

where each adjective occupies its normal position.

> Since no absolute rule can be given for the positioning of adjectives, as it is ultimately a question of style, taste and the required effect, the student should read widely in order to obtain the feeling necessary for such subtleties.

6.1.4 Exercises — Section B

The following points form the basis of the exercises.

(1) The relationship between nouns and adjectives (Grammar 10.6).
(2) Position of adverbs and adverbial phrases (Grammar 6.9).
(3) Reduced partitive articles (Grammar 2.3(b)(iv),(v)).
(4) *Jusqu'à ce que* + the present subjunctive (Grammar 5.5(c)(xvii)).

1. Rewrite the following sentences, using the appropriate related adjective, as in the example.

    Example Lorsqu'elle aperçoit les Carpathes — quel ravissement!
    Response Lorsqu'elle aperçoit les Carpathes, comme elle est ravie!

    (a) Quand elle arrive à la campagne — quelle joie!
    (b) Lorsqu'elle délaisse ses livres de classe — quel contentement!
    (c) Dès qu'elle voit ce lac étincelant — quel enchantement!
    (d) Lorsqu'elle se trouve au milieu de cette famille bruyante — quel bonheur!
    (e) Dès qu'elle entend les airs enivrants de ces danses polonaises — quel charme!

2. Rewrite the following sentences, inserting the given adverb or adverbial phrase in the appropriate position, as in the example.

    Example Mania est allée visiter ces montagnes lointaines (souvent).
    Response Mania est souvent allée visiter ces montagnes lointaines.

    (a) On serait tenté d'imaginer l'enfant de génie obsédée par une vocation précoce (facilement).
    (b) Un bel entr'acte champêtre s'intercale dans l'histoire de cette belle fille de professeur (à ce moment).
    (c) Elle découvre de nouvelles beautés à la terre polonaise sur laquelle sa famille est dispersée (constamment).
    (d) Elle est captivée par la vue de ces montagnes brillantes de neige et par les forêts de sapins (complètement).
    (e) Ce soir-là, Mania s'est amusée au kulig (beaucoup).

3. In the text, find answers to the following questions, and note the reduced partitive article in each.

    (a) En échange de quoi Mania a-t-elle reçu l'hospitalité de ses parents de province?
    (b) Qu'est-ce que Mania découvrait constamment en regardant le changement des saisons?
    (c) De quoi les sommets des montagnes brillaient-ils?

(d) De quoi l'arrivée d'un invité donnait-elle le signal?

(e) De quoi Mania était-elle affublée lorsqu'elle montait à cheval?

4. Rewrite the following sentences, replacing *jusqu'au moment où* with *jusqu'à ce que*, and changing the verb into the subjunctive mood, as in the example.

Example Les musiciens jouent jusqu'au moment où l'autre traîneau vient les rejoindre.

Response Les musiciens jouent jusqu'à ce que l'autre traîneau vienne les rejoindre.

(a) Mania travaille jusqu'au moment où l'on part pour la campagne.

(b) Mania continue de s'amuser jusqu'au moment où elle n'a plus la force de prendre sa plume.

(c) Elle monte à cheval et apprend le galop et le trot enlevé jusqu'au moment où elle devient une vraie cavalière.

(d) Les jeunes filles restent dans un état d'excitation jusqu'au moment où les traîneaux arrivent.

(e) Les quatre musiciens jouent jusqu'au moment où leurs camarades sont prêts à les rejoindre.

6.1.5 Assignment

Write a short paragraph about your own adolescence, but as seen by your future biographer!

6.2 Une Adolescence d'Avant-Guerre

Adolescence is a difficult and trying time for those passing through it. In a delightful series of novels, Robert Sabatier chronicles the early life of Olivier Chateauneuf in the years immediately preceding the Second World War. Olivier, an apprentice printer, has known the pangs of early love for his cousin Ji, and in an effort to make himself more attractive has had his hair permed! The following text shows him concerned as much with his personal development as with his appearance.

6.2.1 Text

En ce juillet de chaleur, en ce juillet de rumeurs où deux millions d'Allemands terminaient la ligne Siegfried, Olivier, malgré ses rêves déçus et ses amours malheureuses, connut des joies. Par exemple, lorsque la tante Victoria, à l'approche des vacances, ayant remarqué les essais de coquetterie du jeune homme, se montra généreuse:

—Puisque tu veux être élégant, je vais t'offrir des sandales.

Ainsi, grâce à la permanente indéfrisable, il reçut ces merveilles auxquelles s'ajouta, dans un élan, une paire de chaussures de sport à épaisses semelles de crêpe dont le cuir mat, à force d'huile de coude, brillait le plus qu'il pouvait. Comme on était en période de soldes, il reçut deux chemisettes à crocodile vert et une culotte de golf assez longue pour qu'en maintenant l'élastique bas elle pût passer pour un pantalon de ski.

A typical street scene in Paris between the world wars. (Courtesy BBC Hulton Picture Library)

—Merci, merci, ma tante!

—Si je ne m'occupais pas de toi . . .

Pour qu'il abandonne ce chiffon ridicule qui lui tenait lieu de lavallière, elle lui offrit encore une vraie et il en choisit une ornée de petits fers à cheval.

Une ère nouvelle s'ouvrait: il ne porterait plus les bottines de l'oncle qu'au travail. Il en oublia l'indifférence de Ji, multiplia son appétit de lecture et écrivit un poème dont il fut content et qu'il se récitait sans cesse. Jamais il ne dévora tant de livres, tantôt en haut de la pile de rames, tantôt dans la rue où il lisait en marchant, ou, le soir, dans le souterrain des draps, éclairé par la petite lampe. Chaque lecture lui ouvrait une porte sur des salles nouvelles où il s'engouffrait pour trouver d'autres portes. S'il lisait un roman, il en devenait un des personnages. S'il éprouvait un chagrin, s'il subissait quelque vexation, si un souvenir le blessait ou si sa mémoire lui refusait une partie de sa petite enfance, si Saugues où l'on n'irait pas lui semblait lointain, la lecture ne le consolait pas entièrement, mais elle lui révélait la qualité de son mal et la transformait en or. Là où certains ne voyaient que distraction, passetemps, il recevait du bonheur et des plaisirs à profusion. Il n'apprenait pas tout par les livres, mais, par eux, il comprenait tout. Il y glanait autant de questions que de réponses: de là sa distraction apparente qui provoquait ce sobriquet de «Jean de la Lune», mais qui s'affirmait comme une attention aux choses essentielles. L'oncle ou la tante disait: «Ça lui passera!» ou «Il ferait mieux d'avoir des amis» sans savoir qu'il en avait cent et mille et que son apparante solitude était plus peuplée qu'une ville.

—Tiens, disait l'oncle Henri, voilà vingt francs pour tes livres.

—Merci, mon oncle.

Dans ses poèmes, il oublia le satanisme, les névroses, pour se rapprocher de la musique d'Apollinaire. Le papier quadrillé reçut des mots tendres et sensuels, des noms de fleurs et de fruits, aubépine, chèvrefeuille et jasmin, myrtille, noisette, prunelle et fraise. Dans les livres de poèmes, c'était merveille que les mots fussent aussi beaux, et parfois plus encore que ce qu'ils désignaient. Il les faisait couler, chanter, s'aimer, et il lui semblait qu'ils parfumaient ses pages comme ils embellissaient sa vie.

Robert Sabatier, *Les Fillettes Chantantes*, © Albin Michel

6.2.2 Comprehension

(a) Why did Olivier's aunt decide to give him some sandals?
(b) How did he make them shine?
(c) Why did he wear his new golfing trousers low on his hips?
(d) In which three places did he spend his time reading?
(e) How did reading help him to bear his sorrows?
(f) Why was it ironic that his aunt and uncle thought that he should find himself some friends?
(g) What effect did all this reading have on his poetry-writing?
(h) What did Olivier find to be so marvellous about words?

6.2.3 Exercises — Section A

1. The words in the following table have been taken from the text. Complete the table, adding nouns, adjectives or verbs related to the given word, as necessary.

Noun	Adjective	Verb
	déçu	
merveille (f.)		
	content	
		écrire
lecture (f.)		
		comprendre
	lointain	
		rapprocher
		embellir

2. *Prepositions used otherwise* Find in the text the French equivalents of the following expressions, and note the preposition involved.

(a) *for* example
(b) If I didn't look *after* you . . .
(c) decorated *with*
(d) his appetite *for* reading
(e) . . . and turned it *to* gold
(f) pleasures *in* profusion
(g) He didn't learn everything *from* books . . .
(h) . . . to come closer *to* the music of Apollinaire

Commentary

Thus far, the writings that we have examined have all been from works of non-fiction. In this, the first extract from a novel, we see much that is typical of the genre.

The principal tense of narrative is the past historic, a tense that is not used in speech. The main tense for description, and for events that occurred several times, is the imperfect. In this, the passage resembles the extracts from biography and autobiography which we have already examined.

Note the dash that is used to introduce speech, and the fact that **disait l'oncle Henri** is placed between commas in the middle of the speech. Even where authors use angled brackets (guillemets: « . . . »), these are not closed off when such expressions as **disait l'oncle Henri** occur in mid-sentence. Commas are used, as in the present example.

In keeping with the rules of 'good French', Sabatier uses the imperfect subjunctive with *pour que*, because the main verb is in the past historic:

> . . . il *reçut* deux chemisettes à crocodile et une culotte de golf assez longue pour qu'en maintenant l'élastique bas, elle *pût* passer pour un pantalon de ski.

Such rules are much less rigid today than they once were, and in the very next paragraph, Sabatier abandons 'correctness' and uses the present subjunctive, even though the main verb is in the past historic:

> Pour qu'il *abandonne* ce chiffon qui lui tenait lieu de lavallière, elle lui *offrit* . . .

The student should be aware of the rules governing such uses (see Grammar 5.5(c)(b)), but should also read widely to see how authors use the rules to their own ends. Sound plays an important part in the writing of French, and the rules are sometimes 'bent' to avoid sounds which are considered unpleasant because the ear is not accustomed to them, as it would find them in the following lines of a poem, supposedly written by a learned schoolmaster to his lady:

> Fallait-il que je vous aimasse
>
> . . .
>
> Et que je vous idolâtrasse,
> Pour que vous m'assassinassiez!

Beware!

6.2.4 Exercises — Section B

The exercises in this section are based on the following points:

(1) *Pour que* + imperfect subjunctive (Grammar 5.5(c)(xi); 5.1–5.3).
(2) *à* + *lequel, laquelle*, etc. (Grammar 4.4(a); 4.4(b)(iii)).

1. Complete the following sentences by writing the verb in parentheses in the imperfect subjunctive, as in the example.

   Example Pour qu'il (abandonner) ce chiffon, sa tante lui offrit une vraie cravate.
   Response Pour qu'il abandonnât ce chiffon, sa tante lui offrit une vraie cravate.

   (a) Pour qu'Olivier (pouvoir) paraître assez élégant, la tante Victoria décida de lui offrir des vêtements neufs.
   (b) Elle fut assez généreuse pour qu'il (avoir) de quoi impressionner les jeunes filles de sa connaissance.
   (c) Pour qu'Olivier se (faire) une bonne idée du monde, son oncle lui donnait de l'argent pour acheter des livres.

2. Rewrite the following sentences, using *à* and the correct form of *lequel*, as in the example.

   Example Sa tante lui offrit des chemisettes, et des sandales s'ajoutèrent à celles-ci.
   Response Sa tante lui offrit des chemisettes auxquelles s'ajoutèrent des sandales.

   (a) Olivier avait lu un livre d'Apollinaire, et il fit souvent référence à celui-ci.
   (b) Il adorait ses livres de poésie, et il consacrait beaucoup de son temps libre à ceux-ci.
   (c) Ce qui lui importait, c'était la musique de la poésie, et il prêtait toujours attention à celle-ci.

6.2.5 Assignment

Write a paragraph about a character of your own invention who is experiencing the growing self-awareness of adolescence. Use some or all of the following phrases to help you:

   Malgré ses rêves déçus . . .
   Une ère nouvelle s'ouvrait . . .
   Il/Elle multiplia son appétit de lecture/musique . . .
   Il lui sembla que . . .
   Par les livres/la musique . . .
   Il/Elle y glanait autant de questions que de réponses . . .

6.3 **Une Leçon de Conduite**

Christiane Rochefort was born in 1917, and her second novel, *Les Petits Enfants du Siècle*, was published in 1961. It is the story of Josyane, the eldest of a large family, growing up in the Paris suburbs of the 1950s. Josyane is a worldly-wise, slightly cynical character, but her sense of humour shines throughout the book.

In the following extract, Jo hopes to learn to ride a motor-scooter, and thus find a way to get out of Paris to her lover, Guido. The younger boys hold little attraction for her.

6.3.1 **Text**

Je regardais les garçons caracoler le soir après six heures à la grille, appuyer sur la pédale, faire du bruit, filer, revenir, faire des cercles. Ce machin-là était rudement pratique. Les uns avaient un vrai scooter, les autres une petite moto, rouge ou bleue, les plus bêtes avec des franges. Moi, des franges je m'en serais passée, pourvu que ça roule. Je les voyais se lancer sur l'avenue, à trois ou quatre, des fois avec des filles en croupe.

J'en crevais d'envie; des scooters je veux dire; je les dévorais des yeux. Ces idiots-là naturellement croyaient que c'était à eux que j'en avais, ils faisaient des ronds autour de moi pour me faire voir comme ils étaient fortiches. Moi je regardais les roues, et leurs pieds pour voir comment ils les manoeuvraient.

—T'as tapé dans l'oeil à Didi, m'informa Liliane, qui ayant un an de plus que moi, était davantage dans le coup.

—Moi, tapé dans l'oeil?

—Fais donc pas l'étonnée; après tout, t'as une belle petite gueule dans ton genre, comme si tu ne le savais pas.

Elle, c'était ce qu'on peut appeler une jolie fille; des cheveux en chutes du Niagara, roux, et elle se mettait du fond de teint, et des ceintures larges.

—Si seulement tu te coiffais.

Elle m'attrapa les cheveux à poignée et me les rebroussa en star.

—Tu vois.

Je ne pouvais pas voir, on était dans la cour et il n'y avait pas de glace.

—T'as pas besoin de glace, patate, t'as qu'à regarder les types qui passent.

Il y en avait un en effet qui se retournait en se marrant. Mais c'était sûrement un père de famille et d'ailleurs il était à pied.

—Je m'en fous, dis-je avec dédain. La seule chose qui m'intéresse, c'est les scooters.

Néanmoins je me coiffai comme avait dit Liliane, de toute façon c'était un progrès, pourquoi cracher sur le progrès. Ça ne me faisait pas du tout souffrir de constater que les types tournaient la tête quand je passais. Pourquoi se priver des petites joies de l'existence sous prétexte qu'on a une grande idée derrière la tête.

C'est comme ça que je me rapprochai des scooters finalement.

Et quand je fus près, on ne fit pas de difficultés à me laisser monter dessus, en croupe. Je posais des questions, sur comment ça marche. J'eus la réputation de m'intéresser à la mécanique, ce qui, pour une fille, me posait.

Les garçons avaient deux bras deux jambes une tête aussi. Ça les rendait acceptables. Dommage qu'ils parlaient. Mais enfin quand le scooter marchait on n'entendait pas. Tout ce que je visais, c'est qu'on m'apprenne à conduire.

Christiane Rochefort, *Les Petits Enfants du Siècle*,
© Editions Bernard Grasset

6.3.2 Comprehension

(a) What mattered most to Josyane about scooters?
(b) What did the boys think of Josyane's interest in their activities?
(c) How was it that Liliane was able to draw Josyane's attention to Didi's interest in her?
(d) Why did Josyane not really require a mirror?
(e) Why was she not interested in the passer-by?
(f) Why did she decide to follow Liliane's advice?
(g) What was the result of Josyane's asking questions about scooters?
(h) What criticism did she have of boys?
(i) What was her principal intention?

6.3.3 Exercises — Section A

1. Match the slang expressions on the left, which are taken from the text, with their more formal counterparts on the right.

T'as tapé dans l'oeil à Didi	mourais
dans le coup	forts
rudement	chose
gueule	au courant
patate	figure
se marrant	Didi te trouve attirante
crevais	cela m'est égal
cracher sur	idiote
types	extrêmement
je m'en fous	riant
machin	rejeter
fortiches	hommes

2. Match the words on the left, which are taken from the text, with their definitions on the right.

caracoler	avoir comme but; vouloir
se passer de	ne pas avoir besoin de
en avoir à	manifester quelque intérêt à l'égard de quelqu'un
davantage	de toute façon
d'ailleurs	noter
néanmoins	en plus
constater	donner une certaine réputation à
poser	se priver de
viser	se faire valoir
	plus

In *Les Petits Enfants*, Christiane Rochefort deliberately imitates the style of speech of the Parisian teenager of the 1950s. This is reflected not only in the slang vocabulary that occurs throughout the book, but also in the grammar.

Note the following features, which are typical of the *spoken* language:

Highlighting: Moi, *des franges* je m'*en* serais passée
Elision of vowels: *T'*as tapé . . .; *t'*as une belle petite gueule; *t'*as pas besoin d'une glace
Dropping of *ne*:   T'as *pas* besoin . . .; Fais donc *pas* . . .; T'as *qu'*à regarder . . .

Rochefort is striving for a certain effect, and it would be inadvisable to imitate such practice when trying to *write* good French. When *speaking* in an informal situation, however, your French will sound more natural if you do use some of these constructions, which are still current (see Exercises 1, 2 and 3 in Section B).

6.3.4 Exercises — Section B

The exercises in this section are based on the following points.

(1) Spoken forms: highlighting the subject (Grammar 9.3).
(2) Spoken forms: highlighting the object (Grammar 9.3).
(3) Formalising spoken grammar (Grammar 9.3).
(4) *ne . . . que* (Grammar 6.6(vi)).
(5) *ne faire que* + infinitive (Grammar 6.6(vi)).

1. Rewrite the following sentences in a less formal style. Highlight the subject by (i) inserting a subject pronoun after the noun, and (ii) moving the noun subject to the end, as in the example. Practise saying these sentences aloud.

    Example   Ce garçon était vraiment dans le coup.
    Response   (i) Ce garçon, il était vraiment dans le coup.
              (ii) Il était vraiment dans le coup, ce garçon.

    (a) Ce type-là était vraiment idiot.
    (b) Ces franges étaient vraiment bêtes.
    (c) Les autres filles étaient vraiment jolies.
    (d) Les garçons croyaient que je m'intéressais à eux.
    (e) Ce garçon a fini par me laisser monter.

2. Rewrite the following sentences in a less formal style, highlighting the object by (i) inserting an object pronoun before the verb, and (ii) moving the object to the beginning of the sentence, as in the examples. Practise saying these sentences aloud.

    Example 1   Je détestais ces petites motos.
    Response   (i) Je les détestais, ces petites motos.
              (ii) Ces petites motos, je les détestais.

Example 2 J'avais besoin de la glace.
Response (i) J'en avais besoin, de la glace.
(ii) De la glace, j'en avais besoin.

(a) Je regardais les garçons tous les soirs.
(b) Je n'aimais pas beaucoup ces idiots-là.
(c) Je détestais ce type.
(d) J'avais besoin de cette moto-là.
(e) J'avais honte de ma coiffure.
(f) Je pouvais me passer de ces franges.

3. Listen to the cassette and:

(a) Write down the sentence that you hear.
(b) By omitting the unnecessary pronoun and by changing the word order where necessary, make the sentences more formal, and therefore suitable for a written text.

4. Rewrite the following sentences, replacing *seulement* with *ne . . . que*, as in the example.

Example Le type se retourna, mais c'était seulement un père de famille.
Response Le type se retourna, mais ce n'était qu'un père de famille.

(a) J'avais seulement deux buts — monter en scooter et sortir de Paris.
(b) Je m'intéressais seulement aux scooters.
(c) Josyane avait seulement à regarder les types qui passaient.
(d) On a seulement à lire *Les Petits Enfants* pour apprendre de l'argot.
(e) Ces garçons possédaient seulement une chose que Josyane voulait — un scooter.

5. Rewrite the following sentence, using *ne faire que*, followed by the infinitive of the verb, as in the example. Note the tense of the original verb.

Example Je regardais les roues. C'est tout ce que je faisais.
Response Je ne faisais que regarder les roues.

(a) Les garçons se lançaient sur l'avenue. C'est tout ce qu'ils faisaient.
(b) Josyane essayait de se rapprocher des scooters. C'est tout ce qu'elle faisait.
(c) Les jeunes filles montaient en croupe. C'est tout ce qu'elles faisaient.
(d) Nous attendons à la grille. A part cela, nous ne faisons rien.
(e) Le soir, les jeunes flânent dans les rues. A part cela, ils ne font rien.

6.3.5 Assignment

Translate the following passage into French.

In the evening we used to wait at the gate, where we would watch the boys showing off on their scooters. I gazed longingly at them — the scooters, I mean.

—Do you want to ride pillion? asked Liliane.

I nodded.

—André fancies you, she informed me. If you styled your hair, you'd have more chance of getting a ride.

She was a year older than me, so she was more aware of these things. I decided to take her advice, and brushed my hair back. I didn't mind knowing that the boys turned their heads when I walked by. Anyway, it was a start.

Finally, I went up to the scooters, and one of the boys let me get on. He showed me how it worked. Now I could reach my two goals — learning to ride and getting out of Paris.

6.4 Conversation

Listen carefully to the cassette, on which Marc and Catherine discuss adolescence. Before consulting the transcript, write a brief summary in French of the points made by Marc and Catherine, and then say whether or not you agree with the points made. Use some or all of the following expressions.

Their opinions	*Your opinions*
Marc pense . . .	Moi, je suis tout à fait d'accord.
Marc dit . . .	Personnellement, je n'accepte pas . . . .
Selon Marc . . .	Il a tout à fait raison.
A l'avis de Catherine . . .	A mon avis, c'est faux.
Catherine affirme . . .	Moi, j'abonde dans son sens.
Pour Catherine . . .	Moi, je dirais plutôt . . . .

6.4.1 Transcript

Marc: Je pense qu'il y a maintenant une différence par rapport à quand on était enfant, c'est qu'il y avait beaucoup moins . . . euh . . . d'informations. La télévision, pour ainsi dire, n'existait pas. Nous, nous avons eu la télévision vers dix-neuf cent soixante, mais avant, quand on avait dix ans, douze ans, quatorze ans, il n'y en avait pas. Donc il y avait peut-être beaucoup moins d'informations. Il y avait la radio, mais cela ne fonctionnait pas tout le temps, tandis que maintenant la télévision fonctionne pratiquement tout le temps. Ils reçoivent beaucoup plus d'informations, et je pense que l'information que reçoivent les adolescents, les jeunes, les prépare à une vie un petit peu différente de nous. On était peut-être plus naïfs, il y a une impression de naïveté.

Catherine: Oui. Les jeunes à l'heure actuelle sont plus ouverts, peut-être plus ouverts que nous. Ils ont plus d'ouvertures sur le monde extérieur, mais c'est peut-être plus superficiel aussi, parce qu'ils sont sollicités un peu partout et en fait on a l'impression qu'ils ne s'intéressent à rien en particulier . . . et que . . . et qu'ils sont toujours à la recherche de quelque chose, mais ils n'arrivent pas, ce qui fait que . . . euh . . . il y a des jeunes de première et de terminale, notamment, qui ont l'air d'être tristes un peu. On a . . . si on a l'impression qu'ils ne savent pas tellement s'amuser . . .

Marc: C'est l'impression qu'on a peut-être . . .

Catherine: C'est une impression, oui . . .

Marc: Peut-être que nous, on n'a pas su s'amuser, tandis qu'eux s'amusent bien, hein? Quand on était adolescent, par exemple, on n'allait pas du tout en boîte de nuit. C'était pour les beaucoup plus vieux, les adultes, quoi? pour les vingt-cinq ans, trente ans, quarante ans, tandis que maintenant j'ai l'impression que les adolescents veulent aller dans les boums, quoi? les surprise-parties.

Donc il y a une différence . . . ils sont adultes, ils se veulent adultes plus tôt que nous. On a l'impression qu'ils ont un maximum de liberté que nous ne l'avions pas. Quand j'étais en troisième, le port de la blouse grise était obligatoire, et notre nom était indiqué en rouge sur les blouses, tandis que maintenant ils sont en sweat-shirt, ils arrivent n'importe comment. Ils sont habillés d'une façon très relax, très décontractée dans les cours, tandis que nous, il y avait une sorte de tenue, une rigidité. Maintenant on a l'impression que c'est plus libre. Mais est-ce que ça veut dire que c'est mieux? Bon, peut-être pas automatiquement.

6.5 **Promenade Poétique**

Les enfants qui s'aiment s'embrassent debout
Contre les portes de la nuit
Et les passants qui passent les désignent du doigt
Mais les enfants qui s'aiment
Ne sont là pour personne
Et c'est seulement leur ombre
Qui tremble dans la nuit
Excitant la rage des passants
Leur rage leur mépris leurs rires et leur envie
Les enfants qui s'aiment ne sont là pour personne
Ils sont ailleurs bien plus loin que la nuit
Bien plus hauts que le jour
Dans l'éblouissante clarté de leur premier amour

Jacques Prévert (1900–1977), from *Spectacles*, © Editions Gallimard

6.6 **Further Reading**

Sensitive studies of adolescence are to be found in two novels by great writers of the twentieth century: *Le Grand Meaulnes*, by Alain-Fournier, and *Le Blé En Herbe*, by Colette. For a more amusing and more up to date look at youth, try *Les Mouvements de Mode*, by Hector Obalk, Alain Soral and Alexandre Pasche, published by Livre de Poche. This is a light-hearted survey of pop and fashion, and analyses both trends and young people's attitudes.

7 L'Education

Toute civilisation dépend dans une grande measure de l'éducation, et il ne faut guère s'étonner que l'enseignement soit toujours important pour les sociétés civilisées. L'éducation obligatoire, gratuite et laïque ne fut établie en France qu'au cours du dix-neuvième siècle. Dans ce chapitre, on examinera les idées de trois écrivains qui ont traité l'enseignement des jeunes.

7.1 La Raison — Pour Ou Contre?

Jean-Jacques Rousseau (1712–1778) est prééminent comme philosophe, mais il a aussi connu le succès avec un roman et un opéra. Ses théories de l'éducation, expliquées dans son oeuvre *Emile, ou de l'Education* (1762), présagent beaucoup d'idées modernes, soulignant le développement individuel de l'enfant et la liberté qu'il faut lui accorder pour assurer son épanouissement personnel.

7.1.1 Texte

Raisonner avec les enfants était la grande maxime de Locke;et c'est la plus en vogue aujourd'hui; son succès ne me paraît pourtant pas fort propre à la mettre en crédit; et pour moi je ne vois rien de plus sot que ces enfants avec qui l'on a tant raisonné. De toutes les facultés de l'homme, la raison, qui n'est, pour ainsi dire, qu'un composé de toutes les autres, est celle qui se développe le plus difficilement et le plus tard; et c'est de celle-là qu'on veut se servir pour développer les premières! Le chef-d'oeuvre d'une bonne éducation est de faire un homme raisonnable, et l'on prétend élever un enfant par la raison! C'est commencer par la fin, c'est vouloir faire l'instrument de l'ouvrage. Si les enfants entendaient raison, ils n'auraient pas besoin d'être élevés; mais en leur parlant dès un bas âge une langue qu'ils n'entendent point, on les accoutume à se payer de mots, à contrôler tout ce qu'on leur dit, à se croire aussi sages que leurs maîtres, à devenir disputeurs et mutins; et tout ce qu'on pense obtenir d'eux par des motifs raisonnables, on ne l'obtient jamais que par ceux de convoitise, ou de crainte, ou de vanité, qu'on est toujours forcé d'y joindre.

Voici la formule à laquelle peuvent se réduire à peu près toutes les leçons de morale qu'on fait et qu'on peut faire aux enfants.

Le maître: Il ne faut pas faire cela.
L'enfant: Et pourquoi ne faut-il pas faire cela?
Le maître: Parce que c'est mal fait.

L'enfant: Mal fait! Qu'est-ce qui est mal fait?

Le maître: Ce qu'on vous défend.

L'enfant: Quel mal y a-t-il à faire ce qu'on me défend?

Le maître: On vous punit pour avoir désobéi.

L'enfant: Je ferai en sorte qu'on n'en sache rien.

Le maître: On vous épiera.

L'enfant: Je me cacherai.

Le maître: On vous questionnera.

L'enfant: Je mentirai.

Le maître: Il ne faut pas mentir.

L'enfant: Pourquoi ne faut-il pas mentir?

Le maître: Parce que c'est mal fait, etc.

Voilà le cercle inévitable. Sortez-en, l'enfant ne vous entend plus. Ne sont-ce pas là des instructions fort utiles? Je serais bien curieux de savoir ce que l'on pourrait mettre à la place de ce dialogue. Locke lui-même eût à coup sûr été fort embarrassé. Connaître le bien et le mal, sentir la raison des devoirs de l'homme, n'est pas l'affaire d'un enfant.

Jean-Jacques Rousseau, *Emile, ou de l'Education*

7.1.2 Compréhension

(a) Quel succès Rousseau attribue-t-il à la maxime de Locke?
(b) Pourquoi la raison n'apparaît-elle pas propre à développer les autres facultés d'un enfant?
(c) Qu'est-ce que l'on risque, si on raisonne avec un enfant?
(d) Comment le maître doit-il agir pour obtenir les résultats qu'il désire?
(e) Comment Rousseau définit-il *le mal*?
(f) Comment l'enfant espère-t-il éviter une punition?
(g) Comment Rousseau décrit-il ce genre d'argument?
(h) Selon Rousseau, qu'est-ce qui est hors de la portée d'un enfant?

7.1.3 Exercices — Section A

1. Choisissez dans la liste suivante les synonymes des mots qui ont été pris dans le texte.

pourtant	(a) cependant
	(b) naturellement
	(c) d'ailleurs
	(d) en fait

sot	(a) sage
	(b) beau
	(c) bête
	(d) raisonnable

le chef-d'oeuvre	(a) le but
	(b) le comble
	(c) les hors-d'oeuvre
	(d) le principe

81

mutin   (a) matinal
                           (b) lutin
                           (c) rebelle
                           (d) intelligent

la convoitise   (a) la jalousie
                           (b) la peur
                           (c) l'amour
                           (d) le désir

Commentaire

Rousseau, qui est un des plus grands philosophes à avoir écrit en français, est, bien sûr, un grand polémiste, capable de parler en faveur d'un cas quelconque, ou d'argumenter contre celui-ci. Dans cet extrait assez court, il démontre une technique d'argumentation qui sera utile à l'étudiant qui souhaite présenter ses arguments dans une rédaction ou dans une dispute verbale. A cette technique nous pouvons accorder l'appellation de «jeu de massacre».

Au début, Rousseau nous offre un argument ou un fait, comme si celui-ci était d'une valeur considérable: *Raisonner avec les enfants était la grande maxime de Locke*. Il le renforce: *C'est la plus en vogue aujourd'hui*. Puis il renverse le tout: *Son succès ne me paraît pourtant pas fort propre à la mettre en crédit* . . . Notez le ton ironique — Rousseau dit moins qu'il ne le faut, mais alors, pour s'assurer que le lecteur ait bien compris son message, il y ajoute une accablante opinion personnelle . . . *et pour moi je ne vois rien de plus sot que ces enfants avec qui l'on a tant raisonné*.

Dans cet extrait il y a encore deux exemples de ce «jeu de massacre». Relevez-les. Quelles conjonctions Rousseau emploie-t-il pour introduire les propositions qui vont détruire l'argument qui les a précédées?

7.1.4 Exercices — Section B

Les exercices de cette section se basent sur les points suivants.

(1) L'accentuation, avec *c'est* . . . *que* (ou *ce sont* . . . *que*) (Grammaire 9.3).
(2) *Si* + l'imparfait dans les phrases exprimant une condition (Grammaire 5.5(a)(ii)6).
(3) *Pour* + l'infinitif du passé (Grammaire 5.5(e)ii).

1. Remaniez les phrases suivantes de façon à accentuer les expressions en italique, comme dans l'exemple.

   Exemple   On veut se servir *de celle-là* pour développer les premières.
   Réponse   C'est de celle-là qu'on veut se servir pour développer les premières.

   (a) Rousseau écrit dans son livre *sur un système philosophique discrédité*.

(b) Les philosophes veulent utiliser *la raison* pour élever les enfants, et non pas les émotions.

(c) Selon Rousseau, on ne peut aucunement se servir *de cette faculté-là*.

(d) Rousseau souhaite critiquer *les doctrines de Locke et de ses disciples*.

(e) Rousseau espère éviter *la possibilité d'élever des enfants mutins*.

2. Remaniez les phrases suivantes, en employant *si* + l'imparfait dans la première proposition et un conditionnel au négatif dans la deuxième, comme dans l'exemple.

    Exemple Les enfants n'entendent pas la raison, et par conséquent ils ont besoin d'être élevés.
    Réponse Si les enfants entendaient la raison, ils n'auraient pas besoin d'être élevés.

    (a) Rousseau n'approuve pas le système de Locke, et par conséquent, il jette le discrédit sur ses propos.

    (b) Le système des rationalistes ne tient pas, et par conséquent, il faut le rejeter.

    (c) Les propos de Locke ne connaissent pas de succès, et par conséquent, Rousseau s'en moque.

3. Remaniez les phrases suivantes, en employant *pour* + l'infinitif du passé. Notez les deux sortes d'exemple.

    Exemple 1 Vous serez puni parce que vous avez désobéi.
    Réponse Vous serez puni pour avoir désobéi.
    Exemple 2 L'élève a été puni parce qu'il avait désobéi.
    Réponse L'élève a été puni pour avoir désobéi.

    (a) Rousseau s'est vu emprisonner parce qu'il avait tenu des propos dangereux.

    (b) Locke a été critiqué parce qu'il avait élaboré des théories ridicules.

    (c) Si l'on suit les théories de ce genre, on est ridiculisé parce qu'on a élevé un enfant mutin.

    (d) On accepte ce que disent les «savants», et on le paie cher, parce qu'on a été dupe de théories à la mode.

    (e) Rousseau a été fêté parce qu'il avait élaboré des théories sur la liberté de l'homme.

7.1.5 Devoir

Ecrivez deux paragraphes sur des idées de l'éducation, en employant la technique du «jeu de massacre» pour indiquer votre refus de certaines croyances. Voici des sujets à discuter:

La liberté des enfants
La discipline chez les jeunes
L'influence de la télévision chez les jeunes
Le rôle du professeur aujourd'hui
Le rôle des parents

7.2 Rebrousser Chemin

Le journal quotidien *Le Figaro*, connu pour ses éditorialistes éminents, qui sont souvent membres de l'Académie Française, a des liens étroits avec la littérature et l'éducation. Son nom même et sa devise (*Sans la liberté de blâmer, il n'est pas d'éloge flatteur*) sont puisés dans l'oeuvre de Beaumarchais, écrivain du 18e siècle. Dans l'extrait suivant, Sophie Latil déplore la baisse du niveau de l'éducation.

7.2.1 Texte

Huit millions d'illettrés en France: un constat incroyable dans un pays qui a bénéficié, pendant plus de cent ans, d'un système éducatif de réputation internationale. Et pourtant, aujourd'hui, l'école est la principale accusée.

«Pour un enfant entrant au cours préparatoire, apprendre à lire, écrire et compter est toujours un jeu», affirment les instituteurs. Pourtant, pour le quart des élèves accédant à la sixième après cinq ans d'apprentissage et de perfectionnement, lire est un véritable calvaire, compter un casse-tête chinois et écrire correctement une mission impossible. Pourquoi?

«C'est le résultat d'un système incohérent d'apprentissage à la lecture», répond Gerard Mensier, directeur de l'école Saint-Louis à Garches. Et le mal vient de loin: dès la première année de scolarité, un élève sur trois échoue pour n'avoir pas assimilé correctement les bases de la lecture. La plupart d'entre eux ne réussiront jamais à combler leurs lacunes et connaîtront inévitablement l'échec scolaire.

Les événements de mai 1968 ont joué un rôle catalyseur dans le domaine de l'enseignement qui devait alors et avant tout privilégier l'autonomie de l'enfant. Jean Piaget, psychopédagogue en vogue dans les années soixante, avait coutume de dire: «Chaque fois que l'on apprend quelque chose à un enfant, on lui retire l'opportunité de le découvrir lui-même». Une évidence, certes, et un propos dicté par une intention généreuse, mais dont la brumeuse idéologie donnait de bien piètres résultats sur le terrain.

Autre accusé: l'abandon du «par coeur». Exiger que l'on apprenne la liste des départements, préfectures et sous-préfectures peut être discuté, mais que penser des manuels scolaires d'histoire ou de géographie qui ont supprimé les résumés des leçons? Leur but: que l'élève tire par lui-même la substantifique moelle avec ses propres mots.

Parmi les aberrations de l'enseignement *nouveau style*, on relève aussi la disparition de la dictée, pourtant le seul moyen de maîtriser les difficultés de la langue française: les mêmes lettres ont des valeurs sonores différentes selon leur position dans le mot. Sans oublier les mathématiques modernes qui ne jugeaient pas utile l'apprentissage des tables de multiplication.

Une étude effectuée par le Ministère de l'Education Nationale indique que 75% des enfants de cadres supérieurs ont suivi une scolarité normale contre 35% des enfants de salariés agricoles. Si, pour expliquer la persistance de l'illettrisme dans un pays où l'école est obligatoire depuis plus de cent ans, on accuse naturellement le système éducatif, force est de constater que les milieux socioculturels défavorisés sont inévitablement touchés par le phénomène.

«Un enfant qui n'est pas pris en charge par ses parents est un élève en péril pour lequel l'école ne peut rien», explique un psychologue. «Ce qu'il faut, c'est de redéfinir le rôle de l'école», explique Gerard Mensier. «Bien sûr, avec le développement des nouveaux média, la culture est accessible à tous, et l'enseignant n'est plus le seul à détenir le savoir. Mais aujourd'hui, apprendre pour le plaisir n'existe plus. On apprend dans un seul but utilitaire: il faut de plus en plus de diplômes pour affronter la compétition sociale. Mais l'école doit rester *l'école de la vie*».

«1968 a brisé la reconnaissance des valeurs morales», admet un psychopédagogue, ancien partisan des nouvelles méthodes qu'il renie aujourd'hui. «Notre travail de contestation est parvenu à déstabiliser une institution qui se devait d'évoluer. Mais nous avions omis l'essentiel: nos principes intellectuels n'étaient pas applicables car trop irréalistes». Honnête constat.

Aujourd'hui, on commence à prendre conscience de la gravité du problème. Mais le mal est fait.

Sophie Latil, *Le Figaro*

7.2.2 Compréhension

(a) Que montre la première statistique terrible?
(b) Quelle fraction des élèves connaissent des difficultés d'apprentissage à l'entrée en sixième?
(c) Sur quoi Gerard Mensier rejette-t-il la responsabilité de ces difficultés?
(d) Pourquoi Piaget s'opposait-il à l'enseignement des jeunes?
(e) Pourquoi a-t-on supprimé les résumés des leçons dans les manuels scolaires d'histoire et de géographie?
(f) Quelle était la valeur de la dictée?
(g) Qu'indiquent les statistiques publiées par le Ministère de l'Education Nationale?
(h) Quel serait le seul but de l'éducation aujourd'hui?
(i) Quel aveu le psychopédagogue fait-il à la fin de l'extrait?

7.2.3 Exercice — Section A

1. Trouvez dans le texte des expressions ayant le même sens que celles qui sont imprimées en italique dans les phrases suivantes.

   (a) *Cependant*, pour *25% des élèves entrant en sixième* . . .
   (b) *Toutes les fois qu'on enseigne* quelque chose à un enfant . . .
   (c) Parmi *les erreurs de l'éducation à la mode* . . .
   (d) . . . *il est nécessaire de conclure* que . . .
   (e) *Maintenant*, on commence à *comprendre l'énormité* du problème.

> **Commentaire**
>
> A la différence de Rousseau, Sophie Latil ne s'occupe pas de l'élaboration d'une théorie sur l'éducation. Ici, elle examine un problème — l'illetrisme — et s'efforce de l'expliquer. Elle s'occupe surtout de rapporter des faits, et son style reflète cet intérêt.
>
> C'est dans la première phrase que se présentent les faits principaux de ce cas. L'effet que produit l'auteur est celui de surprise, voire de

choc. Comment cela se fait-il? Que manque-t-il dans cette première phrase?

Cet extrait présume une connaissance du système scolaire français. *Le cours préparatoire* est la première année de l'école primaire, et les enfants passent par *le cours élémentaire* et *le cours moyen*, avant d'aller à l'école secondaire, ou *collège*. Par rapport au système anglais, les classes de celui-ci sont numérotées à rebours, la première année étant *la sixième*. A l'âge de quinze ans, ceux qui souhaitent poursuivre leurs études peuvent aller dans plusieurs sortes d'institution, dont la mieux connue est *le lycée*. Ici, les classes s'appellent *seconde*, *première* et *terminale*.

L'auteur fait allusion aux événements de mai 1968. Il s'agit de la révolte qui ébranla la France à cette époque-là. Après de vives manifestations menées par des étudiants de la Sorbonne, des combats de rue se déroulèrent et une grève générale paralysa la France. La réaction à toutes sortes de système autoritaire fut si marquée que les autorités furent obligées d'y faire attention et d'entreprendre des réformes. Ce sont les réformes de cette époque-là qui font l'objet de tant de critiques dans cet extrait.

7.2.4 Exercices — Section B

Les exercices de cette section se basent sur les points suivants.

(1) L'infinitif sujet (Grammaire 5.5(d)(i)).
(2) Les verbes et leurs prépositions (Grammaire 5.5(d)(ii)).
(3) Le nom apposé et l'article (Grammaire 2.4(iv)).
(4) Les fractions et les proportions (Grammaire 3.2(b)(v); 3.2(a)(viii)).

1. Retraduisez en français, trouvant des modèles dans le texte.

   (a) Reading is a real ordeal, counting a brain-teaser and writing correctly an impossible task.
   (b) Learning to read, write and count is still a game.
   (c) Learning for pleasure is no longer a game.

2. Complétez les phrases suivantes en insérant *à* ou *de*, selon le cas.

   Lorsqu'un élève commence . . . apprendre . . . lire et . . . écrire, tout est pour lui un jeu. Cependant, il y en a des milliers qui ne parviennent pas . . . maîtriser les systèmes nécessaires. Ceux qui ne réussissent pas . . . le faire constituent une proportion effrayante de la population. Le problème, c'est que dans les années soixante, on avait coutume . . . mettre en question un système bien fondé qui se devait . . . évoluer.

3. Pour chacune des expressions suivantes insérez l'article défini là où il le faut.

   (a) Monsieur Gerard Mensier, . . . directeur de l'Ecole Saint-Louis . . .
   (b) Madame Thatcher, . . . Premier Ministre britannique, . . .
   (c) Jean Dutourd, . . . célèbre écrivain français, . . .

(d) Alain Quinquet, . . . chômeur, . . .

(e) M. Pierre Dufour, . . . commerçant du quartier, . . .

4. Remaniez les phrases suivantes, en y substituant une fraction, comme dans l'exemple.

    Exemple   Le tiers des élèves de cette école ne savent pas lire.
    Réponse   Dans cette école, un élève sur trois ne sait pas lire.

    (a) Ici, la moitié des élèves ne savent pas compter à l'âge de cinq ans.
    (b) Heureusement, six septièmes des adultes savent lire.
    (c) Les trois quarts des enfants de cadres supérieurs ont suivi une scolarité normale.

7.2.5 Devoir

Faites un résumé des points de l'argument de Sophie Latil. Efforcez-vous d'en tirer des conclusions. Les expressions suivantes pourraient s'avérer utiles:

Cela signifie que . . .
Il s'ensuit que . . .
Cela prouve que . . .
Cela implique que . . .
On en déduit que . . .
On en conclut que . . .
(. . .), d'où on tire que . . .

7.3 En Classe On Se Laisse Aller

Comme nous l'avons vu, les événements de mai 1968 ont eu des effets extraordinaires sur le système de l'éducation nationale en France. La révolution de '68, pourtant, était un début et non pas une fin, et les écoles d'aujourd'hui font la moisson des graines que l'on a semées à cette époque-là. Maurice Maschino, professeur de philosophie, s'en prend aux jeunes d'aujourd'hui pour qui l'école ne peut rien, et qui n'ont pas d'intérêts — la bof-génération.

7.3.1 Texte

Les adolescents que je connais ne présentent pas de signes particuliers de déviance: ni loubards ni délinquants, ils appartiennent, pour la plupart, aux classes moyennes; ils n'en sont donc plus représentatifs des jeunes d'aujourd'hui.

A la différence de la génération de mai 68, ils semblent complètement paumés, désadaptés — largués. A la dérive entre un passé qui ne les séduit pas (et qu'ils ignorent) et un avenir qu'ils redoutent. Sans attaches ni perspectives.

Ne s'insérant plus dans une tradition familiale (beaucoup sont en conflit avec leurs parents, fuguent, se réfugient chez un cousin ou dans une mansarde), ne s'inscrivant plus dans une culture (celle, en tout cas, que

La salle de classe. (Courtesy Vidocq Photo Library, Frome)

l'institution scolaire a pour fonction de transmettre), indifférents à la chose publique (des politiciens, ils disent volontiers qu'ils sont «tous les mêmes»), occupés, essentiellement, à vivre au présent — et encore: en surface — sport, moto, cinéma, occultisme... sans parler de leur fréquentation assidue du troquet.

Que, ce faisant, ils se préparent des lendemains qui grincent (car, dépourvus de connaissance, peu portés à l'effort intellectuel, ayant le plus grand mal, y compris en terminale, à lire, écrire, parler, ils seront encore plus à la merci des décideurs), peu en conviennent.

A la façon de ces malades qui geignent, mais refusent à tout prix de guérir, ils se complaisent dans leur état: leur dénuement leur paraît comme une richesse (tel cet élève qui déclare: «Si je lisais je n'aurais plus d'idées personnelles»), et les vertus des autres (le goût du travail, par exemple, le plaisir de lire), comme des tares d'un autre âge: il faut du courage, aujourd'hui, pour s'afficher et s'affirmer bon élève.

S'il leur arrive de reconnaître une insuffisance («C'est vrai qu'on se laisse aller»), ils s'en lavent les mains, sur le champ, en incriminant la famille, le «système» (nom moderne du diable) ou les «traumatismes» de leur enfance: ainsi la paresse passe-t-elle pour un blocage, et leur manque d'intérêt(s) pour une absence de «motivation». Barbouillés du pseudo-savoir psychanalytique, ils se posent en victimes à bon marché: «C'est ainsi, on n'y peut rien.»

«Conditionnés», comme ils disent, et complètement irresponsabilisés, ils attendent des autres une prise en charge totale. Si prompts à dénigrer l'école, ils regrettent que «les profs partent, le cours terminé», et sont tout prêts à les prendre pour confidents, confesseurs — ou tuteurs, selon le mot à la mode.

Il n'est pas question, bien entendu, de leur jeter la pierre: ils sont d'abord (bien qu'ils ne soient pas seulement) à l'image de ceux qui les ont faits, ou défaits. Si la famille, qui ne sert plus à grand-chose, est la première responsable de leur mal-être, l'école, à son tour, y est pour beaucoup. Jadis instrument de promotion (et du maître et des élèves), elle est devenue, pour les uns, un pis-aller (on enseigne, faute de mieux) et, pour les autres, une garderie.

Maurice T. Maschino, *Vos enfants ne m'intéressent plus*, © Hachette

Teenagers français. (Courtesy Vidocq Photo Library, Frome)

7.3.2 Compréhension

Est-ce que les affirmations suivantes sont vraies ou fausses?

(a) La plupart des adolescents que Maschino connaît sont des loubards et des délinquants.
(b) La plupart d'entre eux semblent savoir où ils vont.
(c) Ils sont détachés de la famille et de la culture.
(d) La majorité de ces jeunes acceptent qu'ils se préparent des lendemains qui grincent.
(e) Ils tiennent à ne pas avoir beaucoup d'intérêts.
(f) Ils ne blâment ni la famille ni le «système».
(g) Ils aimeraient bien avoir davantage de liens avec leurs professeurs.
(h) Quant à leur ennui et leur manque de direction, c'est l'école qui est la première accusée.

7.3.3 Exercices — Section A

1. Trouvez dans le texte des synonymes des expressions suivantes.

    (a) la grande bourgeoisie
    (b) au contraire de
    (c) dont ils sont ignorants
    (d) vivre aujourd'hui
    (e) (leurs) visites régulières au café
    (f) peu enclins à
    (g) comme
    (h) tout de suite
    (i) ils se disent
    (j) l'école est pleinement responsable

2. Classifiez les mots suivants, sous trois titres: (A) Appartenance (B) Futilité (C) Absence.

    absence; appartiennent; paumés; désadaptés; dépourvus; s'inscrivant; largués; dénuement; à la dérive; s'insérant; indifférents; représentatifs

---

Commentaire

Le style écrit de Maschino tient du langage parlé des jeunes dont il parle. Non seulement il emploie des termes argotiques — *loubards, moto, troquet* — mais il manque à ses phrases l'équilibre formel d'une prose bien écrite.

Quelquefois ses phrases ne contiennent pas de verbe: *Sans attaches ni perspectives,* et . . . *sans parler de leur fréquentation assidue du troquet.*

D'autres constructions exigent une deuxième proposition, mais celle-ci ne paraît point: *Ne s'insérant plus dans une tradition familiale . . . ne s'inscrivant plus dans une culture . . . .*

Pour un Français de souche, tout cela est bien compréhensible, ressemblant étroitement au langage parlé qu'il emploie tous les jours.

A la façon de Christiane Rochefort (voir l'extrait 6.3.1), Maschino s'efforce de créer un certain effet, un ton décontracté, peu formel, employant le français de tous les jours. Il est important de savoir reconnaître le ton dans des extraits de ce genre. Toute tentative d'imitation est à déconseiller à ce stade de votre apprentissage!

7.3.4 Exercices — Section B

Les exercices de cette section se basent sur les points suivants.

(1) *ne . . . ni . . . ni* (Grammaire 6.6).
(2) *En* + le participe présent, équivalent à *et ainsi* (Grammaire 5.5(f)(i)).
(3) Le participe présent, exprimant une cause ou une raison (Grammaire 5.5(f)(i)).

1. Joignez les deux phrases, en employant *ne . . . ni . . . ni*, comme dans l'exemple.

   Exemple Les jeunes d'aujourd'hui ne se fient pas au présent. Ils ne se fient pas à l'avenir non plus.
   Réponse Les jeunes d'aujourd'hui ne se fient ni au présent ni à l'avenir.

   (a) Les adolescents n'ont pas d'attaches. Ils n'ont pas de perspectives non plus.
   (b) Ils ne s'inscrivent pas dans la tradition familiale. Ils ne s'inscrivent pas dans la culture éducative non plus.
   (c) Ces jeunes ne présentent pas de signes de délinquance. Ils ne présentent pas de signes de déviance non plus.

2. Remaniez les phrases suivantes, en substituant le participe présent dans la première proposition, comme dans l'exemple.

   Exemple Ils font cela, et ainsi ils se préparent des lendemains qui grincent.
   Réponse En faisant cela, ils se préparent des lendemains qui grincent.

   (a) Ils abandonnent une culture traditionnelle, et les adolescents se trouvent ainsi à la dérive entre le passé et l'avenir.
   (b) Il écrit d'une façon amère, et l'auteur espère ainsi attirer l'attention sur le sort des jeunes d'aujourd'hui.
   (c) Ils attaquent la famille, et les jeunes cherchent ainsi à justifier leur mal-être.

3. Remaniez les phrases suivantes, en mettant les phrases type 1 à la place des phrases type 2, et vice versa.

   Phrase type 1 Ils se sentent aliénés de cette culture et donc ne s'y inscrivent plus.
   Phrase type 2 Se sentant aliénés de cette culture, ils ne s'y inscrivent plus.

   (a) Ces adolescents ne respectent plus la tradition familiale, et se réfugient donc à l'écart du foyer familial.
   (b) Ils ne présentent pas de signes de délinquance, et sont donc représentatifs de la majorité des jeunes.
   (c) Ils n'ont ni attaches ni perspectives, et ils sont donc complètement désadaptés.
   (d) Etant conditionnés et complètement irresponsabilisés, ils attendent des autres une prise en charge totale.
   (e) Ne servant plus à grand'chose, la famille est la première responsable de leur mal-être.
   (f) Ayant besoin de confidents et de tuteurs, les adolescents regrettent que les professeurs partent, les cours terminés.

7.3.5 Devoir

En employant quelques-unes des constructions auxquelles vous vous êtes exercé(e) dans ce chapitre, ainsi que le vocabulaire que vous avez classifié dans le deuxième exercice de la Section A, écrivez une lettre au rédacteur d'un journal. Par celle-ci, vous essaierez d'expliquer le sort des étudiants d'aujourd'hui. Les trois titres de l'Exercice 2 pourraient vous servir de cadre d'organisation. Les expressions suivantes pourraient vous être utiles:

Il faut que l'on sache que
Il ne faut pas oublier que
On n'a qu'à approfondir un peu la question pour savoir que
Il faut tenir compte du fait que
Que l'on néglige pas
Il ne faut pas être tenté de laisser hors de compte le fait que

7.4 Conversation

Ecoutez attentivement la cassette, sur laquelle Catherine réfléchit sur le rôle des parents et des enseignants dans l'éducation des enfants. Puis, en fonction des points répertoriés ci-dessous, essayez de faire un résumé des pensées de Catherine à ce sujet. (On ne donne pas de réponse a cette question-ci.)

— Deux aspects — parents — enfants — responsabilité des parents — la société — parents au travail — télévision — communication — évidence à l'école — milieux sociaux — difficultés des parents — but de l'éducation — enfants qui tournent mal — difficultés des professeurs — matière à apprendre — livres démodés — écart entre le monde du professeur et celui de l'élève — souvenirs des élèves.

7.4.1 Transcription

Catherine: L'éducation ... euh ... je vois l'éducation sous deux aspects: l'éducation qu'on peut donner en tant que parent ou en tant qu'enseignant, et l'éducation telle qu'elle est perçue par les enfants ... les jeunes ... et ce qu'ils en retirent et la façon dont ils peuvent se comporter ... euh ... l'éducation à l'heure actuelle que donnent les parents, à mon avis, est un peu critiquable. C'est-à-dire que les parents ne sont pas totalement responsables. C'est la vie qui est comme ça à l'heure actuelle. Les parents travaillent, donc, le soir ils rentrent tard, bien souvent ... enfin, en France ils rentrent plus tard certainement qu'en Angleterre, et ils allument la télé ... y a donc pas beaucoup de communication avec les enfants. On ... on reste là devant la télé, c'est une solution de facilité ... euh ... le gamin à la maison a fait ses devoirs plus ou moins en attendant que les parents rentrent, ou il a traîné à droite à gauche, et puis voilà, la vie passe comme ça. Donc, y a pas vraiment d'éducation, y a pas de communication, à mon avis, suffisamment avec les parents. Ça dépend évidemment des milieux, et c'est très, très net quand on a des élèves, un groupe d'élèves, on voit très bien, tout de suite, même très jeunes les

enfants qui sont dans un milieu où ils peuvent s'épanouir, où ils ont
. . . où on leur donne à lire, où on leur explique les choses, où on leur
parle, et puis ceux qui sont, comme je viens de le dire, mis devant la
télé là, qui joue le rôle de babysitter. Donc, y a ce côté. Je pense
également . . . euh . . . c'est dur d'être parent aujourd'hui, parce que
si on essaie de donner une bonne éducation . . . enfin, qu'est-ce
qu'une bonne éducation? C'est aussi difficile à cerner. Enfin, bon, on
essaie de faire de ses enfants d'honnêtes gens, non? Et puis après
on voit que . . . euh . . . surtout à l'heure actuelle souvent, des
enfants qui . . . qu'on n'aurait jamais soupçonnés . . . euh . . .
tourner mal, quoi? Du fait des . . . de leurs relations, de leurs
fréquentations, et caetera.

En tant qu'enseignante, je me demande si ce que j'essaie de faire
passer à mes élèves est vraiment bien reçu. J'ai l'impression par
moments, ils en ont assez, parce que . . . on leur rabâche toujours les
mêmes sujets, dans des livres plus ou moins attrayants, qui sont noirs
et blancs. Les livres pour le second cycle sont noirs et blancs, c'est
triste, et . . . euh . . . j'ai l'impression parfois de faire figure un peu
d'homme préhistorique par rapport à eux, qui voient tant de choses
en dehors . . . C'est la civilisation de l'audio-visuel, et nous avec nos
livres là, et . . . ce sont souvent aussi des textes où des jeunes ont des
problèmes. Enfin, c'est triste. Donc, je ne sais pas s'ils perçoivent ça
très bien. Mais après, pourtant, après, je pense, ils sont contents. Ils
gardent un bon souvenir de leurs années de lycée. Ce n'est qu'après.
Pour le moment, ils sont là parce qu'il faut y être.

7.5 Promenade Poétique

Vous me copierez deux cents fois le verbe:
Je n'écoute pas. Je bats la campagne*.

Je bats la campagne, tu bats la campagne
Il bat la campagne à coups de bâton.

La campagne? Pourquoi la battre?
Je baye aux corneilles†, je cours la campagne.

Il ne faut jamais battre la campagne:
On pourrait casser un nid et ses oeufs.

On pourrait briser un iris, une herbe,
On pourrait fêler le cristal de l'eau.

Je n'écouterai pas la leçon.
Je ne battrai pas la campagne.

Claude Roy (1915–   ), *Enfantesques*, © Editions Gallimard

* battre la campagne: to daydream.
† bayer aux corneilles: to stand staring.

7.6 Lecture Supplémentaire

Notre deuxième extrait de ce chapitre est pris dans un des grands journaux français, *Le Figaro*. Il est primordial que l'étudiant(e) procède à la lecture de journaux et de magazines, non seulement pour se faire une idée de ce qui se passe en France, mais pour avoir un aperçu des différents points de vue politiques, économiques et sociaux qui y sont exprimés.

Le Monde et *Le Figaro* ressemblent au *Times* et au *Daily Telegraph*, et ils sont bien équilibrés et bien écrits. Pour ceux qui s'inclinent vers la gauche, *L'Humanité* fera bien l'affaire. Pour avoir des articles de sensation, il faut lire *France-Soir*, tandis que *Le Canard Enchaîné* vous donnera des articles amusants et satiriques.

L'Express, Le Point et *Le Nouvel Observateur* sont des hebdomadaires de nature sérieuse, et leurs articles politiques, économiques et sociaux offriront à l'apprenant un défi considérable.

Du côté léger, *Paris Match* est toujours plein de photos de pop-stars et de princesses, bien qu'il offre aussi des articles sérieux.

Du côté féminin, *Elle, Marie-France, Marie-Claire* et *Jours de France* sont très populaires, ce dernier offrant une sélection de fiction.

Il n'est possible de donner ici qu'un très petit aperçu de la gamme des journaux et des magazines disponibles en France. Tout étudiant sérieux devrait passer du temps à feuilleter le stock d'une bonne maison de la presse au cours d'un séjour en France.

8 La Communication

A une ère de la communication de masse, le mot et l'image sont d'une importance primordiale. Dans ce chapitre, on examinera trois aspects de la communication — le langage, le film et la poésie.

8.1 Le Français Tel Qu'on le Parle

La langue française serait, selon certains, menacée par le pouvoir de l'anglais. Qu'il en soit ainsi ou non, l'Académie Française, gardienne de la pureté de la langue, continue de veiller sur l'usage des mots et de la grammaire. Malgré toute restriction, le français ne cesse d'évoluer, comme nous le montre Henri Mitterand.

8.1.1 Texte

«Parlez-vous franglais?» demandait déjà Étiemble en 1964. Larousse et Robert ont publié récemment, presque en même temps, chacun, un dictionnaire des anglicismes: C'est un signe. Toutefois, on a pu calculer que 2,5% seulement des mots nouveaux qui entrent dans notre langue en l'espace de dix ans sont d'origine anglo-américaine, et 5% d'origines étrangères diverses. Le reste provient des ressources propres au français.

Notre langue a du reste un remarquable pouvoir d'adaptation: qui devinerait, sans un dictionnaire étymologique, que *wagon, station, rail* et *tunnel* sont des mots anglais? Ou bien les mots d'emprunt sont techniquement nécessaires: quelques-uns sont traduits, naturellement ou laborieusement, beaucoup se francisent rapidement dans la prononciation, sinon dans l'orthographe. Ou bien, arrivés avec la mode, les emprunts disparaissent avec elle. Ou bien, encore, ce qui est en question, comme avec les horribles *fast food*, ce n'est pas tant le mot que la chose . . .

A vrai dire, il faut admettre une distinction capitale, que dissimule le discours des idées reçues; *la* langue française n'existe pas. Ce qui existe, ce sont *des* langues françaises et *des* usages: le français «conventionnel» (auquel Jacques Cellard et Alain Rey, linguistes et auteurs de dictionnaires, opposent le français «non conventionnel»), mais aussi le français branché des jeunes, qui apporte chaque semaine sa moisson de néologismes, d'ailleurs fragile et fugitive, le langage intello, qui vieillit vite lui aussi; les vocabulaires spécialisés des sciences et des techniques, qui sont autant de constellations évoluant à la périphérie de la langue commune; les vocabulaires régionaux, voire extra-hexagonaux (de Belgique, de Québec, de Suisse, d'Afrique), dont les trésors restent insoupçonnés du boulevard Saint-Germain. Un vigneron du Bourgogne dispose de plus de mots pour parler de son métier que Racine pour analyser les égarements du coeur . . .

Au surplus, les docteurs Tantpis de la francophonie pèchent souvent par myopie. Ils s'attachent aux erreurs superficielles de l'orthographe, du vocabulaire . . .

Que l'on prenne une vision plurielle de la langue, et le français apparaît pour ce qu'il est, c'est à dire une langue vivace, généreuse, expansive, disponible pour toutes sortes d'usages et de créations.

Henri Mitterand, © *L'Express*

8.1.2 Compréhension

Appariez les mots à gauche à ceux qui se trouvent à droite pour en arriver à un résumé de cet extrait.

La plupart des nouveaux mots français	est inévitable, voire nécessaire
Le Français moyen croirait que certains mots	s'adapte à toutes sortes d'usages
L'évolution d'une langue	plusieurs variétés de langage
Contrairement à ce que l'on croit	mais aussi des parlers régionaux
Il y a plutôt	que le langage des auteurs classiques
Il s'agit non seulement des langages techniques	sont puisés dans le français lui-même
Certains parlers sont encore plus riches	il n'existe pas une seule langue française
En fin de compte, la langue française	ne sont pas d'origines étrangères

L'Académie Française. (Courtesy Vidocq Photo Library, Frome)

8.1.3 Exercice — Section A

1. Trouvez dans le texte les équivalents français des expressions suivantes. Comment le français diffère-t-il de l'anglais?

   (a) a dictionary of anglicisms
   (b) the 'switched-on' talk of youngsters
   (c) the specialised vocabulary of science and technology
   (d) superficial errors of spelling and vocabulary

Commentaire

L'importation en gros de mots anglais a soulevé auprès de certains puristes, tel que René Etiemble, d'importantes objections. En matière de publicité, il est maintenant interdit d'employer un mot anglais au cas où il y aurait un équivalent synonyme en langue française. Néanmoins, il n'est pas toujours facile de distinguer ce qui est français de ce qui est anglais, tant les deux langues sont étroitement liées quant à leur vocabulaire.

L'anglais a subi une transformation lors de la conquête normande. Par conséquent il existe dans les deux langues bien des mots qui sont identiques, quant à leur orthographe. Il est aussi possible de discerner un rapport entre plusieurs groupes de mots.

Regardez ces formes, puisées dans le texte:

Français	Anglais
anglicisme	anglicism
néologisme	neologism

Quels seront donc les équivalents des expressions suivantes:

   communism; socialism; fascism; imperialism

Quel en est le genre? Est-il prévisible?
Regardez maintenant ce tableau:

Français	Anglais
une origine	origin
le reste	rest
la sorte	sort

Quels seront les équivalents des expressions suivantes:

   act; adult; limit; pilot; pretext; tent; visit

Vérifiez vos réponses dans un bon dictionnaire. Est-il possible de prédire le genre de tels substantifs?

Relisez maintenant le texte, et relevez les mots apparentés (ceux qui ressemblent exactement ou étroitement à un mot anglais). Est-il possible de prédire les formes d'autres mots anglais ou français en fonction de ces exemples? Vérifiez vos prédictions dans un bon dictionnaire.

8.1.4 Exercices — Section B

Les exercices de cette section se basent sur les points suivants.

(1) L'accentuation, avec *ce qui* (Grammaire 4.3(b)(ii)).
(2) L'accentuation, avec *ce que* (Grammaire 4.3(b)(ii)).
(3) *Que* + le subjonctif, au sens de *si*... (Grammaire 5.5(c)(xiii)).
(4) Les conjonctions dans les textes (Grammaire 8).

1. Remaniez les phrases suivantes, en employant *ce qui*, comme dans l'exemple.

   Exemple Ce n'est pas tant le mot que la chose qui est en question.
   Réponse Ce qui est en question, ce n'est pas tant le mot que la chose.

   (a) C'est le pouvoir d'adaptation de la langue qui est remarquable.
   (b) C'est le parler branché des jeunes qui apporte une vraie moisson de néologismes.
   (c) Ce sont *des* langues françaises et *des* usages qui existent.

2. Remaniez les phrases suivantes, en employant *ce que*, comme dans l'exemple.

   Exemple Les puristes n'aiment pas l'emploi de néologismes.
   Réponse Ce que les puristes n'aiment pas, c'est l'emploi de néologismes.

   (a) On remarque la diversité des parlers régionaux.
   (b) Les sciences et les technologies apportent une variété importante de la langue
   (c) Un vigneron de Bourgogne peut employer un vocabulaire plus large que celui de Racine.

3. Remaniez les phrases suivantes, en employant *que* et le présent du subjonctif, comme dans l'exemple.

   Exemple Si on prend une vision plurielle de la langue, le français apparaît comme une langue vivace, généreuse et expansive.
   Réponse Que l'on prenne une vision plurielle de la langue, et le français apparaît comme une langue vivace, généreuse, et expansive.

   (a) Si vous faites un effort pour examiner la langue, vous verrez qu'elle a de remarquables pouvoirs d'adaptation.
   (b) Si nous admettons la distinction de Mitterand, nous verrons qu'il existe plusieurs genres de français.
   (c) Si les défenseurs du français reconnaissent le besoin qu'il y a de nouveaux mots, la langue fera des progrès.
   (d) S'ils n'ont pas la sagesse de reconnaître ce besoin, le français se verra dépasser par l'anglais.

4. (i) Appariez les expressions qui se trouvent à gauche à la fonction qu'elles remplissent dans un texte (expressions à droite). (ii) Insérez alors l'expression appropriée dans chacune des phrases qui suivent.

toutefois	liaison
du reste	concession
à vrai dire	amplification
c'est-à-dire	réservation
mais aussi	explication

(a) L'Académie Française est une institution conservatrice, ——, elle existe pour conserver la langue française.
(b) Les anglicismes, dit-on, sont sur le point d'enrayer la langue française. ——, les évidences dont on dispose en ce moment ne soutiennent pas un tel point de vue.
(c) Les défenseurs de néologismes ne font pas de mal. ——, ils apportent un soutien considérable à la survie de la langue française.
(d) Le français résorbe les termes extra-hexagonaux, et il a, ——, un remarquable pouvoir d'adaptation.
(e) Il existe non seulement un français classique, le français des idées reçues, —— un français nouveau, le français des jeunes, le français de tous les jours.

8.1.5 Devoir

Examinez de nouveau les textes de Christiane Rochefort (6.3.1) et de Maurice Maschino (7.3.1). Efforcez-vous alors de défendre l'emploi de néologismes et d'argot dans la langue française d'aujourd'hui. Où en serions-nous si nous n'avions que la langue classique de Molière (9.1.1) et de Rousseau (7.1.1)? Les expressions suivantes pourraient vous guider:

Toute langue se doit de se développer
Sans néologismes . . .
A toute invention une appellation
Que l'on se borne à la langue du passé et . . .
Autres temps autres moeurs
Que se passerait-il si . . . ?
La concurrence de la langue anglaise . . .
La survie de toute espèce . . .

8.2 Un Cinéaste Extraordinaire

Jean Renoir (1894–1979) est sans aucun doute un des plus grands cinéastes du siècle. Son film le mieux connu est probablement «La Grande Illusion». Dans cet extrait de son autobiographie, il examine le rôle du metteur en scène.

8.2.1 Texte

«Une Partie de Campagne» et «Les Bas Fonds» illustrent bien ce que je pense des rapports entre le scénario et la prise de vues. Ces rapports sont caractérisés par un manque de fidélité apparent. Il y a un monde entre le plan et le résultat final. Néanmoins, mon infidélité n'est que superficielle, car je crois être toujours resté fidèle à l'esprit général de l'oeuvre. Un scénario, pour moi, ça n'est qu'un outil que l'on change au fur et à mesure que l'on progresse vers un but, qui, lui, ne doit pas changer. Ce but, l'auteur le porte en lui souvent à son insu, mais faute de ce but le résultat demeure superficiel. L'auteur d'un film découvre les caractères en les faisant parler, l'ambiance générale en choisissant les extérieurs. Sa conviction intérieure n'apparaît qu'avec le temps et, en général, par la collaboration avec les artisans du film, acteurs, techniciens, éléments naturels ou travaux du décorateur. Nous devons obéir à la loi immuable de l'essence ne se découvrant qu'au fur et à mesure que l'objet se met à exister.

Le metteur en scène n'est pas un créateur, il est une sage-femme. Son métier est d'accoucher l'acteur d'un enfant dont celui-ci ne soupçonnait pas la présence dans son ventre. L'outil que l'accoucheur utilisera pour cette besogne n'est autre que la connaissance de l'environnement et la soumission à cette force. Chaque être humain porte en lui une conviction. C'est comme une religion naturelle et inconsciente. Toute oeuvre entreprise par chacun de nous tient sa valeur du degré auquel nous sommes capables de définir cette conviction. Chez certains, ce trésor demeure inconnu, étouffé par l'amas de mensonges dont est pavée notre existence. Ce qui est intéressant, c'est que cette course de l'auteur vers sa vérité intérieure n'empêche nullement ses collaborateurs de découvrir la leur. Au contraire elle les y aide.

Jean Renoir, *Ma Vie et Mes Films*, © Flammarion

8.2.2 Compréhension

(a) Qu'est-ce qui caractérise le rapport entre le scénario et la prise de vues?
(b) Comment Renoir considère-t-il un scénario?
(c) Quel en est le résultat, si le metteur en scène n'a pas de but?
(d) Comment le metteur en scène découvre-t-il ses caractères?
(e) A quoi Renoir compare-t-il un metteur en scène?
(f) Quelle est, pour lui, la tâche d'un metteur en scène?
(g) Qu'est-ce que l'artiste ou le metteur en scène doit tâcher de sortir de lui-même?

8.2.3 Exercices — Section A

1. A quels mots techniques du texte les définitions suivantes correspondent-elles?

   (a) Action de prendre des clichés, des films.
   (b) Canevas, scène par scène, d'une pièce de théâtre, de cinéma, dans lequel les paroles des personnages sont indiqués.
   (c) Ensemble de toiles peintes, etc., qui servent à représenter les lieux de la scène.
   (d) Celui qui, au théâtre, au cinéma, règle les décors, le jeu des acteurs, etc.
   (e) Celui qui joue un rôle au théâtre ou dans un film.

2. *Les prépositions* Regardez les expressions qui se trouvent à gauche, et qui correspondent à celles qui se trouvent à droite, et insérez la préposition nécessaire, pour en arriver à une expression qui se trouve dans le texte original.

(a) sans qu'il le sache   =   —— son insu
(b) par manque de   =   faute ——
(c) au fur et à mesure que le temps passe = —— le temps
(d) à son intérieur   =   —— lui

A scene from Jean Renoir's film *La Regle du Jeu*. (Courtesy the National Film Archive, London)

Commentaire

Tout art étant abstrait, il ne faut guère s'étonner que le vocabulaire dont on se sert pour le discuter soit abstrait à son tour. Ainsi cet extrait-ci, dans lequel Renoir discute du rôle du metteur en scène, doit ses difficultés en partie aux termes abstraits qui y paraissent, et en partie aux termes techniques, qui sont monnaie courante dans le monde du cinéma.

Des termes concrets (e.g. *un outil, une sage-femme*), la majorité sont des métaphores, dont Renoir se sert pour rendre plus colorées les images qu'il emploie.

Le ton de ce passage est très direct. Cela est dû au fait que chaque phrase est une affirmation, soit positive ou négative. Il n'y pas de questions, pas d'exclamations, pas d'appels faits au lecteur. L'effet de tout cela est que le ton est très plat et peu intéressant.

8.2.4 Exercices — Section B

Les exercices de cette section se basent sur les points suivants.

(1) Verbe + l'infinitif du passé (Grammaire 5.5 (e) (iv)).
(2) Le passif (Grammaire 5.4(b)).
(3) *être* + *de* + l'infinitif (Grammaire 5.5(d)(v)).

1. Remaniez les expressions suivantes, an employant un verbe et l'infinitif du passé, comme dans l'exemple.

    Exemple Je crois que je suis resté fidèle à l'esprit général de l'oeuvre.
    Réponse Je crois être resté fidèle à l'esprit général de l'oeuvre.

    (a) Renoir croit qu'il a découvert les caractères en les faisant parler.
    (b) Il estime aussi qu'il a réussi à accoucher ses acteurs d'enfants dont ceux-ci ne soupçonnaient pas la présence.
    (c) Ce metteur en scène célèbre pense qu'il en est arrivé à une formule artistique: accoucher, et non pas créer.

2. Remaniez les phrases suivantes, en employant le passif. Notez surtout le temps employé dans la phrase originale.

    Exemple Un manque de fidélité caractérise ces rapports.
    Réponse Ces rapports sont caractérisés par un manque de fidélité.

    (a) Le metteur en scène utilisera sa connaissance de l'environnement.
    (b) Lors du tournage, l'auteur d'un film découvre les caractères des personnages.
    (c) L'amas de mensonges dont est pavée notre existence a souvent étouffé la conviction chez certaines gens.
    (d) Renoir croyait que le temps révélerait l'essence du film.

3. En employant la construction *être de* + l'infinitif, composez des phrases avec les mots donnés, comme dans l'exemple.

    Exemple tâche du metteur en scène — établir — lien — plan — résultat final
    Réponse La tâche du metteur en scène est d'établir un lien entre un plan et le résultat final.

    (a) difficulté — établir — rapport — scénario — tournage
    (b) l'essentiel — collaborer — ses acteurs — ses techniciens.
    (c) but — metteur en scène — rester fidèle — esprit général de l'oeuvre
    (d) le plus difficile — découvrir — caractères — les faisant parler
    (e) tâche — acteur — suivre — instructions — metteur en scène

8.3 Conversation

Ecoutez le texte d'une interview sur la langue française, et essayez de répondre aux questions suivantes avant de lire la transcription qui suit.

1. Quelle est la plus grande menace pour la langue française?
2. Pourquoi les animateurs pour jeunes emploient-ils des mots anglais?
3. Quelle autre raison André offre-t-il pour expliquer le déclin éventuel de la langue française?
4. Dans quels domaines est-ce que l'anglais est la langue officielle?
5. Quels pays renforcent l'emploi de l'anglais comme langue commerciale?
6. En quelle année l'Académie Française fut-elle fondée?
7. Pourquoi, à l'avis de Bernard, la langue française a-t-elle si peu changé depuis ce temps-là?
8. A quoi la langue française a-t-elle du mal à s'adapter?
9. Qu'est-ce que la langue française utilise, lorsqu'il lui faut un nouveau mot?
10. Quelle raison Bernard offre-t-il finalement pour expliquer les fortunes relatives de l'anglais et du français?

8.3.1 Transcription

Interviewer: André, à votre avis, qu'est-ce qui menace la langue française?

André: Ce qui menace la langue française aujourd'hui, au premier plan, c'est certainement l'impérialisme de ... de la langue anglo-saxonne, que l'on trouve absolument partout, et qui est véhiculé aujourd'hui par les médias. Même en France il y a un snobisme aussi de la langue anglo-saxonne, hein? Sur les médias, on entend des animateurs pour jeunes, par exemple, utiliser des mots anglais, et il n'est pas rare d'entendre des gens parler en franglais aujourd'hui à la télévision.

Interviewer: Oui, mais je croyais que l'anglais était interdit à la télévision, surtout en matière de publicité.

André: Oui, mais malgré un effort qui est ... qui a été fait pour limiter l'entrée du franglais dans la langue française, le pouvoir de l'anglais est tellement grand aujourd'hui que ... ce qui fait que le français, certainement, recule. D'autre part il y a une raison. C'est que, peut-être que le français est une langue très difficile à apprendre, plus que n'est l'anglais, hein?

Interviewer: Est-ce que vous avez l'impression que l'anglais l'emporte dans certains domaines?

André: Oui. Pour revenir à la première raison, l'anglais est utilisé aujourd'hui à peu près dans tous les domaines techniques et technologiques. C'est la langue commerciale par excellence ... les ... les Chinois et surtout les Japonais utilisent ... dans le domaine commercial, utilisent l'anglais, hein? Euh ... certains domaines ne peuvent s'expliquer qu'en utilisant l'anglais — c'est le domaine informatique par exemple, c'est le domaine aéronautique, c'est la langue officielle de ces domaines-là, si bien que, si l'Angleterre est un tout petit pays, il y a bien plus ... il y a des millions et des millions de personnes qui parlent anglais, à savoir les Etats-Unis d'Amérique, et peut-être le pays qui aura la force commerciale des Etats-Unis de demain, qui sera l'Australie, qui apparaît être un des premiers pays du vingt et unième siècle, quoi? et qui est aussi de langue anglo-saxonne. Je crois qu'il y a un impérialisme de la langue anglaise actuelle qui force les autres langues à un certain repli, et le français est un ... une de ces langues-là, hein?

Interviewer: Bernard, est-ce que vous avez l'impression que la langue française change en ce moment?

Bernard: Elle change . . . non, elle ne change pas suffisamment, je crois, hein? Et ça, c'est le problème de la langue française, c'est que . . . elle aura sans doute eu des difficultés à s'adapter. Le français, contrairement à la plupart des langues vivantes, est une langue figée, parce qu'elle a son gendarme qui est là, qui est l'Académie Française, qui a été instaurée en mil six cent trente-six.

Interviewer: Oui, mais c'est par cela que la littérature du passé est facile d'accès, non?

Bernard: On peut dire que, si c'est vrai que la littérature française est facile d'accès aujourd'hui, par exemple tout le dix-septième est facile d'accès, c'est parce que le gendarme a interdit à la langue de se modifier depuis . . . bon . . . si cela est un avantage du point de vue de la littérature, de tout ce qui est culture, c'est aussi un gros inconvénient du point de vue d'adaptation, en particulier dans un monde qui est en train de changer. Et c'est pourquoi je crois que . . . c'est la raison qui a fait que, au plan technique, bon, outre le fait que beaucoup d'innovations techniques, en particulier dans le domaine de l'audiovisuel sont venues du monde anglo-saxon, c'est vrai, mais il y a aussi le fait que le français a des difficultés de ce côté-là à s'adapter.

Andre: Oui. Pour confirmer cela, l'anglais par exemple a des séries de noms et d'adjectifs qui sont très ouvertes. Il suffit d'ajouter une terminaison pour obtenir un nouveau mot. Ainsi les noms peuvent se composer en anglais . . . peuvent se fabriquer au jour le jour si le besoin s'en fait ressentir. Or, en français, pour obtenir un nouveau mot, c'est . . . c'est assez difficile, si bien que, pour créer de nouveaux mots en français, qu'est-ce qu'on utilise? Ben, on utilise des terminaisons anglaises. Ou souvent même des mots anglais en changeant le sens — *un parking*, par exemple. Donc, le . . . la difficulté du français vient de ce fait . . . du fait que . . . elle n'est pas facile à adapter au monde, quoi? tandis que l'anglais, c'est une langue qui s'adapte très, très facilement.

Interviewer: Pensez-vous qu'on puisse parler d'un déclin relatif ou absolu de la langue française?

Bernard: Si on peut parler de déclin relatif . . . 'fin, c'est relatif quand même, il ne faut pas non plus exagérer ce phénomène, je crois que . . . il y a eu une raison historique essentielle . . . ce n'est pas la seule raison, mais c'est la raison essentielle . . . c'est que, si l'anglais et le français ont connu au dix-neuvième siècle un développement important, c'était parce que c'étaient les deux principales puissances coloniales. Or, si l'on compare les colonies, ou anciennes colonies, de l'Angleterre et de la France, et bien, on trouve que les colonies . . . parmi les colonies anglaises, il y en a qui ont connu un développement considérable, je pense bien sûr à l'Australie, mais cela a été vrai pour le Canada aussi, alors qu'en Afrique noire ou en Indo-Chine, qui étaient des colonies françaises, il y a eu quand même un développement qui a été très réduit, quand ce n'est pas une récession. Cela n'était pas un facteur d'expansion de la langue.

8.4 Promenade Poétique

De la musique avant toute chose,
Et pour cela préfère l'Impair
Plus vague et plus soluble dans l'air,
Sans rien en lui qui pèse ou qui pose.

Il faut aussi que tu n'ailles point
Choisir tes mots sans quelque méprise:
Rien de plus cher que la chanson grise
Où l'Indécis au Précis se joint.

. . .

De la musique encore et toujours!
Que ton vers soit la chose envolée
Qu'on sent qui fuit d'une âme en allée
Vers d'autres cieux à d'autres amours.

Que ton vers soit la bonne aventure
Eparse au vent crispé du matin
Qui va fleurant la menthe et le thym . . .
Et tout le reste est littérature.

Paul Verlaine (1844–1896), «Art Poétique»

8.5 Lecture Supplémentaire

Tout étudiant qui s'intéresse au développement de la langue française doit lire *Parlez-vous franglais?* de René Etiemble, paru chez Gallimard. Pour ceux qui s'intéressent au cinéma français, il est recommandé d'aborder la série *Les Cahiers du Cinéma*, aux Editions de l'Etoile. Si vous vous intéressez à la poésie, vous pourriez aborder les poèmes de Jacques Prévert, dont la collection la plus célèbre est *Paroles*, parue chez Gallimard. Après, vous pourriez vous faire une idée de la gamme de la poésie française en lisant *Anthologie de la Poésie Française*, par Georges Pompidou, ancien Président de la République.

9 La Condition Féminine

Le rôle de la femme dans la société a subi au cours des années récentes un examen rigoureux. Certes, la condition féminine a beaucoup changé pendant le vingtième siècle, mais il reste quand même beaucoup à faire si l'on va en arriver à une société dans laquelle les deux sexes puissent jouir d'une égalité parfaite.

9.1 L'Ecole des Femmes

Le théâtre français ne connaît pas un seul génie qui corresponde au Shakespeare du théâtre anglais. Comme la Gaule, le génie théâtral de la France est divisé en trois parties: Racine, Corneille et Molière.

Jean Racine (1639–1699) et Pierre Corneille (1606–1684) sont connus pour leurs tragédies classiques, mais Molière, qui s'appelait en réalité Jean-Baptiste Poquelin, est surtout et avant tout le génie de la comédie. Farceur, dramaturge, satiriste, il s'est vu attaqué tant par l'église catholique que par la bonne société, qui ont mal compris la cible visée par l'écrivain dans des pièces telles que *Le Tartuffe* et *Les Femmes Savantes*.

Dans *L'Ecole des Femmes*, Molière nous offre le spectacle d'un bourgeois, Arnolphe, âgé de quarante-deux ans, qui a fait élever dans l'ignorance une jeune fille, Agnès, qu'il se propose maintenant d'épouser. C'est à sa fiancée âgée de dix-sept ans qu'il fait un discours sur le rôle de la femme dans la société.

9.1.1 Texte

Le mariage, Agnès, n'est pas un badinage.
A d'austères devoirs le rang de femme engage,
Et vous n'y montez pas, à ce que je prétends,
Pour être libertine et prendre du bon temps.
Votre sexe n'est là que pour la dépendance:
Du côté de la barbe est la toute puissance.
Bien qu'on soit deux moitiés de la société,
Ces deux moitiés n'ont point d'égalité;
L'une est moitié suprême, et l'autre subalterne;
L'une en tout est soumise à l'autre, qui gouverne;
Et ce que le soldat, dans son devoir instruit,
Montre d'obéissance au chef qui le conduit,
Le valet à son maître, un enfant à son père,
A son supérieur le moindre petit frère,
N'approche point encor de la docilité,
Et de l'obéissance, et de l'humilité
Et du profond respect, où la femme doit être

Pour son mari, son chef, son seigneur et son maître.
Lorsqu'il jette sur elle un regard sérieux,
Son devoir aussitôt est de baisser les yeux,
Et de n'oser jamais le regarder en face
Que quand d'un doux regard il lui veut faire grâce.
C'est ce qu'entendent mal les femmes d'aujourd'hui.
Mais ne vous gâtez pas sur l'exemple d'autrui.
Gardez-vous d'imiter ces coquettes vilaines
Dont par toute la ville on chante les fredaines,
Et de vous laisser prendre aux assauts du malin,
C'est-à-dire d'ouïr aucun jeune blondin.
Songez qu'en vous faisant moitié de ma personne,
C'est mon honneur, Agnès, que je vous abandonne;
Que cet honneur est tendre et se blesse de peu;
Que sur un tel sujet il ne faut point de jeu,
Et qu'il est aux enfers de chaudières bouillantes
Où l'on plonge à jamais les femmes mal vivantes.
Ce que je vous dis là ne sont pas des chansons,
Et vous devez du coeur dévorer ces leçons.
Si votre âme les suit et fuit d'être coquette,
Elle sera toujours, comme un lis, blanche et nette;
Mais s'il faut qu'à l'honneur elle fasse un faux bond,
Elle deviendra lors noire comme un charbon;
Et vous irez un jour, vrai partage du diable,
Bouillir dans les enfers à toute éternité,
Dont vous veuille garder la céleste bonté.

Molière, *L'Ecole des Femmes*

9.1.2 Compréhension

(a) Selon Arnolphe, de quel côté d'un mariage réside le pouvoir?
(b) Les partenaires dans un mariage sont-ils, selon lui, des égaux?
(c) Quels exemples choisit-il pour illustrer la docilité qui est nécessaire à la femme dans le mariage?
(d) Comment la femme sera-t-elle différente par rapport à ces subalternes?
(e) Qu'est-ce que la femme doit faire lorsque son mari la regarde?
(f) Quel risque Arnolphe court-il en épousant Agnès?
(g) Pour éviter d'avoir une mauvaise renommée, qu'est-ce qu'Agnès doit prendre garde de faire?
(h) Quel châtiment horrible l'âme d'Agnès subira-t-elle si elle n'écoute pas les avertissements d'Arnolphe?

9.1.3 Exercices — Section A

1. Dressez deux listes de mots, puisés dans le texte, qui indiquent (a) la supériorité, les qualités de chef et de dominance; (b) l'infériorité, la docilité et la soumission.

Molière. (Courtesy The Mansell Collection, London)

2. Trouvez dans le texte les contraires des expressions suivantes:

    (a) l'indépendance
    (b) l'inégalité
    (c) la désobéissance
    (d) l'inférieur
    (e) peu sérieux
    (f) lever
    (g) bien
    (h) sale

Commentaire

Le style et le langage de Molière offrent au lecteur d'aujourd'hui certaines difficultés qu'il aurait du mal à résoudre sans avoir recours à un dictionnaire historique et à une grammaire de la langue française du 17e siècle.

108

Il faut remarquer tout d'abord que la pièce est écrite en vers de douze syllabes, vers qui s'appelle «l'alexandrin», puisqu'on le trouve pour la première fois dans le Roman d'Alexandre, texte du 12e siècle. Les rimes se font en paires, selon le schéma AABB. Un mot qui se termine en «–e» donne une rime dite «féminine». Toute autre terminaison donne une rime masculine. Une rime masculine succède toujours à une rime féminine, une rime féminine à une rime masculine, et ainsi de suite.

Bien que le français du 17e siècle ressemble étroitement au français moderne, nous trouvons dans ce texte le verbe «ouïr», remplacé aujourd'hui la plupart du temps par le verbe «écouter». Les références faites à la vie religieuse (*le moindre petit frère*) auraient été beaucoup plus claires aux auditoires de l'époque de Louis XIV qu'elles ne le sont aujourd'hui.

Il y a aussi certaines différences syntaxiques (grammaticales) entre le français de Molière et celui qui s'entend en France aujourd'hui. Vous remarquerez le vers:

Que quand d'un doux regard il lui veut faire grâce.

Cet ordre des verbes et du pronom, normal au 17e siècle, se voit remplacé aujourd'hui par «verbe modal + pronom + infinitif»:

. . . il veut lui faire grâce

L'ordre des mots dans certains vers, pourtant, ne se fait que pour produire un effet poétique, ou pour créer une rime au vers précédent:

Le mariage, Agnès, n'est pas un badinage.
A d'austères devoirs le rang de femme engage . . .
(Le rang de femme engage à d'austères devoirs)

Malgré ces petites différences, le langage de Molière reste compréhensible, ce qui fait que les auditoires d'aujourd'hui ont peu de mal à suivre l'action des pièces qu'il nous a léguées. S'il faut faire un petit effort pour comprendre les différences entre le français du 17e siècle et celui que nous parlons, cela vaut bien la peine.

9.1.4 Exercices — Section B

Les exercices de cette section se basent sur les points suivants:

(1) *il faut que* + le subjonctif, et *se garder de* + l'infinitif (Grammaire 5.5(c)(vi); 5.5(d)(ii)6).
(2) *bien que* + le subjonctif (présent et passé composé) (Grammaire 5.5(c)(xiii)1).

1. Pour exprimer le point de vue d'Arnolphe sur la conduite des femmes, employez les expressions:

    Il faut que la femme . . .
    Il faut que la femme se garde de . . .

109

pour introduire les expressions suivantes:

(a) être libertine
(b) obéir à son mari
(c) regarder son mari en face quand il lui parle
(d) imiter l'exemple de femmes coquettes
(e) écouter les propos de jeunes hommes
(f) montrer un profond respect envers son mari

Exemple 1 lever les yeux
Réponse Il faut que la femme lève les yeux.
Exemple 2 désobéir à son mari
Réponse Il faut qu'elle se garde de désobéir à son mari.

Rappel! Il faut toujours exprimer le point de vue d'Arnolphe!

2. Remaniez les phrases suivantes, en employant *bien que*, comme dans l'exemple.

Exemple Il y a deux moitiés de la société, mais ces deux moitiés n'ont point d'égalité.
Réponse Bien qu'il y ait deux moitiés de la société, ces deux moitiés n'ont point d'égalité.

(a) Molière a écrit sur un ton chauvin, mais il se moquait d'Arnolphe.
(b) Il emploie un ton didactique, mais ses paroles ne sont pas à prendre au sérieux.
(c) Il se moque de la société chauvine, mais certaines femmes s'en prennent toujours à lui.
(d) Le Mouvement pour la Libération des Femmes est né au 20e siècle, mais le rôle des femmes se discute depuis longtemps.
(e) *L'Ecole des Femmes* a été beaucoup critiquée lors de sa parution, mais c'est toujours une pièce très importante pour les féministes.

9.2 **Nature ou Culture?**

Les différences entre les deux sexes relèvent dans une grande partie de la nature, mais la société y est pour beaucoup aussi. Le mouvement féministe a ébranlé la société occidentale, mais il n'en est pas moins vrai que les hommes et les femmes ne veulent pas voir disparaître «le dialogue amoureux».

9.2.1 **Texte**

Dans quelle mesure le féminin et le masculin s'opposent-ils par nature? Dans quelle mesure la différence est-elle accentuée ou atténuée par l'action des hommes? Sans reprendre ici les vieux débats sur la «philosophie de la nature», il est utile de souligner que la culture, qui règlemente de plus en plus les rapports entre les sexes, tend par là-même, dans une certaine mesure, à en changer la nature. De plus, les découvertes scientifiques, en particulier sur le rôle des hormones, montrent l'instabilité de certains caractères sexuels et donnent une large possibilité de doser la part de féminin et de masculin chez un individu.

L'opposition entre nature et culture est illusoire, si nous nous plaçons dans une perspective d'évolution. Le mot «nature» est pris ici dans le sens de l'évolution telle qu'elle se produit en dehors de l'intervention des hommes. Au fur et à mesure que les hommes possèdent des moyens plus perfectionnés d'action sur leur propre destinée, les changements tenant au développement de la vie, suivant les «lois naturelles», tendent à être remplacés par des changements dont la direction est de plus en plus déterminée par nous-mêmes. Ce passage s'effectue progressivement et se poursuit sous nos yeux, sans qu'il y ait nécessairement opposition entre les deux formes de changements. Dans la voie de réflexion ouverte par Kant, nous dirons que la liberté l'emporte progressivement sur la nature. La culture est l'ensemble des moyens qui permet à l'homme de se libérer. Chaque culture particulière a sa manière originale de le faire; elle y parvient plus ou moins. Toutes ces cultures semblent peu à peu converger, en fonction du développement de la communication, des emprunts et des échanges, des aspirations communes.

La libération de la femme et son image est un thème d'étude essentiel pour comprendre cette évolution. Si la femme était et reste encore différente de l'homme par nature physiologique, elle l'est aussi et elle peut le devenir de plus en plus, ou de moins en moins, en fonction des changements culturels. La possibilité offerte de modifier les différences entre les sexes ne veut pas dire que l'uniformité, même si elle est pensable, corresponde aux désirs des êtres humains. Si la fonction de reproduction paraît de moins en moins la raison d'être du couple homme–femme, elle est remplacée, dans une libération progressive, par l'exaltation de l'amour. C'est lui qui apparaît, d'une manière de plus en plus évidente, comme l'aspiration fondamentale.

Il n'est pas étonnant alors de voir les hommes, et plus encore les femmes, exprimer des craintes sur l'uniformisation possible des sexes, qui détruirait le dialogue amoureux. Le «brave nouveau monde» peut bien envisager la généralisation des éprouvettes et des couveuses pour faire naître les bébés et assurer la survie de l'espèce; il ne donne pas le moyen de remplacer l'amour qui est ressenti partout comme irremplaçable par essence. L'égalité désirée et réclamée est donc très différente de l'uniformisation. Cette distinction, parfois très explicite dans les déclarations des personnes interrogées, n'est beaucoup plus souvent qu'implicite, ce qui entraîne de multiples confusions.

M.-J. et P. H. De Lauwe, *La Femme dans la Société*, © CNRS

9.2.2 Compréhension

Appariez les expressions à gauche à celles qui se trouvent à droite, pour en arriver à un résumé du texte ci-dessus.

La culture tend	à se libérer de la nature
Les hommes tendent	plus ou moins différente de l'homme
C'est ainsi qu'ils réussissent	ne correspond pas aux désirs des êtres humains
La femme peut être	à changer la nature

111

La possibilité d'un rapprochement des sexes	ne donnerait pas le moyen de remplacer l'amour
Un «brave nouveau monde»	on ne veut surtout pas en voir une uniformisation
Bien qu'on désire voir l'égalité des sexes	à déterminer leur propre destinée

9.2.3 **Exercices — Section A**

1. *Plus ou moins* Trouvez dans le texte les phrases qui correspondent aux suivantes, et qui emploient des combinaisons de *plus* et *moins*. Notez les équivalents des expressions en italique.

   (a) . . . culture, which *increasingly* governs the relationships between the sexes . . .
   (b) *Moreover*, scientific discoveries . . .
   (c) Each individual culture has its own way of going about it; each manages to achieve it, *more or less*.
   (d) If reproduction is becoming *increasingly less* the raison d'être of the couple . . .
   (e) It is not surprising, then, to see men, and *even more so*, women . . .

2. *Des mots apparentés* En fonction de l'exemple donné, «créez» des mots français.

   Adjectifs:

illusory	illusoire
preparatory	
obligatory	

   Substantifs

territory	territoire
observatory	
ivory	
history	
glory	

   Quel est le genre de chacun de ces substantifs? Est-il possible d'en prédire le genre d'après la terminaison?

3. Trouvez dans le texte les substantifs qui correspondent aux verbes suivants.

changer	évoluer
développer	diriger
	communiquer
	aspirer
	libérer
	exalter
	uniformiser
	généraliser

112

Quel est le genre des substantifs de la première colonne? Et celui de la deuxième? (Voir Grammaire 1.2(b).)

Commentaire

Il s'agit ici d'un texte plutôt abstrait et philosophique. Malgré cela, on a l'impression d'un texte mouvementé qui se développe assez rapidement. Cela relève en partie du thème de cet extrait — le développement et l'évolution du rôle de la femme.

En examinant de plus près le vocabulaire, nous trouverons un assez grand nombre de substantifs dont la fonction est d'exprimer soit un processus, soit le progrès qu'on fait vers un but. Notez les expressions suivantes:

une perspective; d'évolution; la destinée; le changement; le développement; la direction; de la communication; des aspirations; la libération; l'exaltation; l'uniformisation; la généralisation

Lorsqu'on fait d'un verbe un substantif de ce type, les terminaisons *-ment* et *-ation* indiquent un processus, ou la fin d'un processus. Quant aux verbes, nous trouvons les suivants:

tendre; changer; remplacer; s'effectuer; se libérer; parvenir (à); converger; devenir; envisager

Tout semble indiquer soit l'avenir, soit des changements.

9.2.4 Exercices — Section B

Les exercices de cette section se basent sur les points suivants.

(1) *il est* + adjectif + *de* + infinitif (Grammaire 4.3(b)(ii)4).
(2) *sans* + infinitif et *sans que* + subjonctif (Grammaire 5.5(d)(ii)8; 5.5(c)(xviii)).

1. En fonction de l'exemple suivant, composez des phrases qui contiennent la construction: *il est* + adjectif + *de* + infinitif.

   Exemple utile — souligner — la culture — tendre à — changer les rapports entre les deux sexes
   Réponse Il est utile de souligner que la culture tend à changer les rapports entre les deux sexes.

   (a) essentiel — faire — remarquer — la culture — réglementer les rapports entre les sexes
   (b) facile — montrer — l'instabilité de certains caractères sexuels — relever de la culture
   (c) difficile — soutenir la thèse — la soi-disant supériorité de l'homme — relever de la nature

113

2. Traduisez en français:

   (a) Without taking up the old debates on the philosophy of nature, it is important to stress here the role of culture.
   (b) This transformation occurs gradually, without there being a sharp division between the stages.
   (c) Culture changes the role of the sexes without society becoming aware of it.
   (d) Without envisaging a 'brave new world', we can still see the possibility of modifying the relationship between the sexes.
   (e) Equality is often sought, without men understanding what is implied by it.

9.2.5 Devoir

Ecrivez un dialogue entre deux personnes sur l'égalité des sexes. L'une soutient les idées ci-dessous, et l'autre s'y oppose. Choisissez dans les deux colonnes des expressions appropriées pour soutenir ou pour rejeter les propositions données.

Exemple —Ce que je voudrais voir, moi, c'est une charte pour les droits de la femme.
—Moi, je m'opposerais complètement à une telle charte.

Pour	*Contre*
Ce que je voudrais voir, moi, c'est . . .	Moi, je m'opposerais complètement à . . .
Et puis il faudrait avoir . . .	Moi, je n'accepterais jamais . . .
Personnellement, je soutiendrais . . .	Je suis tout à fait contre . . .
Moi, je serais pour . . .	Je m'opposerais formellement à . . .
Il faut absolument qu'on ait . . .	Moi, je refuse la notion de . . .
L'essentiel, c'est d'avoir . . .	Hors de question, un(e) . . .
Moi, je prônerais . . .	N'insistez pas. C'est impossible, un(e) . . .
Moi, j'approuverais . . .	Jamais de la vie! Ce serait ridicule, un(e) . . .

Propositions

Une charte pour les droits de la femme
L'octroi d'un salaire de ménagère
L'égalité des sexes au regard de la loi
Le refus de toute législation sexiste
Une prolongation du congé de maternité
L'établissement d'un congé de paternité
Des impôts égaux pour les hommes et les femmes
La suppression des conventions d'habillement
Le refus des stéréotypes dans les programmes scolaires
La retraite pour les deux sexes à l'âge de 55 ans
La suppression de toute publicité sexiste

Au cas où vous auriez la possibilité de travailler avec un(e) partenaire, vous pourriez enregistrer votre débat sur une cassette.

9.3 Les Femmes Travailleuses

Tandis que la majorité des femmes ne travaillent pas, il y a bon nombre de femmes qui sont au travail, ou qui souhaiteraient l'être. Pascal Lainé, mieux connu pour son roman *La Dentellière*, a effectué une étude sociologique sur les femmes, dans laquelle il examine les attitudes envers le travail des femmes et de leurs maris.

9.3.1 Texte

60% des femmes ne travaillent pas. Cette proportion est plus importante après le mariage, et encore plus après les maternités. Au reste, beaucoup d'hommes mettent un point d'honneur à garder leur femme au foyer. C'est souvent le signe d'une relative prospérité, particulièrement dans les milieux modestes.

—Mon mari ne désire pas que je travaille.

—Expliquez-moi pourquoi!

—Je pense tout simplement qu'il estime qu'il a une situation suffisante, et qu'il préfère me voir à la maison, détendue, plutôt que de me voir rentrer fatiguée, être obligée de rester les week-ends et une grande partie du temps libre à faire les travaux ménagers.» (40 ans, Argenteuil.)

Dans les classes plus aisées, la femme travaille plus volontiers. Elle a parfois des diplômes monnayables, et sa condition, son vernis de bonne éducation lui autorisent une certaine ambition professionnelle.

«Mes filles, par exemple, je me suis acharnée à leur faire faire des études et à leur faire avoir un métier. Je trouve qu'une femme qui dépend d'un homme, ce n'est pas mieux qu'une femme arabe, musulmane, chinoise ou japonaise. Ce sont des êtres tronqués.

Q: Croyez-vous qu'il y ait eu un progrès, à ce point de vue, dans l'évolution de la femme depuis une ou deux générations?

R: Non. Depuis peu de temps. L'expérience me prouve que les femmes sont conditionnées dans leur foyer à être assujetties à l'homme.»

Pourtant, cette femme de 55 ans, mariée à un professeur, s'est exclusivement consacrée à ses filles, elle s'est délibérément aliénée dans son rôle de mère. Elle n'a jamais travaillé. Mais, dit-elle, c'est pour que ses filles ne connaissent pas à leur tour la dépendance économique dont elle a subi l'épreuve.

Le travail à l'extérieur n'est que très exceptionnellement le moyen d'un accomplissement et d'une «libération» pour la femme; peut-être parce qu'il ne lui donne pas une réelle indépendance sur le plan économique.

Cependant la sujétion de la femme devient totale quand elle doit se consacrer seulement à son foyer, à son mari:

«Mon mari me donne un mois: il faut que je me nourrisse, que je m'occupe de la maison, et puis ce qui reste, je m'en sers comme je veux; c'est-à-dire qu'en général je m'achète quelque chose. Mais pour l'hiver, quand on change de saison, il me donne une certaine somme — c'est moi qui la lui réclame, en général — pour m'acheter un manteau . . .

Q: Ça ne vous ennuie pas de lui demander le l'argent?

R: Si, c'est très ennuyeux. Maintenant, je ne peux pas faire autrement, il estime qu'il me donne suffisamment pour que je puisse m'habiller.»

La caractéristique principale de cette situation, c'est l'octroi par l'homme d'une mensualité, dont l'emploi est en principe établi d'avance. La femme ne dispose donc de cet argent que dans une faible mesure, et pour un montant correspondant à ce qu'elle aura pu soustraire aux dépenses du ménage. Autrement (pour un manteau, des chaussures), il faut demander la somme nécessaire au mari.

Dans tous les cas c'est lui qui décide, qui autorise. De lui seul dépend la subsistance quotidienne de la femme et de toute la famille. Et cependant c'est un étranger, dans une large mesure, car le lien affectif avec lui se complique du rapport économique. Il est à cet égard le patron, l'employeur, et la femme vit du salaire (en quelque sorte, puisqu'elle doit dérober ce qui lui revient en propre) qu'il lui donne en échange de ses services domestiques et sexuels.

L'hégémonie économique de l'homme est l'effet essentiel, en même temps que la condition de son «extériorité». Il est à la rigueur le seul truchement avec le monde environnant, comme l'indique assez l'obligation qui est faite à la femme de «suivre» son mari partout où bon lui semble. C'est l'homme, avec ses intérêts propres, avec les nécessités de sa profession, qui assigne son lieu à la famille. La femme fait en quelque sorte partie de l'équipage de son mari.

Pascal Lainé, *La Femme et Ses Images*, © Editions Stock

9.3.2 Compréhension

(a) Pourquoi le mari de la première interrogée ne veut-il pas qu'elle travaille?

(b) Pourquoi la deuxième femme a-t-elle encouragé ses filles à avoir un métier?

(c) Pense-t-elle que la condition féminine ait changé?

(d) Pourquoi le travail à l'extérieur ne libère-t-il pas la femme?

(e) D'où la troisième femme reçoit-elle tout son argent?

(f) Qu'est-ce qui caractérise la situation de la femme qui se consacre seulement à son foyer?

(g) Pourquoi le lien affectif entre un père et sa famille ne saurait-il pas être simple?

(h) Qu'est-ce qui indique que la femme fait en quelque sorte partie de l'équipage de son mari?

9.3.3 Exercices — Section A

1. Trouvez dans le texte les substantifs et les verbes qui correspondent aux exemples donnés.

Substantifs	*Verbes*
la sujétion	
la condition	
la réclamation	
l'obligation	
la dépendance	
	octroyer
	employer
	subsister
	accomplir

2. Trouvez dans le texte les prépositions nécessaires pour combler les lacunes dans les expressions suivantes.

   (a) dépendre ——
   (b) —— ce point de vue
   (c) —— leur foyer
   (d) —— leur tour
   (e) se compliquer ——
   (f) —— cet égard

Commentaire

Bien qu'il s'agisse ici d'une enquête socio-économique, le ton de cet extrait est moins lourd que celui d'autres textes que nous avons examinés (par exemple ceux du Chapitre 4). Cela relève du fait que Lainé a inséré dans son texte des transcriptions d'interviews qu'il a faites. Le discours direct des interviewées est moins formel que le langage que l'on associerait d'habitude à un texte de ce genre.
   Notez l'informalité de structure dans la citation suivante:

   —*Mes filles, par exemple, je me suis acharnée à leur faire faire des études . . .*
   (Au lieu de: Je me suis acharnée à faire faire à mes filles des études, par exemple, . . .)

Non seulement cette femme emploie des structures peu formelles, mais aussi elle fait des références d'une manière assez péjorative:

   —*Je trouve qu'une femme qui dépend d'un homme, ce n'est pas mieux qu'une femme arabe, musulmane . . .*

Notez aussi la différence entre les termes employés dans le discours direct (et peu formel) et dans la section formelle où Lainé analyse la situation des femmes:

   —*Mon mari me* donne *un* mois . . . *je m'en sers comme je veux . . . c'est l'octroi par l'homme d'une* mensualité, *dont l'emploi est . . .*

117

9.3.4 Exercices — Section B

Les exercices de cette section se basent sur les points suivants.

(1) *Désirer que* + le subjonctif (Grammaire 5.5(c)(ii)).
(2) *Croire* (à l'interrogatif) + le subjonctif (Grammaire 5.5(c)(v)).
(3) *Falloir que* + le subjonctif (Grammaire 5.5(c)(vi)).
(4) *Pour que* + le subjonctif (Grammaire 5.5(c)(xi)).

1. Répondez aux questions en fonction de l'exemple suivant. Partout où il est possible de le faire, employez un pronom dans votre réponse.

    Exemple   Voulez-vous travailler?
    Réponse   Oui, mais mon mari ne désire pas que je travaille.

    (a) Voulez-vous trouver un emploi?
    (b) Voulez-vous faire des études?
    (c) Voulez-vous aller à l'université?
    (d) Voulez-vous avoir un salaire à vous-même?
    (e) Voulez-vous être plus libre?

2. Changez les questions suivantes, pour employer *Croyez-vous que . . .?*, comme dans l'exemple.

    Exemple   A votre avis, est-ce qu'il y a eu un progrès dans l'évolution de la femme?
    Réponse   Croyez-vous qu'il y ait eu un progrès dans l'évolution de la femme?

    (a) A votre avis, est-ce que la condition féminine a changé?
    (b) A votre avis, est-ce que le Mouvement pour la Libération des Femmes a beaucoup gagné au cours des années?
    (c) A votre avis, les femmes sont-elles parvenues à avoir plus de liberté?

3. Répondez positivement aux questions suivantes, en employant *Oui, il faut que je . . .*

    (a) Vous est-il nécessaire de travailler?
    (b) Vous est-il nécessaire d'avoir un métier?
    (c) Vous est-il nécessaire de vous nourrir de cet argent?
    (d) Vous est-il nécessaire de faire des économies?
    (e) Vous est-il nécessaire de vivre du salaire de votre mari?

4. Joignez les deux phrases, en employant *pour que*, en fonction de l'exemple suivant.

    Exemple   Je reste au foyer. Ainsi mon mari peut travailler.
    Réponse   Je reste au foyer pour que mon mari puisse travailler.

    (a) Je travaille. Ainsi mes filles ne connaissent pas la dépendance économique de leur père.
    (b) Je voudrais donner une mensualité à mon mari. Ainsi il saurait combien il est difficile de joindre les deux bouts.

(c) Les femmes font leurs protestations. Ainsi la société sera obligée de changer.

9.3.5 **Devoir**

Faites un résumé de la situation des femmes souhaitant travailler. Relevez les différents choix qu'elles affrontent, en employant quelques-unes des expressions suivantes:

En premier lieu . . .
En second lieu . . .
D'une part . . . d'autre part . . .
D'un côté . . . de l'autre . . .
Pour certaines . . . pour d'autres . . .
(. . .). En revanche . . .
(. . .). Par contre . . .
Par conséquent . . .
En résumé . . .

9.4 **Conversation**

Ecoutez attentivement la cassette, et en fonction des points répertoriés ci-dessous, essayez d'écrire un résumé des pensées de Catherine sur la condition féminine.

Au passé: femmes militantes — critiquées par les hommes — les suffragettes — extrêmisme de celles-ci — progrès de la condition féminine

Aujourd'hui: différence des générations passés — la femme au travail — choix — nécessité — salaire de l'homme — entretien d'une famille —

A l'avenir: à travail égal, salaire égal — professions réservées aux hommes — force des hommes — femmes-pilotes — avenir des femmes

9.4.1 **Transcription**

Interviewer: Catherine, pensez-vous que la condition féminine ait beaucoup changé au cours de ces dernières années?

Catherine: Oui, je pense, effectivement, bien que je n'aie pas une expérience qui remonte à très longtemps, mais si j'en juge d'après les femmes que j'ai pu connaître, dans ma famille, par exemple — ma grand'mère, ma mère même . . . euh . . . je pense que la condition des femmes a changé . . . euh . . . je pense qu'il y a des femmes qui ont milité pour ça, ce qui d'ailleurs n'a pas toujours été très heureux ou très bien vu, par les hommes en particulier, parce qu'il y avait un côté un petit peu ridicule — je pense aux suffragettes, qui ont poussé peut-être cela à l'extrême, et les hommes avaient beau jeu de critiquer justement ce mouvement. Mais elles ont certainement fait que la condition de la femme a évolué, a fait des progrès.

Je pense que la différence essentielle avec les générations passées, c'est que la femme travaille. En fait, je ne sais pas si c'est vraiment un choix. Je pense que c'est un choix pour beaucoup de . . . d'entre nous. C'est aussi une nécessité, bien sûr, parce que le salaire de l'homme n'est pas toujours suffisant pour entretenir toute une famille, mais . . . euh . . . si on demandait aux femmes si elles veulent rester à la maison, à l'heure actuelle je crois qu'il n'y en aurait pas beaucoup qui feraient ce choix. Donc, la femme travaille, ce qui la rend indépendante, financièrement, et puisqu'il lui permet aussi de . . . d'élargir son cercle de relations, et caetera. Elle voit d'autres gens, c'est un peu plus enrichissant comme ça que de rester chez soi au milieu de ses casseroles.

Je pense que la condition de la femme doit encore évoluer, parce que, à l'heure actuelle, à travail égal le salaire n'est pas égal par rapport à celui des hommes et . . . euh . . . il y a des professions encore qui sont réservées aux hommes. Certaines . . . pour certaines c'est tout à fait compréhensible, parce que, bon, peut-être pour les travaux qui exigent de la force, l'homme peut-être effectivement est plus approprié à ce genre de choses . . . mais, par exemple, des femmes-pilotes, c'est assez rare. Ça existe, mais on en voit encore peu. Je pense à ça, il y a bien d'autres exemples. Donc . . . euh . . . certainement que la condition de la femme sera amenée à évoluer.

9.5 Promenade Poétique

Au pays parfumé que le soleil caresse,
J'ai connu, sous un dais d'arbres tout empourprés
Et de palmiers d'où pleut sur les yeux la paresse,
Une dame créole aux charmes ignorés.

Son teint est pâle et chaud; la brune enchanteresse
A dans le cou des airs noblement maniérés;
Grande et svelte et marchant comme une chasseresse
Son sourire est tranquille et ses yeux assurés.

Si vous alliez, Madame, au vrai pays de gloire,
Sur les bords de la Seine ou de la verte Loire,
Belle digne d'orner les antiques manoirs,

Vous feriez, à l'abri des nombreuses retraites,
Germer mille sonnets dans le coeur des poètes,
Que vos grands yeux rendraient plus soumis que vos noirs.

Charles Baudelaire (1821—1867) «A Une Dame Créole»

9.6 Lecture Supplémentaire

Nous avons déjà parlé de Simone de Beauvoir (voir Chapitre 5). En 1949 paraît chez Gallimard *Le Deuxième Sexe*, analyse cuisante de la condition féminine, et qui va donner de l'élan au mouvement féministe. Ce livre est devenu, pour ainsi dire, la Bible des femmes voulant se libérer.

Pour avoir une idée plus précise sur le rôle des femmes dans l'histoire, abordez *Histoire du féminisme français du moyen âge à nos jours* (1977), paru aux Editions des Femmes.

10 La Violence

Il est incontestable que la violence fait partie de la nature humaine, mais il n'en est pas moins vrai que la race humaine ne cesse de réfléchir sur ce problème. Des philosophes aux poètes, les écrivains nous ont légué leurs pensées, sans pour autant offrir des solutions.

10.1 Victimes De La Peste

Dans son roman *La Peste*, Albert Camus (1913–1960) nous offre le spectacle de la condition humaine sous forme allégorique. La peste du titre représente non seulement la peste bubonique qui attaque la ville d'Oran, mais à la fois l'invasion de la France par les Allemands et le sort général des êtres humains. Condamnés par la Nature à vivre sur la Terre, sans savoir pourquoi, les hommes, les *pestiférés*, doivent se débrouiller pour endurer la vie.

The post-existentialist Albert Camus (1913–1960). (Courtesy BBC Hulton Picture Library)

Dans cet extrait, Jean Tarrou, aide sanitaire du Docteur Rieux, s'efforce d'expliquer pourquoi il avait décidé de faire tout son possible pour alléger le sort des humains en combattant la violence «officielle», la peine de mort. Ayant vu condamner à mort un petit homme aux cheveux roux qui «avait l'air d'un hibou effarouché par une lumière trop vive», il se lance dans la lutte contre les condamnations à mort.

10.1.1 Texte

«J'ai connu la pauvreté à dix-huit ans, au sortir de l'aisance. J'ai fait mille métiers pour gagner ma vie. Ça ne m'a pas trop mal réussi. Mais ce qui m'intéressait, c'était la condamnation à mort. Je voulais régler un compte avec le hibou roux. En conséquence, j'ai fait de la politique comme on dit. Je ne voulais pas être un pestiféré, voilà tout. J'ai cru que la société où je vivais était celle qui reposait sur la condamnation à mort et qu'en la combattant, je combattrais l'assassinat. Je l'ai cru, d'autres me l'ont dit et, pour finir, c'était vrai en grande partie. Je me suis donc mis avec les autres que j'aimais et que je n'ai pas cessé d'aimer. J'y suis resté longtemps et il n'est pas de pays en Europe dont je n'aie partagé les luttes. Passons.

«Bien entendu, je savais que, nous aussi, nous prononcions, à l'occasion, des condamnations. Mais on me disait que ces quelques morts étaient nécessaires pour amener un monde où l'on ne tuerait plus personne. C'était vrai d'une certaine manière et, après tout, peut-être ne suis-je pas capable de me maintenir dans ce genre de vérités. Ce qu'il y a de sûr, c'est que j'hésitais. Mais je pensais au hibou et cela pouvait continuer. Jusqu'au jour où j'ai vu une exécution (c'était en Hongrie) et le même vertige qui avait saisi l'enfant que j'étais a obscurci mes yeux d'homme.

«Vous n'avez jamais vu fusiller un homme? Non, bien sûr, cela se fait généralement sur invitation et le public est choisi d'avance. Le résultat est que vous en êtes resté aux estampes et aux livres. Un bandeau, un poteau, et au loin quelques soldats. Eh bien, non! savez-vous que le peloton des fusilleurs se place au contraire à un mètre cinquante du condamné? Savez-vous que si le condamné faisait deux pas en avant, il heurterait les fusils avec sa poitrine? Savez-vous qu'à cette courte distance, les fusilleurs concentrent leur tir sur la région du coeur et qu'à eux tous, avec leurs grosses balles, ils y font un trou où l'on pourrait mettre le poing? Non, vous ne le savez pas, parce que ce sont là des détails dont on ne parle pas. Le sommeil des hommes est plus sacré que la vie pour les pestiférés. On de doit pas empêcher les braves gens de dormir. Il y faudrait du mauvais goût, et le goût consiste à ne pas insister, tout le monde sait ça. Mais moi, je n'ai pas bien dormi depuis ce temps-là. Le mauvais goût m'est resté dans la bouche et je n'ai pas cessé d'insister, c'est-à-dire d'y penser.»

Albert Camus, *La Peste*, © Editions Gallimard

10.1.2 Compréhension

(a) Pourquoi Tarrou s'intéressait-il à la condamnation à mort?
(b) Qu'est-ce qu'il pensait faire en combattant la peine de mort?
(c) Pourquoi était-il nécessaire aux partisans européens de prononcer, à l'occasion, des condamnations à mort?

The execution of 62 hostages in Haxo Road, Belleville, France by *communards* during the Civil War of 1871 between the Third Republic and the Paris Commune. (Courtesy BBC Hulton Picture Library)

(d) Quand est-ce que Tarrou a changé d'avis sur la peine de mort?
(e) D'où le Docteur Rieux aurait-il eu ses impressions d'une exécution?
(f) Pourquoi le Docteur n'aurait-il pas su les détails terribles que lui donne Tarrou?
(g) Pourquoi épargne-t-on aux gens ordinaires des détails de ce genre?
(h) Quel effet cette exécution avait-elle produit sur Tarrou?

10.1.3 Exercices — Section A

1. Trouvez dans le texte les phrases dont les suivantes sont synonymes.

    (a) J'ai pensé que le monde dans lequel je vivais était celui qui était fondé sur la peine de mort, et qu'en luttant contre celui-ci, je me battrais contre le meurtre.

    (b) Cependant on m'affirmait qu'il nous incombait ce petit nombre de trépas pour créer une société dans laquelle on ne mettrait plus personne à mort.

    (c) Non, vous l'ignorez parce qu'il s'agit là de petits éléments non essentiels sur lesquels on se tait.

2. *Les prépositions* Sans regarder le texte, essayez de compléter ces expressions, en y insérant la préposition nécessaire. Après, traduisez ces expressions en anglais afin de relever la différence d'expression.

    (a) c'était vrai —— grande partie
    (b) —— l'occasion
    (c) c'était vrai —— une certaine manière
    (d) cela se fait généralement —— invitation
    (e) le goût consiste —— ne pas insister

123

Commentaire

Bien qu'il s'agisse ici d'un discours prononcé au cours d'une conversation, le ton n'est aucunement celui d'une conversation de tous les jours. Le roman dans lequel ce texte est pris est un des grands livres philosophiques du vingtième siècle, et le genre fictif est en effet pour Camus le moyen par lequel sa philosophie humaniste est véhiculée. Ce discours, donc, n'est rien d'autre qu'une expression des pensées de Camus sur le mal que se font les hommes, et non une narration de la vie de Jean Tarrou.

On est témoin ici du développement philosophique du narrateur, et vous remarquerez la progression logique des pensées, indiquées par des conjonctions telles que *mais, en conséquence, donc, Passons.*

Le vocabulaire, lui non plus, n'est pas typique de l'homme de la rue. Vous noterez les abstractions: *la société où je vivais était celle qui reposait sur la condamnation à mort . . . ces quelques morts étaient nécessaires pour amener un monde où l'on ne tuerait plus personne . . . peut-être ne suis-je pas capable de me maintenir dans ce genre de vérités . . . le même vertige qui avait saisi l'enfant que j'étais a obscurci mes yeux d'homme..* Il s'agit ici du vocabulaire qui est nécessaire à l'expression de pensées profondes.

Bien que l'on soit en présence d'un des grands philosophes français, on n'a pas l'impression de lire un texte de philosophie qui est à la fois sec et impersonnel. Comment cela se fait-il? En employant Tarrou en tant que porte-parole, Camus a su donner à ce livre un élément *personnel.* Les idées qui s'y trouvent ne sont pas des idées abstraites — ce sont les *réactions* d'un homme, ce «je» que Tarrou emploie. Tarrou (ou Camus) a *ressenti* ce dégoût de la peine de mort, a *vécu* ces nuits blanches à la suite de l'exécution. La sincérité des idées est communiquée par l'intensité des sentiments. C'est pour cela que *La Peste* est un des plus grands romans philosophiques de notre époque.

10.1.4 Exercices — Section B

Les exercices de cette section se basent sur les points suivants.

(1) Le subjonctif dans les propositions subordonnées dépendantes d'un négatif (Grammaire 5.5(c)(x)).
(2) Le passif dépendant d'un verbe de perception (Grammaire 5.5(d)(ii)2).

1. Joignez les deux phrases pour en faire une seule. Vous emploierez dans la proposition subordonnée un subjonctif, comme dans l'exemple.

   Exemple Il n'est pas de pays d'Europe. Je n'en ai pas partagé les luttes.
   Réponse Il n'est pas de pays d'Europe dont je n'aie partagé les luttes.

   (a) Il n'y a pas une seule condamnation à mort. Tarrou n'en a pas pris conscience.

124

(b) Les personnages de *La Peste* n'affrontent pas un seul problème. Le lecteur n'en a pas considéré la solution.

(c) Il n'est pas de philosophie humaniste moderne. Camus n'en a pas influencé les idées.

2. Remaniez les phrases suivantes, en employant un infinitif dont le sens est passif, comme dans l'exemple.

Exemple Vous n'avez jamais vu un homme qu'on fusillait?
Réponse Vous n'avez jamais vu fusiller un homme?

(a) Vous n'avez jamais vu un homme que l'on exécutait?
(b) Avez-vous jamais vu un homme que l'on condamnait?
(c) Avez-vous jamais entendu une sentence que l'on prononçait?

10.1.5 Devoir

«La peine de mort doit être supprimée partout dans le monde.» Ecrivez une courte rédaction à ce sujet. Vous pourriez puiser certains arguments dans le texte de Camus, et d'autres dans la liste suivante:

Les crimes violents augmentent
Les meurtres ne cessent de s'accroître
On se sent de moins en moins en sécurité
Vie pour vie, oeil pour oeil, dent pour dent
A quoi bon la réclusion à perpétuité?
La vengeance n'égale pas la justice
La peine de mort existe pour décourager les crimes de violence
Comment un meurtre officiel peut-il effacer l'assassinat d'un individu?
Pourquoi s'apitoyer sur le meurtrier en lui épargnant sa vie?

10.2 La Psychose de la Violence

On vit certainement dans un monde violent, et la société, paraît-il, devient de plus en plus violente. Un sondage mené auprès des Français, cependant, révèle des attitudes paradoxales à ce phénomène préoccupant.

10.2.1 Texte

La violence représente un phénomène incontournable, et il est impossible d'être euphorique à ce sujet. Cependant, bon an, mal an, si l'on ose dire, la violence quotidienne n'est certainement pas plus grave qu'auparavant. Elle serait même sur une pente descendante avec l'aide active de mesures de prévention mises en place ici ou là. Les villes pilotes dans lesquelles ont été entamées des expériences de prévention de la délinquance ont vu leur taux d'infractions, non seulement cesser d'augmenter, mais encore passer à un décompte négatif. Double victoire, quand la moyenne nationale, et plus précisément celle de leurs départements sont à la hausse.

En revanche, ce qui augmente de façon sûre, c'est la psychose de la violence. Passons sur l'exploitation politique évidente qui en est faite. Les Français disent se sentir de moins en moins en sécurité. 45% seulement se

The student riots in Paris in June, 1968. (Courtesy BBC Hulton Picture Library)

jugent à l'abri chez eux, contre 83% en 1977. Ils sont 64% à estimer que la violence va beaucoup augmenter ces années prochaines (53% en 1977). 86% sont tout à fait, ou plutôt, d'accord avec l'idée que «nous vivons une époque de violence». Mais ils étaient déjà 82% à se ranger à cette opinion en 1977. Chaque époque ne serait-elle pas ressentie comme marquée par la violence?

D'ailleurs, cette crainte de la violence s'avère plus ancrée dans l'imaginaire que dans des expériences réelles. 83% des personnes interrogées reconnaissent n'avoir jamais été victimes d'un vol important. Les habitants des petites villes se montrent plus inquiets que les Parisiens, à l'encontre des statistiques prouvant que ces derniers subissent davantage de vols et de cambriolages. Phénomène particulièrement net chez les personnes âgées, moins touchées que la moyenne (7% disent avoir été victimes d'un vol, 4% d'un cambriolage).

D'autre part, cette inquiétude ne se traduit pas forcément dans les conduites: toujours d'après le même sondage, un Français sur deux refuse de faire des dépenses pour protéger son logement, et ils ne sont que 6% à se déclarer prêts à dépenser plus de 3 000 francs pour leur sécurité. Une somme dérisoire par rapport au coût réel des équipements spécialisés. Enfin seuls 10% des Français considèrent la détention d'une arme à feu comme moyen vraiment efficace de se protéger, alors que 39% des personnes interrogées — la solution la plus fortement citée — préconisent un renforcement des effectifs policiers.

Minelle Verdié, *L'Etat de la France et de Ses Habitants*
(sous la direction de J.-Y. Potel), © Editions La Découverte 1987

10.2.2 **Compréhension**

(a) Pourquoi la violence serait-elle sur une pente descendante?

(b) Qu'est-ce qui s'est passé dans les villes-pilotes où l'on a entamé des expériences de prévention de la délinquance?

(c) De quel pourcentage le taux de ceux qui s'estiment en sécurité chez eux a-t-il baissé depuis 1977?

(d) De combien le taux de ceux qui pensent que «nous vivons une époque de violence» a-t-il augmenté depuis 1977?

(e) Quel pourcentage des personnes interrogées a vraiment subi un vol important?

(f) Pourquoi est-il surprenant que les habitants des petites villes manifestent plus d'inquiétude que les Parisiens?

(g) Comment sait-on que les Français n'ont pas changé leur conduite en fonction de leur inquiétude sur la violence?

(h) Quelle solution à la violence est le plus souvent préconisée dans ce sondage?

10.2.3 **Exercices — Section A**

1. Exprimer son opinion:

   Les Français *disent* se sentir de moins en moins en sécurité

   Quels autres verbes emploie-t-on dans ce texte pour enregistrer les opinions des Français?

2. Exprimer les émotions: substantifs et adjectifs. Trouvez dans le texte le substantif ou l'adjectif nécessaire pour compléter les phrases suivantes en fonction de l'exemple suivant.

   Exemple

   Les habitants des petites villes se montrent plus *inquiets* que les Parisiens . . . cette *inquiétude* ne se traduit pas forcément dans les conduites.

   (a) Ce qui est certain, c'est que les Français *craignent* la violence. Mais cette —— est plus ancrée dans l'imaginaire que dans la réalité.

   (b) Il est possible de faire preuve d'une certaine *euphorie*, lorsque l'on voit des statistiques prouvant que la violence est sur une pente descendante. Mais, à vrai dire, on n'a aucune raison d'être —— à ce sujet.

   (c) De temps en temps on entend parler d'un tueur *psychotique*. Mais il s'agit aujourd'hui non seulement d'une maladie de l'invidu, mais d'une —— sociale.

127

Commentaire

Ce texte est intéressant, non seulement pour son contenu, mais aussi pour sa structure intérieure. Tout texte linguistique, écrit ou parlé, doit sa cohérence à l'emploi de référence, de synonymie, et caetera. Il s'agit non seulement de références faites à l'intérieur de la phrase, mais de références qui lient deux phrases ensemble. Les pronoms, par exemple, peuvent lier les deux parties d'une seule phrase, ou peuvent être le lien entre deux phrases. Ainsi: *la violence quotidienne n'est certainement pas plus grave qu'auparavant.* **Elle** *serait même* . . .

Les expressions synonymes, aussi, évitent de créer de la monotonie dans un texte, en variant les moyens par lesquels se font les références. Ainsi: **La violence** *représente un phénomène incontournable, et il est impossible d'être euphorique* à **ce sujet.**

A quoi les expressions suivantes, puisées dans les deux premiers paragraphes, se réfèrent-elles?

> *dans* **lesquelles**; **double victoire**; **leurs** *départements*; *qui* **en** *est faite*; *chez* **eux**; **cette** *opinion*

Il faut surtout remarquer les moyens par lesquels s'organise la cohérence intérieure du texte. Dans le premier paragraphe on relève deux exemples d'*amplification*: . . . *la violence quotidienne n'est certainement pas plus grave qu'auparavant. Elle serait même sur une pente descendante* . . . *et Les villes-pilotes* . . . *ont vu leur taux d'infractions,* **non seulement** *cesser d'augmenter,* **mais encore** *passer à un décompte négatif.* Il est possible d'employer des structures de ce genre non seulement à l'intérieur des phrases et entre les phrases, mais aussi entre les paragraphes. Vous remarquerez que le début du troisième paragraphe est une amplification de l'argument par lequel se termine le deuxième: **D'ailleurs**, *cette crainte de la violence* . . .

Un argument bien organisé dépend pour sa force non seulement des points mis en sa faveur mais il faut aussi qu'il y soit inclus ceux qui contrastent avec ces points et ceux qui s'y opposent. Beaucoup des conjonctions de ce texte s'emploient de cette manière, soit dans la phrase elle-même, soit entre phrases ou paragraphes. Ainsi: . . . *il est impossible d'être euphorique à ce sujet.* **Cependant**, *bon an, mal an* . . . *la violence quotidienne n'est certainement pas plus grave qu'auparavant.* Notez bien l'opposition exprimée entre la fin du premier paragraphe et le début du deuxième:

> *Double victoire, quand la moyenne nationale, et plus précisément celle de leurs départements, sont à la hausse.*
> **En revanche**, *ce qui augmente de façon sûre* . . .

Il est primordial que tout étudiant étudie l'organisation de textes, et qu'il s'exerce à en écrire qui aient une structure et un développement logiques et formels.

10.2.4 **Exercices — Section B**

Les exercices de cette section se basent sur les points suivants.

(1) L'emploi du conditionnel pour exprimer l'incertitude (Grammaire 5.5(a)(ix)3).
(2) L'emploi de l'infinitif pour remplacer une proposition (Grammaire 5.5(d)(iii)).
(3) L'emploi de l'infinitif du passé pour remplacer une proposition (Grammaire 5.5(e)(iv)).
(4) Les fractions (Grammaire 3.2(b)(v)).
(5) Les conjonctions (Grammaire 8).

1. Remaniez les phrases suivantes en employant le conditionnel, de façon à indiquer l'incertitude, comme dans l'exemple.

   Exemple Il est probable qu'une très petite proportion de la population subit une aggression.
   Réponse Une très petite proportion de la population subirait une aggression.

   (a) Selon toute probabilité, les aggresseurs sont de jeunes chômeurs.
   (b) On pense que la violence est sur une pente descendante.
   (c) On a l'impression que les Parisiens subissent davantage de vols et de cambriolages.
   (d) Sans doute le Français moyen craint-il une aggression plutôt qu'un cambriolage.
   (e) Selon toute évidence, les habitants des petites villes se montrent plus inquiets que les Parisiens.

2. Remaniez les phrases suivantes en employant un infinitif, soit positivement, soit négativement, selon le sens, comme dans l'exemple.

   Exemple Les Français disent qu'ils se sentent de moins en moins en sécurité.
   Réponse Les Français disent se sentir de moins en moins en sécurité.

   (a) La moitié des Français disent qu'ils sont à l'abri chez eux.
   (b) 83% des personnes interrogées reconnaissent qu'elles ne risquent pas d'être victimes d'un vol important.
   (c) Plus de la moitié des Français considèrent qu'ils peuvent se protéger chez eux.

3. Remaniez les phrases suivantes en employant l'infinitif du passé, soit positivement, soit négativement, comme dans l'exemple.

   Exemple 83% des personnes interrogées reconnaissent qu'elles n'ont jamais été victimes d'un vol important.
   Réponse 83% des personnes interrogées reconnaissent n'avoir jamais été victimes d'un vol important.

   (a) 7% disent qu'ils ont été victimes d'un vol, 4% d'un cambriolage.
   (b) 82% reconnaissent qu'ils se sont rangés à cette opinion en 1977.

(c) 96% des personnes âgées reconnaissent qu'elles n'ont jamais subi un cambriolage.

4. Remaniez les phrases suivantes, en employant une fraction au lieu d'un pourcentage, comme dans l'exemple.

Exemple Ils sont 33% à craindre un cambriolage.
Réponse Le tiers craint un cambriolage.

(a) Ils sont 50% à refuser de faire des dépenses pour protéger leur logement.
(b) Ils sont 10% à considérer que la détention d'une arme à feu ne sert à rien.
(c) Ils sont 20% à avoir subi un vol important.

5. Les phrases suivantes sont puisées dans le texte, mais on a substitué de mauvaises conjonctions entre les phrases ou les propositions. Sans regarder le texte, remplacez les mauvaises conjonctions avec les bonnes.

(a) La violence représente un phénomène incontournable, *mais* il est impossible d'être euphorique à ce sujet. *Par conséquent*, bon an, mal an, la violence quotidienne n'est certainement pas plus grave qu'auparavant.
(b) 86% sont tout à fait, ou plutôt, d'accord avec l'idée que «nous vivons une époque de violence». *A savoir*, ils étaient déjà 82% à se ranger à cette opinion en 1977. *Cependant*, cette crainte de la violence s'avère plus ancrée dans l'imaginaire que dans des expériences réelles.

10.2.5 Devoir

Dressez une liste des questions qui ont entraîné les réponses du texte 10.2.1. Puis, posez ces questions, soit en français, soit en anglais, à vos amis. En fonction des réponses de ceux-ci, dressez un tableau des résultats. Finalement, tirez des conclusions sous forme écrite, comme dans le texte. Les expressions suivantes pourraient vous être utiles:

Les Britanniques disent . . .
Ils reconnaissent . . .
X% se jugent . . .
Ils sont Y% à estimer . . .
Ils sont Z% à se ranger à cette opinion . . .
Ils ne sont que 4% à . . .
Seuls 10% des Britanniques considèrent . . .
Mais . . .
En revanche . . .
D'autre part . . .
D'ailleurs . . .
Qui plus est . . .
Enfin . . .
D'où l'on tire que . . .

10.3 Conversation

Ecoutez attentivement la cassette, sur laquelle André et Bernard discutent de la violence et ses causes. Essayez de répondre aux questions suivantes avant de consulter la transcription.

1. A l'avis d'André, qu'est-ce qui a causé le nouvel essor du terrorisme?
2. Quelle est l'opinion de Bernard sur la violence d'aujourd'hui et d'hier?
3. Quel est le résultat de la constante représentation de la violence par les médias?
4. A l'avis d'André, est-ce qu'on est plus civilisé maintenant qu'on ne l'était il y a deux cents ans?
5. Quels exemples Bernard donne-t-il de la violence politique en France?
6. Selon lui, qu'est-ce qui est à la base de la violence dans le monde d'aujourd'hui?
7. Quelles sont les trois raisons données par André pour expliquer la violence chez les jeunes?
8. Selon lui, quelle violence dirigent-ils contre eux-mêmes?
9. Pourquoi y avait-il moins de violence lorsque l'on se déplaçait moins qu'aujourd'hui?
10. Qu'est-ce qui indique que les jeunes n'étaient pas moins violents il y a 40 ou 50 ans?

10.3.1 Transcription

Interviewer: André, pour vous, qu'est-ce que la violence aujourd'hui?

André: A mon avis, la violence est un phénomène qui a plus ou moins toujours existé, mais qui a été magnifié aujourd'hui, surtout par les médias. Et la violence est utilisée aujourd'hui comme un moyen de s'exprimer. C'est le cas par exemple, au niveau du terrorisme. La violence est un moyen politique, qui n'existe que, à mon avis, par les médias. Et les médias sont devenus un véhicule . . . une manière de s'exprimer pour les auteurs justement de cette violence.

Interviewer: Bernard, vous êtes d'accord avec tout ça?

Bernard: Oui, mais je ne suis pas sûr que . . . si l'on distingue deux violences, d'un côté la violence à caractère politique, comme le terrorisme, et d'un autre côté la violence qu'on peut appeler gratuite, chez les jeunes par exemple. Moi, je ne suis pas du tout convaincu que cette violence-là soit aujourd'hui beaucoup plus présente qu'elle ne l'était avant.

André: Oui, je suis tout à fait d'accord. La violence existe depuis tou . . . toujours, et elle fait partie intégrante de la nature humaine, quoi? Mais elle est prise aujourd'hui par les médias . . . on ne s'attache qu'à ce qui est violent. La violence est un fait sur lequel les médias ont jeté leur dévolu et cherchent justement à la développer pour attirer l'attention des gens. Si bien que . . . on a l'impression aujourd'hui que la violence est devenue un fait de tous les jours, alors qu'elle ne l'est pas, à mon avis.

Interviewer: Mais vous pensez que nous vivons une époque violente?

André: Ben, si on se réfère, par exemple, à l'histoire, il y a eu des moments beaucoup plus violents. Je pense que nous sommes beaucoup plus civilisés — civilisés entre guillemets — que ça fait cent ou deux cents ans, où les gens étaient beaucoup plus barbares à notre

131

niveau qu'ils ne le sont aujourd'hui. Si la violence est devenue quelque chose de tous les jours, c'est que les médias, les journaux, la radio, la télévision en ont fait leur pain quotidien, et l'ont portée, peut-être à un niveau qui... euh... qui ne se justifie pas, quoi?

Bernard: C'est vrai que le terrorisme dans l'histoire... euh... il est présent depuis que l'on connaît l'histoire précisément, si l'on prend le cas de la France, par exemple, il y a deux Présidents de la République qui sont morts par le terrorisme, et... euh... il y a le roi de Yougoslavie qui est mort dans un attentat en France en mil neuf cent trente-quatre, et avec lui le Ministre des Affaires Etrangères. Or, c'est vrai aussi peut-être que... à l'époque on était moins protégé qu'aujourd'hui, mais il n'est pas évident pour autant qu'il y ait plus de victimes aujourd'hui qu'il n'y en avait à cette époque-là.

Interviewer: Qu'est-ce qui est à l'origine de la violence aujourd'hui?

Bernard: Le problème dans tous les cas, c'est le problème des pays sous-développés et de l'écart qui vient entre le monde des nantis, le nôtre, et le monde sous-développé. Et je crois que tant qu'il y aura cet écart-là... euh... il y aura... l'envie de tout casser parce que... le désordre ne peut être que profitable à ceux qui, de toute façon, n'ont rien, quoi?

Interviewer: Et pour ce qui est de la violence chez les jeunes?

André: En ce qui concerne la violence chez les jeunes aujourd'hui, ben, la principale raison c'est certainement les conditions de vie. D'une part, le chômage, certainement, mais les conditions de vie des parents qui se voient à peine, hein? Des conditions de vie dans les villes surtout, qui sont peut-être pas bâties pour accueillir des jeunes qui sont livrés à eux-mêmes, quoi? Si bien que, toutes ces conditions créent une angoisse chez les jeunes, qui se... peut-être... transforme en violence.

Interviewer: C'est donc un exutoire chez les jeunes?

André: Oui, mais cette violence parfois n'est pas une violence extériorisée, il y a aussi une violence interne, étouffée, quoi? Et le fait que beaucoup d'entre eux se tournent vers la drogue, c'est une forme de violence aussi, mais une violence contre eux-mêmes à ce moment-là, si bien que... je crois que les deux naissent d'une certaine angoisse de la vie de tous les jours.

Bernard: Oui, et je crois qu'il y a quelques raisons objectives, en plus. Il y a le fait que les gens aujourd'hui peuvent se déplacer beaucoup plus facilement, et donc, ils ont une plus grande capacité à se rassembler. Autrefois les gens se rassemblaient très peu, et ils vivaient beaucoup avec des gens qu'ils connaissaient également, et donc on rencontrait beaucoup moins d'inconnus dans les conditions qui parfois peuvent provoquer la violence.

André: Enfin, cette violence de groupe existait déjà autrefois. Mon père est né dans un petit village, et de l'autre côté du canal il y avait un autre village. Eh bien, ces deux peuples ne pouvaient pas se voir, et il y avait des bagarres... euh... le samedi soir, à coups de gourdins, à coups de morceaux de bois, et cela fait déjà quelque quarante ou cinquante ans, donc ce n'est pas une chose non plus qui date d'aujourd'hui.

10.4 Promenade Poétique

C'est un trou de verdure où chante une rivière
Accrochant follement aux herbes des haillons
D'argent; où le soleil, de la montagne fière,
Luit: c'est un petit val qui mousse de rayons.

Un soldat jeune, bouche ouverte, tête nue,
Et la nuque baignant dans le frais cresson bleu,
Dort; il est étendu dans l'herbe, sous la nue,
Pâle dans son lit vert où la lumière pleut.

Les pieds dans les glaïeuls, il dort. Souriant comme
Sourirait un enfant malade, il fait un somme:
Nature, berce-le chaudement: il a froid.

Les parfums ne font pas frissonner sa narine;
Il dort dans le soleil, la main sur sa poitrine
Tranquille. Il a deux trous rouges au côté droit.

Arthur Rimbaud (1854–1891), «Le Dormeur du Val»

10.5 Lecture Supplémentaire

On n'a qu'à aborder un journal le matin pour trouver des exemples de la violence, soit sur une échelle nationale ou une échelle locale. Albert Camus, auteur de *La Peste*, a considéré la question de la violence sous un jour philosophique dans sa pièce *Les Justes*. Les facteurs socio-économiques qui entrent en ligne de compte sont abordés dans *La Violence* d'Yves Michaud, paru aux Presses Universitaires de France, dans la série *Que Sais-Je?*

11 La Littérature

L'étude de la littérature est l'étude de l'humanité, et une étude approfondie des grandes oeuvres de la littérature nous révèle non seulement un monde fictif, mais aussi un monde peuplé de personnages qui nous ressemblent, et qui peuvent nous apprendre quelque chose sur nous-mêmes.

C'est pour cette raison-là qu'on nous demande d'approfondir les livres du programme ('set texts'), d'analyser les protagonistes auxquels nous nous intéressons et d'examiner la structure et les thèmes de ces textes.

11.1 L'Analyse de Caractère: *La Porte Etroite* d'André Gide

Comment peut-on savoir quelque chose sur un personnage fictif? Il faut d'abord examiner au moins trois aspects d'un livre à propos de chaque personnage auquel on s'intéresse:

(1) Ce que *dit* cette personne au cours du livre.
(2) Ce qu'elle *fait*.
(3) Ce que disent sur son compte l'auteur et les autres personnages du livre.

Pour ce qui est du premier point, les paroles que prononce ou qu'écrit un personnage quelconque sont peut-être l'indice le moins fiable quant à son caractère. Il faut donc prendre garde de se fier aux apparences. A première vue, un personnage peut bien paraître honnête et sincère, mais ses actions ultérieures, ou le témoignage soit d'un autre personnage soit de l'auteur, peuvent démentir notre première impression. Qui plus est, le personnage que l'on examine peut nous faire voir, par la suite, qu'il mentait, ou qu'il se trompait quant à ses croyances ou à ses mobiles.

Dans *La Porte Etroite* d'André Gide (1869–1951), nous voyons dans le personnage d'Alissa, héroïne du livre, l'exemple parfait de quelqu'un qui semble nous donner des indices sur son caractère, qui, par la suite, s'avèrent tout à fait faux.

La Porte Etroite est un récit de quelque 200 pages, moins long que le roman traditionnel, dont la longueur peut atteindre plusieurs tomes. Le livre consiste en trois parties:

(1) Le récit proprement dit, narré par Jérôme, cousin d'Alissa, dont il est amoureux. Cette partie est aussi parsemée d'extraits de lettres écrites par Alissa.
(2) Le Journal d'Alissa. Il s'agit d'un journal tenu par Alissa auquel elle a confié toutes ses confidences.
(3) Un épilogue, écrit, lui aussi, par Jérôme.

The 1947 Nobel Prize for Literature winner André Gide (1869–1951). (Courtesy Camera Press Ltd, London)

La première et la troisième partie étant écrites à la première personne du singulier (*Je . . .*), il manque à ces passages l'objectivité parfaite d'un auteur neutre. Dès la première page, donc, on n'a sur le caractère d'Alissa que les impressions de Jérôme, et celles-ci, comme nous le verrons, sont trompeuses à l'extrême. Personnage de caractère faible et qui refuse toute responsabilité dans les événements de l'histoire qui entraînent finalement la mort d'Alissa, Jérôme nous offre des interprétations sur le caractère de sa cousine, caractère qui est, en fin de compte, difficilement décelable.

Dans le Journal d'Alissa, par contre, on lit les pensées de l'héroïne sur son propre caractère, sur les événements et sur les mobiles de sa conduite. C'est à partir de toutes ces données qu'on doit procéder à l'analyse du caractère d'Alissa.

Fille d'une mère créole ramenée de Martinique par le Pasteur Vautier, et qui s'était mariée avec un oncle de Jérôme, Alissa Bucolin connaît la détresse de voir cette mère flirter dans sa maison avec un jeune officier d'armée. Son cousin Jérôme, de passage ce jour-là, essaie de la consoler, mais il sent *intensément que cette détresse était beaucoup trop forte pour cette petite âme palpitante, pour ce frêle corps tout secoué de sanglots.*

Quelques jours plus tard, au temple protestant que fréquente la famille, le Pasteur Vautier prend pour texte les paroles du Christ: *Efforcez-vous d'entrer par la porte étroite*, paroles qui exercent sur Jérôme (*une âme préparée, naturellement disposée au devoir*) une influence profonde. Il se fait une vertu de la renonciation: *Je m'enivrais aussi d'une sorte de modestie capiteuse et m'habituais, hélas!, consultant peu ma complaisance, à ne me satisfaire de rien qui ne m'eût coûté quelque effort.*

Mais qu'en est-il d'Alissa? Quels ont été les effets de son expérience et des paroles du Pasteur? Comment réagit-elle aux efforts spirituels et moraux de son cousin? *Cette émulation n'éperonnait-elle que moi? Il ne me paraît pas qu'Alissa y fût sensible et fît rien à cause de moi, qui ne m'efforçais que pour elle. Tout dans son âme sans apprêt restait de la plus naturelle beauté. Sa vertu gardait tant d'aisance et de grâce qu'elle semblait un abandon.*

Le lecteur attentif aura remarqué l'emploi du mot *paraît* — il ne s'agit pas ici d'un fait, mais d'une impression. Chez Gide, l'apparence des choses est d'une importance primordiale. La vérité sous-jacente ne se révèle qu'au fur et à mesure que le lecteur s'efforce d'examiner de plus près cette apparence. Plus on approfondit le récit, plus les apparences se révèlent trompeuses. Il ne faudrait pas entendre par là que Jérôme nous ment — il nous raconte les événements tels qu'il les comprenait à cette époque-là, ou plutôt, tels qu'il croyait les comprendre.

Qu'Alissa ait choisi une nouvelle voie se manifeste lors d'une conversation entre les deux cousins. Jérôme essaie d'expliquer à Alissa qu'il ne la quittera jamais:

—*Tout ce que je serai plus tard, c'est pour toi que je le veux être.*
—*Mais, Jérôme, moi aussi je peux te quitter.*
Mon âme entrait dans mes paroles:
—*Moi, je ne te quitterai jamais*
Elle haussa un peu les épaules:
—*N'es-tu pas assez fort pour marcher seul? C'est tout seul que chacun de nous doit gagner Dieu.*
—*Mais c'est toi qui me montres la route.*
—*Pourquoi veux-tu chercher un autre guide que le Christ? . . . Crois-tu que nous soyons jamais plus près l'un de l'autre lorsque, chacun de nous deux oubliant l'autre, nous prions Dieu?*
—*Oui, de nous réunir, interrompis-je; c'est ce que je lui demande chaque matin et chaque soir.*
—*Est-ce que tu ne comprends pas ce que peut être la communion en Dieu?*
—*Je le comprends de tout mon coeur: c'est se retrouver éperdûment dans une même chose adorée. Il me semble que c'est précisément pour te retrouver que j'adore ce que je sais que tu adores aussi.*
—*Ton adoration n'est point pure.*
—*Ne m'en demande pas trop. Je ferais fi du ciel si je ne devais pas t'y retrouver.*
Elle mit un doigt sur ses lèvres et un peu solennellement: — «*Recherchez premièrement le royaume de Dieu et sa justice.*»

En rapportant sans commentaire les paroles d'Alissa (*C'est tout seul que chacun de nous doit gagner Dieu*), Jérôme nous donne l'impression d'une Alissa qui se consacre à la vertu, à la renonciation de l'amour terrestre, et qui s'y consacre sans arrière-pensée. La séparation est déjà une chose décidée dans l'esprit d'Alissa, semble-t-il. Remarquez les paroles d'Alissa lorsque Jérôme lui rapporte un rêve qu'il a fait:

—*Eh bien moi, ce matin, j'ai rêvé que j'allais t'épouser si fort que rien, rien ne pourrait nous séparer — que la mort.*
—*Tu crois que la mort peut séparer? reprit-elle.*
—*Je veux dire . . . .*
—*Je pense qu'elle peut rapprocher, au contraire . . . oui, rapprocher ce qui a été séparé pendant la vie.*

La veille de son départ pour l'Ecole Normale à Paris, Jérôme essaie de demander à Alissa de l'épouser:

Le mot «fiançailles» me paraissait trop nu, trop brutal; j'employai je ne sais quelle périphrase à la place. Dès qu'Alissa me comprit, il me parut

qu'elle chancela, s'appuya contre la cheminée . . .
—Non, Jérôme: non; ne nous fiançons pas, je t'en prie . . .
Mon coeur battait si fort que je crois qu'elle le sentit; elle reprit plus tendrement: Non — pas encore . . .
Et comme je lui demandais:
—Pourquoi?
—Mais c'est moi qui peux te demander: pourquoi? pourquoi changer?
Je n'osais lui parler de la conversation de la veille, mais sans doute elle sentit que j'y pensais, et comme une réponse à ma pensée, dit en me regardant fixement:
—Tu te méprends, mon ami: je n'ai pas besoin de tant de bonheur. Ne sommes-nous pas heureux ainsi?
Elle s'efforçait en vain à sourire.

Ce qu'on remarque ici, c'est qu'il s'agit bien des impressions de Jérôme: *il me parut . . . je crois . . . mais sans doute . . . et comme une réponse à ma pensée . . .* Il est impossible de se fier à ces impressions. Bien qu'on ne puisse pas se fier totalement à ce que dit Jérôme à propos des sentiments de sa cousine, il n'en est pas moins vrai qu'elle essaie de le rejeter à plusieurs reprises. Elle lui donne plusieurs raisons: elle est trop vieille pour lui; elle ne veut pas se marier avant sa soeur; son amour n'est qu'un amour de tête, un bel entêtement intellectuel de tendresse et de félicité.

Quoique les vrais mobiles d'Alissa se laissent difficilement entrevoir à travers les paroles de Jérôme, il y a certains indices qui trahissent sa vraie pensée, Revenons-en au texte cité ci-dessus:

—Tu te méprends, mon ami: je n'ai pas besoin de tant de bonheur.

Ce qui se révèle ici, c'est une tendance au mysticisme, tendance à la fois impérieuse et dangereuse, car elle va finir par s'emparer de tout l'être d'Alissa. Pour celle-ci, le bonheur ne se trouverait qu'en Dieu, ou plutôt en la renonciation de tout ce qui est terrestre. Cette tendance à l'exaltation du pur lui fait écarter d'elle celui qui souhaite lui apporter le bonheur. Elle ne saurait trouver un bonheur qu'en refusant un autre, paradoxe irréductible.

Le caractère d'Alissa, pourtant, ne se réduit pas à un simple désir de renoncer à l'amour terrestre pour entrer par la porte étroite dans le royaume de Dieu. Tout lecteur attentif verra dans le texte du récit plusieurs indices qui révèlent la lutte qui se produit dans l'esprit d'Alissa: *Dès que je pense à toi,* écrit-elle à Jérôme, *mon coeur s'emplit d'espoir...il m'en coûte de rester si longtemps sans te voir.* Dans la même lettre, elle avoue: *Et tout à coup je t'ai souhaité là, senti là, près de moi, avec une violence telle que tu l'auras peut-être sentie.* L'affreuse vérité, c'est qu'Alissa adore Jérôme, et ne peut pas se passer de lui. Loin de vouloir l'écarter d'elle, elle souhaite l'avoir à ses côtés. Cette vérité se révèle surtout dans le Journal, mais c'est par une juxtaposition des textes du récit et de ceux du Journal qu'on voit ressortir le plus clairement le double caractère d'Alissa.

Au moment où Jérôme lui propose de nouveau qu'ils se fiancent, Alissa lui répond: *je me sens plus heureuse auprès de toi que je n'aurais cru qu'on pût l'être . . . mais crois-moi: nous ne sommes par nés pour le bonheur.* Il suffit de lire le passage du Journal qui correspond à ce même jour pour apprendre les véritables sentiments de cette jeune fille au supplice: *Que le bonheur soit là, tout près, qu'il se propose . . . n'avoir qu'à allonger la main pour s'en saisir.*

Pour en savoir plus long sur le caractère d'Alissa et les vrais mobiles de sa conduite, il faut examiner ses lettres et le Journal. Si Alissa croit à un dévouement désintéressé à la sainteté, ce qu'elle y écrit nous montre que l'orgueil y est pour quelque chose. Chose surprenante, c'est qu'elle entrevoit elle-même cette tendance à l'orgueil, mais ne peut s'empêcher de tomber dans le piège de ce péché mortel.

Au moment même où elle recommande à Jérôme une exaltation et non point une émancipation de la pensée, elle reconnaît que celle-ci ne va pas sans un orgueil abominable. Près de sa soeur Juliette, à qui elle avait été prête à sacrifier Jérôme, elle observe le bonheur de celle-ci, mariée maintenant et heureuse. *C'est par un raisonnement*, écrit-elle, *que je me réjouis du bonheur de Juliette. Ce bonheur que j'ai tant souhaité, jusqu'à offrir de lui sacrifier mon bonheur, je souffre de le voir obtenu sans peine.*

Orgueilleuse du sacrifice qu'elle a fait en renonçant à l'amour de Jérôme, elle s'élève dans son esprit jusqu'à croire que *entre Dieu et lui, il n'est pas d'autre obstacle que moi-même.* Désespérée, elle essaie de faire du chantage auprès de Dieu: *Mon Dieu, donnez-le-moi, afin que je vous donne mon coeur.* Mais cet orgueil, cette fierté qu'elle éprouve à maîtriser ses désirs, et à suivre la route étroite de Dieu, finissent par perdre Alissa.

Juste avant sa mort elle comprend que tout a été vain. Elle n'a pas atteint le bonheur espéré: *Ah! pourtant vous me le promettiez, Seigneur, à l'âme renonçante et pure.* Par une ironie terrible, elle ne se rend pas compte qu'elle n'a jamais renoncé à la quête du bonheur, qu'elle n'a pas été pure.

Conclusion

Une analyse de caractère ne se fait pas pour elle-même. Elle n'est utile que dans la mesure où elle éclaire un personnage et nous aide à comprendre celui-ci, ainsi que les thèmes du livre, et la morale que l'auteur veut faire ressortir.

Alissa, pour Gide, est un exemple de la vertu poussée à l'excès, tendance qu'il croit dangereuse. En approfondissant le livre, il est possible de faire ressortir les contradictions dans le caractère d'Alissa, et même d'en tirer les enseignements que Gide nous offre.

Citations © Mercure de France

11.2 La Technique du Conte: *La Parure* de Guy de Maupassant

Toute littérature qui vaut cette appellation s'intéresse aux êtres humains, et c'est dans l'oeuvre de Guy de Maupassant (1850–1893) que l'on trouve de merveilleux portraits de la vie humaine. Le conte — récit assez court d'aventures imaginaires et généralement fantastiques — nous offre un microcosme de la vie de tous les jours, un petit camée dans lequel se rassemble une poignée de personnages. Chez Maupassant, ce sont en général des personnes ordinaires: paysans, petits fonctionnaires, soldats, membres de famille, et ce que l'on remarque dans bon nombre d'histoires, c'est que ces personnes sont souvent pauvres. La pauvreté et l'influence qu'elle exerce sur la vie jouent dans l'oeuvre de Maupassant un rôle important, et dans *La Parure*, un de ses contes les plus célèbres, elle joue un rôle primordial.

Comment l'auteur nous fait-il vivre dans *La Parure* la situation dans laquelle se trouvent ses personnages? Comment parvient-il, au cours de quelques pages assez courtes, à créer un suspens extraordinaire, en même temps qu'il nous fait nous apitoyer sur le sort de la jeune mariée? Et pourquoi le dénouement réussit-il si bien?

Ce conte se divise en quatre parties:

(1) La situation et les rêves de Mme Loisel.
(2) Le bal et la perte de la parure.
(3) La pauvreté des Loisel.
(4) Le dénouement.

Dans la première partie, Maupassant nous fait un portrait de cette jeune mariée — anonyme au début, et presque mystérieuse, car nous n'apprenons que par la suite son nom de famille: *C'était une de ces jolies et charmantes filles, née, comme par une erreur du destin, dans une famille d'employés.* Cette première phrase nous fait penser, par l'opposition des qualités de cette jeune fille et de sa position sociale, qu'elle a souffert dès sa naissance un tort irrémédiable. *Elle n'avait pas de dot, pas d'espérances, aucun moyen d'être connue, comprise, aimée, épousée par un homme riche et distingué.* En quelques mots, Maupassant nous révèle ses ambitions, ambitions qui, malheureusement, sont vouées à l'échec, car *elle se laissa marier avec un petit commis du Ministère de l'Instruction Publique.*

On connaît immédiatement la situation de Mme Loisel, et Maupassant nous fait voir maintenant ses réactions face à cette situation: *Elle souffrait sans cesse, se sentant née pour toutes les délicatesses et tous les luxes. Elle souffrait de la pauvreté de son logement, de la misère des murs, de l'usure des sièges, de la laideur des étoffes. Toutes ces choses, dont une autre femme de sa caste ne se serait même pas aperçu, la torturaient et l'indignaient.* La vue de cette pauvreté, et d'une femme de ménage qui travaille la fait rêver: *Elle songeait aux grands salons vêtus de soie ancienne, aux meubles fins portant des bibelots inestimables, et aux petits salons coquets, parfumés, faits pour les causeries de cinq heures avec les amis les plus intimes, les hommes connus et recherchés dont toutes les femmes envient et désirent l'attention.*

C'est à ce moment-là que Maupassant, par une juxtaposition merveilleuse, la ramène à la réalité: *elle s'asseyait, pour dîner, devant la table ronde couverte d'une nappe de trois jours, en face de son mari qui découvrait la soupière en déclarant d'un air enchanté: «Ah! le bon pot-au-feu! je ne sais rien de meilleur que cela . . .».* Maupassant a fourni à Mme Loisel un mari humble, sans ambitions, le contraire même de ses rêves, et qui semble incapable de s'élever dans la société. Et puis, comme pour donner le coup de grâce et pour faire ressentir à Mme Loisel l'impossibilité de sa situation sociale, Maupassant lui donne une amie, *une amie riche, une camarade de couvent qu'elle ne voulait plus aller voir, tant elle souffrait en revenant.*

Mme Loisel se trouve dans une situation peu enviable. Handicapée par ses origines et par son mari, elle est déchirée entre sa propre position dans la société et ses rêves qui se concrétisent en son amie riche. Un tel conflit ne saurait manquer d'éveiller chez le lecteur une certaine compassion, même si celui-ci souhaiterait condamner les aspirations sociales de Mme Loisel.

Invitée à une soirée à l'hôtel du Ministère où travaille son mari, Mme Loisel achète une nouvelle robe, qui lui est offerte par son époux

Guy de Maupassant (1850–1893). (Courtesy The Mansell Collection, London)

généreux. Mais il manque à ce costume un collier de diamants. A l'instigation de son mari, Mme Loisel se rend chez son amie riche, Mme Forestier, dans le but de lui emprunter des bijoux. Sans hésiter, celle-ci lui propose de choisir: *Elle vit d'abord des bracelets, puis un collier de perles, puis une croix vénitienne, or et pierreries, d'un admirable travail.* Chez Mme Forestier, tout donne une impression de magnificence et de richesse, mais Maupassant nous fait voir ce que nous souhaitons voir. Comme nous allons le découvrir à la fin de l'histoire.

Mme Loisel découvre, *dans une boîte de satin noir, une superbe rivière de diamants.*

Elle l'attacha autour de sa gorge, sur sa robe montante, et demeura en extase devant elle-même.

Puis elle demanda, hésitante, pleine d'angoisse:

—Peux-tu me prêter cela, rien que cela?

—Mais oui, certainement.

Le jour de la fête arrive, et, munie de sa nouvelle robe et de sa parure empruntée, Mme Loisel s'y rend avec son mari. *Mme Loisel eut un succès. Elle était plus jolie que toutes, élégante, gracieuse, souriante et folle de joie. Tous les hommes la regardaient, demandaient son nom, cherchaient à être présentés. Tous les attachés du cabinet voulaient valser avec elle. Le ministre la remarqua.*

Ainsi Maupassant nous la montre au comble de sa joie. En plein milieu de l'histoire, l'auteur nous fait penser que toutes les ambitions de cette jeune femme romanesque vont se réaliser. Sa prose capiteuse semble

valser dans une griserie joyeuse: *Elle valsait avec ivresse, avec emporte-*
ment, grisée par le plaisir, ne pensant plus à rien, dans le triomphe de sa
beauté, dans la gloire de son succès, dans une sorte de nuage de bonheur
fait de tous ces hommages, de toutes ces admirations, de tous ces désirs
éveillés, de cette victoire si complète et si douce au coeur des femmes.

Les contrastes chez Maupassant sont d'une grande importance, et c'est
un contraste qui ramène Mme Loisel à la réalité. Ayant atteint, au milieu de
l'histoire, un tel degré de bonheur, elle ne peut maintenant qu'être
désenchantée. C'est au moment où ils rentrent du bal que Mme Loisel fait
la découverte terrible: *Elle n'avait plus la rivière autour du cou.*

Maupassant exprime parfaitement l'horreur et l'urgence d'une telle
situation dans deux phrases simples: *Et ils cherchèrent dans les plis de la*
robe, dans les plis du manteau, dans les poches, partout. Ils ne la
trouvèrent point.

Et c'est maintenant que Maupassant crée un suspens terrible. Loisel
décide d'aller chercher la parure, de refaire tout leur trajet: *Et il sortit. Elle*
demeura en toilette de soirée, sans force pour se coucher, abattue sur une
chaise, sans feu, sans pensée.

Son mari rentra vers sept heures. Il n'avait rien trouvé.

A ce stade de l'histoire, le lecteur, comme le jeune couple, s'attend à ce
que l'on retrouve les bijoux perdus. Du moins, il l'espère. Maupassant
nous fait sentir l'angoisse qu'éprouvent les Loisel, en nous racontant
toutes les démarches que fait le mari pour retrouver la parure, mais avec
une lourde finalité, et avec une quasi-répétition d'une phrase qu'il a déjà
employée, il nous dit: *Loisel revint le soir, avec la figure creusée, pâlie; il*
n'avait rien trouvé.

Se croyant obligés de remplacer les bijoux perdus, ils réussissent à
trouver un chapelet de diamants *qui leur parut entièrement semblable à*
celui qu'ils cherchaient. Il valait quarante mille francs. On le leur laisserait à
trente-six mille. Ironie terrible, car la générosité du joaillier est mal-
placée, comme il n'a pas affaire à des gens riches, malgré les ambitions
sociales de Mme Loisel.

Loisel ne possédant que dix-huit mille francs, il est obligé d'emprunter le
reste. *Il fit des billets, prit des engagements ruineux, il eut affaire aux*
usuriers. Maupassant nous fait une liste des mesures que Loisel prend afin
de trouver l'argent nécessaire, et enfin *il alla chercher la rivière en déposant*
sur le comptoir du marchand trente-six mille francs.

Toute dette doit se solder, et les Loisel s'effondrent dans un abîme de
pauvreté. *Mme Loisel connut la vie horrible des nécessiteux.* Par une suite
de phrases semblables, Maupassant nous donne une idée de cette vie dure
et monotone: *Elle connut les gros travaux de ménage, les odieuses*
besognes de la cuisine. Elle lava la vaisselle ... Elle savonna le linge sale,
les chemises et les torchons ... elle descendit à la rue, chaque matin, les
ordures, et monta l'eau, s'arrêtant à chaque étage pour souffler.

Chez Maupassant, la simplicité est d'une importance primordiale, et
quand il nous raconte:

Et cette vie dura dix ans.

nous comprenons bien que cet *et* n'ajoute pas un fait ordinaire à ce qu'il a
déjà raconté. La brièveté de cette phrase contraste d'une façon ironique
avec ce que les Loisel ont vécu. La simplicité même de cette phrase est
capable d'exprimer toute l'horreur de l'auteur devant une situation que le
lecteur, lui aussi, aura du mal à comprendre. Maupassant est le maître de
la litote — l'art de dire moins pour faire entendre plus.

A la fin de cette terrible période de pauvreté, tout l'argent a été restitué,
mais Mme Loisel *semblait vieille maintenant. Elle était devenue la femme*

forte, et dure, et rude, des ménages pauvres. Quel contraste terrible avec la jeune fille ambitieuse que nous avions connue. Comment le lecteur ne saurait-il compatir?

A ce point-là, l'histoire aurait pu se terminer. C'est à ce moment-là, pourtant, que Mme Loisel rencontre Mme Forestier *toujours jeune, toujours belle, toujours séduisante*. Ce contraste nous fait plaindre de nouveau Mme Loisel. Hésitant au début, celle-ci décide de tout avouer:

—*Tu te rappelles bien cette rivière de diamants que tu m'as prêtée pour aller à la fête du Ministère?*

—*Oui. Eh bien?*

—*Eh bien, je l'ai perdue.*

—*Comment! puisque tu me l'as rapportée.*

—*Je t'en ai rapporté une autre toute pareille. Et voilà dix ans que nous la payons. Tu comprends que ça n'était pas aisé pour nous, qui n'avions rien . . . Enfin c'est fini, et je suis rudement contente.*

Suspens, car *Mme Forestier s'était arrêtée*. On s'attend à une réaction de la part de Mme Forestier, peut-être à une expression de reconnaissance.

—*Tu as dit que tu as acheté une rivière de diamants pour remplacer la mienne?*

—*Oui, tu ne t'en étais pas aperçue, hein? Elles étaient bien pareilles.*

Et elle souriait d'une joie orgueilleuse et naïve.

Mme Loisel est au comble de l'orgueil, mais le dénouement qui se produit est tout à fait inattendu:

Mme Forestier, fort émue, lui prit les deux mains.

—*Oh! ma pauvre Mathilde! mais la mienne était fausse. Elle valait au plus cinq cents francs! . . .*

C'est par cette phrase éberluante, et ces petits points de suspension que Maupassant termine l'histoire. Pas de commentaire de la part de l'auteur, pas de réaction de la part de Mme Loisel. Il nous laisse imaginer quelle a été la réponse de celle-ci. Il ne se permet pas la liberté de commenter la sottise de cette jeune femme, ni d'en tirer un enseignement. C'est en partie cette simplicité qui réussit la fin du conte. Moins l'auteur écrit, plus il dit.

Ce qui est surtout remarquable, c'est l'ironie de la situation (l'ironie = ce qui présente un contraste décevant avec ce qu'on attendait). Cette pauvre fille invitée au bal ressemble beaucoup à Cendrillon. Sa bonne fée la pare de diamants. Les rêves romanesques de Mme Loisel sembleraient être sur le point de se réaliser — *Le ministre la remarqua*. Il semble s'ouvrir devant elle de bonnes perspectives. Mais la bonne fée n'a pas de vrais diamants, et là où la vraie Cendrillon connaissait la véritable nature de ses habits, Mme Loisel reste dans l'ignorance. Là où la vraie Cendrillon perd une pantoufle pour retrouver un prince, Mme Loisel perd un collier pour ne retrouver que le malheur, des dettes et la pauvreté.

Pour comble de malchance, au moment même où elle croit triompher de ses dix années perdues, Maupassant lui révèle l'inutilité de ces années d'esclavage. Mais l'ironie suprême, c'est que non seulement Mme Loisel s'est trompée, mais le lecteur aussi. Ayant investi dans Mme Loisel une large mesure de compassion, ayant vécu avec elle ses dix années terribles, le lecteur, lui aussi, découvre qu'il a été la dupe de Maupassant, l'auteur qui savait tout, mais qui avait attendu le dernier moment pour tout révéler.

La technique de Maupassant révèle une maîtrise de l'art de la narration. Par ses contrastes de caractère, par ses juxtapositions d'événements et par les suspens qu'il crée en suscitant l'espoir du lecteur, juste pour l'anéantir, il réussit une histoire extraordinaire, une histoire ironique dont la victime est le lecteur autant que le personnage principal.

11.3 Jean Anouilh: Approfondir un Thème: L'Honneur dans *Becket*

Bien que l'étudiant soit quelquefois obligé de lire le texte d'un drame, il faut toujours garder présent à l'esprit que tout drame est destiné à la scène. C'est pour cette raison que le dramaturge, à la différence du romancier, n'a pas l'occasion d'intervenir dans la pièce — il lui est impossible d'interpoler des remarques, de commenter les actions de ses personnages. Seuls les personnages eux-mêmes sont en mesure de communiquer les intentions de l'auteur et c'est à travers ceux qui apparaissent en scène que nous parvient le message du dramaturge.

Les pièces de Jean Anouilh (né en 1910) se situent parmi les plus célèbres du théâtre français d'aujourd'hui. *Becket* (1959) nous raconte l'essor et la chute de Thomas Becket, Archevêque de Cantorbéry, et sa lutte politique avec le roi Henri II.

Un Thème: L'Honneur

Face à un texte littéraire, l'étudiant doit savoir comment s'y prendre pour en dégager le thème principal ou les thèmes principaux, car il y en a quelquefois plusieurs. Le tout, c'est de lire et de relire le texte, dans le but d'en comprendre l'intrigue et d'apprendre à connaître les personnages du livre. Il est parfois difficile de dégager un thème principal (essayez d'aborder, par exemple *La Cantatrice Chauve* d'Eugène Ionesco), mais en règle générale le thème se révèle au fur et à mesure qu'on lit le texte. Dans certains cas, l'auteur lui-même nous donne le thème dès la première page. C'est bien le cas chez Anouilh, qui a donné à *Becket* le sous-titre *Ou l'Honneur de Dieu*.

Considérons une question d'examen imaginaire: «Le thème principal de *Becket* est le rôle de l'honneur dans la vie des personnages. Discutez.» Comment aborder une telle question? Dans la salle d'examen on doit être à même d'écrire, ou de discuter dans un examen oral, sans avoir recours au texte lui-même. Cependant, il est à conseiller à l'étudiant d'avoir lu l'introduction du texte et d'avoir jeté un coup d'oeil sur des questions d'épreuves passées, afin d'avoir une idée des thèmes que l'on cherche avant de procéder à la lecture d'un texte.

Ayant établi le thème, ou les thèmes que l'on veut dégager du texte, le lecteur doit examiner minutieusement les paroles de l'auteur, ou, dans le cas d'un drame, celles de ses personnages.

Qu'est-ce qu'on cherche? Pour ce qui est du thème de l'honneur dans *Becket*, il faut commencer par noter l'incidence même du mot *honneur*. Procédé assez simple, car les personnages principaux ont assez souvent ce mot aux lèvres.

Après avoir noté l'incidence de ce mot, il faut regrouper les citations en fonction des personnages qui le prononcent. Ce qui est à remarquer, c'est le fait que Becket lui-même le prononce le plus souvent. Une fois ce regroupement établi, il faut examiner de plus près le contexte du mot et le sens qui en sous-tend l'emploi.

Bien que l'on puisse offrir du mot *honneur* une bonne définition puisée dans un dictionnaire — *sentiment de dignité qui fait penser ou agir de manière à mériter l'estime d'autrui et de soi-même* — il ne va pas de soi que tous les personnages entendent par ce mot la même chose. Il faut donc essayer d'établir le sens de l'*honneur* pour chacun des personnages principaux.

Le Roi

Selon la définition citée ci-dessus, l'honneur est un sentiment de dignité. Il s'agit d'une certaine image que l'on a de soi-même, de ce que l'on vaut et de la façon dont on se doit d'être traité par autrui. L'honneur est donc quelque chose de purement personnel, sorte de bouclier derrière lequel on se cache, mais qui est en même temps quelque chose qu'il faut défendre. Si l'on ne défend pas son honneur, on risque de perdre face et de voir atteindre l'image qu'on a de soi-même.

Qu'en est-il du roi? Dès le début de la pièce, on s'aperçoit qu'il ne veut pas se défendre lui-même. Ce qu'il cherche à soutenir, c'est le royaume:

LE ROI: Je te l'ai dit: «Sauf l'honneur du royaume!»

Ayant choisi pour Archevêque de Cantorbéry son ami Thomas Becket, le roi trouve que celui-ci tient à défendre l'honneur de Dieu, et à assurer la suprématie de l'Église. Le roi ne saurait supporter une telle opposition, ces deux intérêts étant, à son avis, tout à fait incompatibles. Pour lui, l'honneur du roi est synonyme de celui du royaume. A la suite de la rupture entre les deux hommes, ils se rencontrent dans la plaine de la Ferté-Bernard. Le roi demande à Becket ce qu'il veut:

LE ROI: Qu'est-ce que tu attends? Tu vois que je suis en train de crever!
BECKET (*doucement*):   Que l'honneur de Dieu et l'honneur du roi se confondent.
LE ROI: Cela risque d'être long!

Gros garçon, bouffon, le roi est quand même un homme fort astucieux en matière de politique. Pour lui, ce sont les intérêts du royaume qui sont en jeu. Que l'on veuille donner à ces intérêts l'appellation d'honneur, soit. Pour le roi, ils sont à défendre à tout prix.

Quant à sa dignité personnelle, le roi semble en faire peu de cas. Ce qui est atteint, c'est l'amitié entre lui et Becket, car celui-ci était un véritable ami, peut-être le seul qu'il ait jamais eu. Le roi ne parle pas de sa dignité perdue, ni d'atteinte à son honneur. Ce dernier terme, il le réserve aux intérêts d'Etat.

Gilbert Folliot

En tant qu'évêque de Londres, Folliot représente les intérêts de l'Eglise d'Angleterre. Lorsque le roi veut faire valoir sa volonté en matière d'impôts et d'hommes d'armes, l'Église se veut indépendante des lois du royaume, ne voulant reconnaître que la loi canonique. Becket, qui à ce stade de la pièce a nouvellement été nommé Chancelier d'Angleterre, se livre à des remarques sur la position de Folliot, et sur ses origines humbles. Folliot s'emporte contre lui:

GILBERT FOLLIOT (*se dresse, aigre, et glapit*):   Je ne permettrai pas que des allusions personnelles viennent compromettre la dignité d'un débat de cette importance! L'intégrité et l'honneur de l'Eglise d'Angleterre sont en jeu!

En citant l'honneur de l'Eglise, Folliot essaie de parer les coups de Becket en faisant un appel émotionnel au roi (qui, il faut le remarquer, n'est d'aucune façon impressionné par ces «grands mots»). Pour Folliot l'honneur équivaut au privilège. L'Eglise ayant connu certains privilèges sous la loi canonique, par lesquels Elle a gardé son indépendance, Folliot se fait un devoir de défendre ces coutumes, car tout changement rebondirait sans aucun doute sur sa propre position.

D'ailleurs, il est évident que Folliot, Normand de naissance, croit que la promotion de Becket, qui est Saxon, met en jeu l'honneur des Normands, car le Chancelier risque de mettre en jeu leur position privilégiée. Le débat a pour Folliot un côté personnel, et il craint de voir atteindre sa dignité personnelle:

GILBERT FOLLIOT (*écumant, un peu ridicule*): Un diacre! Un pauvre diacre nourri dans notre sein! Traître! Petit serpent! Débauché! Sycophante! Saxon!

Si le roi veut défendre d'une façon impersonnelle les intérêts du royaume, Folliot, lui aussi, veut défendre les intérêts de l'Eglise, mais il est impossible de ne pas en conclure que «l'honneur et l'intégrité de l'Eglise d'Angleterre» représentent aussi la dignité personnelle, c'est-à-dire, l'honneur de Gilbert Folliot.

Becket

A la différence du roi, Becket, de naissance humble, n'a pas connu pendant sa jeunesse un honneur naturel qui lui vienne de sa position dans le monde. Alors, pour lui, l'honneur représente quelque chose de souhaitable, quelque chose qu'il désire atteindre:

THOMAS: . . . J'adore le luxe et le luxe était normand. J'adore la vie et les Saxons n'avaient droit qu'au massacre. J'ajoute que j'adore l'honneur.

Pour lui, l'honneur est un but qu'il doit atteindre. Il ne peut parvenir à ce but qu'avec le temps. Même à l'époque où il est Chancelier, il ne croit pas avoir acquis ce dont il a besoin. Tant qu'il ne l'aura pas, il s'efforcera de s'en passer:

BECKET: Mon prince . . . tant que Becket sera obligé d'improviser son honneur, il te servira.

Une fois devenu Archevêque, Becket trouve qu'il a acquis un honneur, mais, paradoxalement, cet honneur n'est pas à lui, mais à Dieu:

BECKET: . . . J'étais un homme sans honneur. Et tout d'un coup, j'en ai eu un, celui que je n'aurais jamais imaginé devoir devenir mien, celui de Dieu. Un honneur incompréhensible et fragile, comme un enfant-roi poursuivi.

Cet honneur est une ancre à laquelle Becket s'attache d'une façon curieuse. Lorsque le roi lui demande si, à cette époque-là, il s'était mis à aimer Dieu, Becket lui répond:

BECKET (*doucement*):   Je me suis mis à aimer l'honneur de Dieu.

Il est évident que, pour Becket, l'honneur de Dieu se confond avec Dieu lui-même. Tout chrétien ordinaire aurait aimé Dieu. Becket, au contraire, s'est mis à aimer et à défendre Sa façade. L'honneur, pour le roi, représente les intérêts de l'État, c'est-à-dire, il y a quelque chose derrière cette façade dont il se sert comme bouclier. Pour Becket, au contraire, l'honneur est tout. Que Dieu se trouve derrière ce bouclier ou non, peu importe. C'est l'honneur qu'il faut défendre.
  Qu'il en soit ainsi se voit très clairement lorsque Becket retourne en Angleterre. Il est prêt à se sacrifier, non à Dieu, mais à l'honneur de Dieu:

BECKET: L'honneur de Dieu et la raison qui, pour une fois, coïncident, veulent que . . . j'aille me faire tuer — si je dois me faire tuer — coiffé de ma mitre, vêtu de ma chape dorée et ma croix d'argent en main, au milieu de mes brebis, dans mon Eglise Primatiale. Ce lieu seul est décent pour moi.

Ce dernier discours est fort révélateur, car il nous fait comprendre que Becket, en devenant le soi-disant champion de l'honneur de Dieu, s'est fait une certaine idée de sa propre dignité — l'honneur de Dieu est devenu, en effet, l'honneur et la dignité de Thomas Becket. Le héros de la pièce d'Anouilh, comme celui de la pièce de T. S. Eliot (*Murder In The Cathedral*) souffre d'un orgueil terrible.
  Qu'il le sache ou non, Becket s'est laissé emparer par son obsession. L'honneur de Dieu est devenu sa raison d'être. Ayant atteint un but si longtemps souhaité — l'honneur — Becket s'acharne à défendre ce qu'il croit avoir gagné, ne comprenant même pas que Dieu n'a pas besoin d'un champion.

Conclusion

En examinant les emplois du mot «honneur» dans cette pièce, il nous est possible de voir qu'il a des sens différents selon le personnage qui le prononce. Pour le roi, l'honneur du royaume est synonyme des intérêts de l'Etat. Pour Folliot, il y va de sa gloire personnelle et des privilèges de l'Eglise.
  Cependant, pour Becket, «l'honneur» est un but difficilement accessible, mais auquel il tient de tout son coeur. Incapable de comprendre la différence entre «Dieu» et «l'honneur de Dieu», il érige un autel à l'honneur de Dieu, auquel il fait ses dévotions. C'est ainsi qu'il s'égare, et l'honneur, une fois sa raison d'être, devient la cause de sa chute, et Becket se voit sacrifier sur cet autel qu'il a construit lui-même.

Board	Translation into French	Translation into English	Listening comprehension	Reading comprehension	Writing in French	Literary set texts	Socio-economic set texts	Course work	Oral	'AS' Level	Special paper	Notes
Oxford Board		Part of reading	20%	25% (inc. 5% writing)	25% (inc. 10% content)	Option in oral/writing		Option in writing	30%	LC, RC, O (core)	CA, E	
Cambridge Board			20%	25% + 10% (contained in one paper)	20%	20% Option in CW (may be examined in final exam.)			25%	LC, RC, O (core)		
Oxford & Cambridge Board	Part of writing	Part of reading	20%	20%	35%	25% Option		25% Option	20%	O, LC, RC or CW	RC, T, E, CA	
Joint Matriculation Board	Part of writing	Part of writing	20%	Part of writing	20%	20%			20%	LC, RC, O (core)	T, CA	
Associated Examining Board			20%	20%	20%	20%			20%	LC, RC, O (core)		
SUJB (A)	Part of writing	*19%	*10%		*32%	25%	Option in literature	Option 20%	*13%			
SUJB (B)	Part of writing	20%	20%	20%	25%	25%		20%	15%	LC, RC, O	E, CA	
London Board (A)	Part of writing	Part of reading	15%	20%	20%	25%			20%		T, CA, E	
London Board (B)	15%	10%	10%	10%	Essay 20% Guided composition 15%				20%			Change possible from 1990

1 Key to Questions and Exercises

Chapter 1

1.1.2 Comprehension

(a) The slaves of the Pharaohs and the stone-cutters of the Middle Ages. (b) Because men have wanted them and imposed them. (c) The flying buttresses are a technical necessity which we accept only through familiarity, and the bell-tower is absolutely hideous. (d) A bunch of flowers, the sea, a sunset, a rainbow, a thoroughbred animal. (e) A conglomeration of girders and a sort of refinery. (f) There are no paintings by Cézanne in his native town of Aix-en-Provence. (g) All the great artists came there to train, and buyers had no other choice but to go there. (h) When she found at her head a President who loved everything young and new. (i) As a sort of aesthetic magnet which would give France her place in the world of art. (j) That he was restoring her to her rightful place.

1.1.3 Exercises — Section A

1. couper court — to cut short. s'arrêter net — to stop short. chanter faux — to sing flat. voir clair — to see clearly. parler fort — to talk loudly. peser lourd — to be heavy.

2.

Noun	Adjective	Verb
merveille (f.)	merveilleux	(s') émerveiller
coût (m.)	coûteux	coûter
beauté (f.)	beau	embellir
perfection (f.)	parfait	parfaire
existence (f.)	existant	exister
reconnaissance (f.)	reconnu	reconnaître
dominance (f.)	dominant	dominer

3. il ne tient qu'à (vous) — it's up to you. il tient ferme — he's holding out. ça tient toujours? — is it still on? il tient de (vous) — he's very like you. il tient beaucoup à (vous) connaître — he's longing to meet (you). on ne tient plus ça — we can't stand it any longer.

4. leur avis *sur*; *par* derrière; ces édifices se sont imposés *au* goût de la foule; cruelle *pour*; jusqu'au moment *où*.

1.1.4 Exercises — Section B

1. (a) Il a fallu du temps pour que ces édifices soient acceptés. (b) Il nous

faut de l'expérience pour que ces constructions nous paraissent belles.
(c) Il a fallu le Centre Pompidou pour que les critiques ouvrent les yeux.
(d) Il faut un peu de temps pour que la justice soit faite aux artistes
comme Cézanne. (e) Il a fallu la vision d'un Président pour que la
France retrouve sa place légitime.

2. (a) Une fois créée, une telle construction ne se laisse jamais oublier. (b)
Une fois examinés, des dessins de ce genre révèlent leur vrai potentiel.
(c) Une fois perdue, la prépondérance naturelle d'un pays ne se
retrouve qu'à peine.

1.1.5 *Assignment*

Students' answers will vary, but will approximate to the following.

Ce qui est nouveau ne se fait pas facilement accepter. Ni les pyramides, ni
les cathédrales du Moyen Age ne se sont imposés immédiatement au goût
des gens communs. Les goûts d'un peuple ont tendance à changer, et les
temps y est pour quelque chose. Qu'est-ce que c'est que la beauté? Si nous
n'avons que la beauté traditionnelle, que nous reste-t-il? Malheureusement, la modernité n'est pas toujours acceptable, et il est difficile de faire
accepter quelque chose comme le Centre Pompidou. Paris, pourtant,
n'était plus ce qu'il avait été dans le monde artistique. Il a fallu un
homme visionnaire pour lui rendre sa place légitime, et c'est précisément
cela que Pompidou a fait en faisant construire le Centre Pompidou. Tout
inconsciemment, il a changé le rôle de Paris.

1.2.2 *Comprehension*

(a) To the figure of a woman. (b) Large villages, mazes, graveyards and huge
factories. (c) To be the true theatre of thought and passion. (d) Clever, sensitive
and easygoing. (e) An invisible chain binds them to the city. (f) Those who were
born there, or who came there early in their lives. (g) Our footsteps disappear,
no trace of our passing remains.

1.2.3 *Exercises — Section A*

1. (a) *de* jour. (b) *de* nuit. (c) mise *au* monde. (d) *par* son étendue. (e) sans
avoir *aux* levres.
2. *Positive* At least the following: J'aime; passionnément; bien faite;
charmantes; ravissante; le vrai théâtre; la pensée; les passions;
harmonieux; agréable; aisé; commode; varié; riche; admirablement
adapté; ingénieuse; sensible; légère; l'attachement; toute notre histoire; joies; notre propre histoire; sourire.
Negative At least the following: disgracieuses; vilaine; gros; labyrinthes; immenses nécropoles; vastes fabriques; accablant; uniformité;
bizarrerie; malheureux; nulle; douleurs; pleurer.
3. la place — square; disgracieux — ugly; vilain — ugly; agréable — pleasant; propre — (i) own, (ii) clean, (iii) suited for; sensible — sensitive; le
coin — corner; le souvenir — memory.

Commentary

Triple rhythm la race ingénieuse, sensible et légère qui l'habite; chacune
de ses rues, chacun de ses coins, chacun de ses pavés; nous évoquons

notre propre histoire, nous nous voyons encore sourire, nous sentons encore pleurer.

Everyday words   ugly; story-teller; our footsteps; fleeting.

1.2.4 *Exercises — Section B*

1. (a) Au centre de Paris, nul coin tranquille n'existe. (b) Aujourd'hui, nulle trace n'existe des Parisii, premiers habitants de la ville. (c) De nos jours, nul miracle ne se produit en matière d'architecture.
2. (a) Certains écrivains réfléchissent profondément sur leur capitale. (b) Prévost-Paradol écrit aisément sur cette ville bien-aimée. (c) La ville de Paris est infiniment variée. (d) Il est possible d'écrire savamment sur une ville de ce genre. (e) Par rapport à ceux qui écrivent en «hexagonal», cet auteur écrit presque gaîment.
3. (a) Paris semble avoir été développé pour le seul plaisir des écrivains. (b) Les monuments bien connus semblent avoir été construits à l'intention des touristes étrangers. (c) La ville de Paris semble avoir été beaucoup appréciée par Prévost-Paradol.
4. (a) Si énorme qu'il soit, Paris plaît toujours au touriste. Tout énorme qu'il est, Paris plaît toujours au touriste. (b) Si éloignés qu'ils pensent en être, ceux qui sont nés à Paris éprouvent toujours de l'amour envers la ville. Tout éloignés qu'ils pensent en être, ceux qui sont nés à Paris éprouvent toujours de l'amour envers la ville. (c) Si laid que vous puissiez le considérer, Paris reste une des plus belles villes du monde. Tout laid que vous pouvez le considérer, Paris reste une des plus belles villes du monde.
5. (a) Tout ce que je vois est typiquement parisien. (b) Je n'accepte pas tout ce que dit Prévost-Paradol — c'est un romantique! (c) Tout ce qui est Parisien est harmonieux — sauf les Parisiens eux-mêmes. (d) J'aime tout ce qui est Paris. (e) Tout ce qui est Paris et la France m'attire.

1.2.5 *Assignment*

Students' answers will vary, but should approximate to the following.

L'auteur aime tout ce que contient Paris — ses rues, ses places, ses aspects variés. Les villes sont comme les créatures humaines, qui peuvent être belles ou hideuses. Certaines villes sont petites comme des villages, d'autres ne sont que de vastes labyrinthes. Paris, pourtant, n'est pas accablant. Il est assez petit pour être agréable et harmonieux. L'attachement à Paris de ses habitants est remarquable. Tout Paris leur dit quelque chose. Il contient toute notre histoire. Partout où nous allons nos souvenirs disparus reviennent.

1.3 *Conversation*

(1) Because people arrive daily in Paris and describe themselves as Parisians. (2) They seem to consider themselves above people from the provinces. (3) After May 1968. (4) There's always a new play, a new film, a new exhibition, and you can go out in the evening. (5) It's too expensive to profit from if you live there all year. (6) You can do more there, because it's less expensive. (7) They are leaving the city. (8) 2,500,000 people. (9) 10 to 12 million. (10) Paris may die.

Chapter 2

2.1.2 Comprehension

(a) Her unrivalled position at the Western edge of Europe. (b) The Irish and the Bretons might well consider America to be the next parish. (c) They would not have to cross the English Channel. (d) The sea. (e) Air travel. (f) The plateaux of Finistère would make ideal airports.

2.1.3 Exercises — Section A

1. (a) la presqu'île. (b) le terminus. (c) la circulation. (d) l'accomplissement. (e) aménagées. (f) landes.
2. *Nouns* la Bretagne; l'Europe; l'Occident; l'Atlantique.
   Adjectives américain; irlandais; finistérien

2.1.4 Exercises — Section B

1. (a) Le Braz croit voir l'avenir de la Bretagne résider dans les services de navigation aériens. (b) Il croit prévoir un avenir riche pour cette région. (c) On croit percevoir dans la mer les progrès futurs de la Bretagne.
2. (a) Les idées de Le Braz ne sont pas de pures spéculations. (b) Cette ancienne région celtique . . . (c) La Bretagne est une région qui possède son propre gouvernement régional. (d) Pendant les siècles derniers . . . (e) La distance constitue le dernier obstacle . . . (f) . . . et çà et là on voit se dresser sur le ciel des menhirs anciens. (g) Il est rare que l'on voie en Bretagne un ciel pur. (h) . . . la Bretagne dispose maintenant de plages propres . . .
3. (a) C'est dans sa situation sans rivale que réside le facteur souverain de sa prospérité. (b) C'est plutôt dans le ciel que se dessine l'avenir de la Bretagne. (c) C'est par le port de Brest que pouvait s'ouvrir la grande route du Rhin à New York.
4. (a) Il semble que cette région puisse espérer un riche avenir. (b) Il semble que l'avenir touristique de cette région soit bien assuré. (c) Il semble que la Bretagne ait des attraits régionaux uniques. (d) Il semble que la culture bretonne ne fasse pas vraiment partie intégrante de la culture française. (e) Il semble que le peuple breton veuille jouir d'une certaine indépendance.
5. (a) Pour peu que les circonstances la favorisent, l'avenir de la Bretagne comme région touristique est assuré. (b) Il semble que Brest doive connaître une importance considérable dans les affaires régionales. (c) Il est fatal que les transports aériens doivent jouer un rôle important dans le développement de la région. (d) Pour peu que le progrès touche la région, les Bretons ne cesseront de travailler pour un avenir prospère. (e) Il est fatal que Paris doive continuer de considérer la Bretagne comme une région sous-développée.

2.1.5 Assignment

Students' answers will vary, but might include the following points.

Il est incontestable que la Bretagne se trouve loin de Paris, mais son avenir économique est assuré. La situation sans rivale qu'elle occupe à l'ouest de l'Europe lui assure la possibilité d'être la tête de pont de l'Atlantique. Si les transports maritimes tombent en désuétude, il reste toujours la possibilité de développer des services aériens. Une fois établis, les aéroports feraient de la Bretagne le trait d'union entre l'Europe et l'Amérique.

2.2.2 *Comprehension*

(a) Because it attracts a large number of visitors. (b) Because of a number of talented singers and writers. (c) The architectural heritage. (d) Old wardrobes and traditional 'box beds'. (e) By taking care not to imitate too slavishly works from the past. (f) To establish a sort of sanctuary where elements of Brittany's past could be brought together. (g) It is not particularly exciting, and the vulgar, pretentious and all-too-obvious villa is encountered more often than the discreet and tasteful original article. (h) A more open attitude to the world in general and to local life. (i) A centre for artistic creativity and the renewal of cultural expression. (j) If supervision were not too strict and authorities were more liberal.

2.2.3 *Exercises — Section A*

1.

Noun	*Verb*	*Noun*
renouveau	renouveler	renouvellement
niveau	niveler	nivellement
standard	standardiser	standardisation
uniforme	uniformiser	uniformisation

2. (a) . . . dans le cadre de . . . . (b) . . . ont été l'objet de . . . . (c) La Bretagne a la chance d'avoir conservé . . . . (d) à condition de ne pas . . . . (e) . . . du jour au lendemain . . . . (f) . . . d'autant plus de chance de . . . .

2.2.4 *Exercises — Section B*

1. (a) La Bretagne a un caractère particulier par lequel elle a su conserver son héritage culturel. (b) Les monuments historiques ont été l'objet d'un véritable pillage, contre lequel on n'a pas pu se défendre efficacement. (c) La Bretagne doit maintenir et enrichir sa tradition artisanale pour laquelle elle est partout célèbre.
2. (a) Les Bretons peuvent contribuer à leur propre avenir, à condition de ne pas se cantonner à un point de vue régional. (b) L'art et l'architecture vont fleurir, à condition de ne pas se planifier ni de se légiférer. (c) La Bretagne peut devenir un centre de la création artistique, à condition de ne pas se cantonner à une imitation servile des oeuvres du passé.
3. (a) Oui, il est grand temps qu'on fasse un tel effort. (b) Oui, il est grand temps qu'on voie une telle renaissance. (c) Oui, il est grand temps qu'on tienne un tel congrès.
4. (a) Que ce pillage se soit effectué par vol pur et simple ou par troc honteux . . . le résultat est le même. (b) . . . à condition de ne pas se cantonner à une imitation trop servile des oeuvres du passé. (c) La villa bien en vue, prétentieuse et banale se rencontre malheureusement plus souvent que l'oeuvre originale, discrète et de bon goût. (d) . . . les

habitudes ne se changent pas du jour au lendemain. (e) Rien de tout cela ne se planifie ni ne se légifère.

2.2.5 *Assignment*

Students' answers will vary, but might include the following.

Il faut absolument qu'on défende les sites historiques, parce que ceux-ci font partie de notre patrimoine.

Il serait honteux de voir disparaître le mobilier paysan traditionnel parce qu'on aurait alors recours à des tables de formica.

Il est absolument nécessaire de préserver les objets d'art, sinon on verra disparaître tout un aspect de la culture.

Que l'on veille au secteur artisanal pour ne pas être obligé d'acheter des objets stéréotypés.

Au cas où l'on négligerait l'architecture traditionnelle, on perdrait la notion d'un style breton.

Plus on essaie de conserver les traditions anciennes, plus on a la possibilité de renouveler le patrimoine.

Si l'on veut pas voir s'éteindre la langue bretonne, il faut assurer son enseignement dans les écoles bretonnes.

2.3.1 *Conversation*

(1) As a people which has its own history and culture, but is otherwise undistinguished by race or anything else from the other people of Western Europe. (2) He feels that it has been rejected and insulted. (3) The Welsh, the Irish and the Scots place emphasis on their own nationality before that of being British, whereas the Bretons are held to be French first and foremost. (4) Because he spoke Breton in front of the Headmaster. (5) 1532. (6) In the fourteenth century. (7) A Breton form of bagpipe. (8) Guitars and drums. (9) The Breton language. (10) Because more Breton speakers are dying than are being born.

Chapter 3

3.1.2 *Comprehension*

(a) The difference in soils, against which the technology available could do nothing. (b) Three to one. (c) The village was more populated than Chalons. (d) The houses were badly built and dirty, there were many beggars, and the church was in ruins. (e) By selling eggs, butter and poultry to middle-men. (f) They were thatched, with walls of earth. (g) By modernising the crops in a property abutting the château which he had bought in the commune. (h) It made the corn-merchants look for a new source of supply. (i) Buckwheat. (j) Champagne (wine).

3.1.3 *Exercises — Section A*

1. (a) bien bâties. (b) richesse. (c) malpropres. (d) extérieure. (e) malsaines. (f) petitesse. (g) diminue. (h) distincts.
2. sensible — sensitive; grand — large; la grange — barn; une étable — a cowshed; le vent — wind; propre — clean, own; la culture — crop.

3.1.4 *Exercises — Section B*

1. (a) Il se peut que les habitants aient construit leurs propres habitations. (b) Il se peut que le département ait bénéficié de la crise agricole. (c) Il se peut que vous ayez mal compris les effets de l'homme sur le paysage rural.
2. (a) Il s'en fallait de beaucoup que les circonstances fussent plus favorables dans les régions plus peuplées. (b) Il s'en fallait de beaucoup que les villageois eussent les ressources qu'il leur fallait. (c) Il s'en fallait de beaucoup que la production céréalière fût plus prestigieuse que celle du vin de Champagne.
3. (a) Quelles que fussent les différences de grandeur, les villages ne cessèrent d'être importants pour l'agriculture. (b) Quels que fussent les résultats de la crise agricole, les négociants furent obligés de trouver une source d'approvisionnement. (c) Quel que fût le mérite de moderniser les cultures, il est certain qu'il restait toujours d'importantes différences entre la prospérité de villages voisinants.

3.1.5 *Assignment*

A suggested translation is as follows:

A few kilometres further on, at La Veuve, in a community which was, surprisingly, more populous, and which contradicted Bodin's formula 'The only wealth is in man-power', the picture was very different: 'The houses here are poorly built and dirty. Beggars abound and the church is falling down.' The only outside source of wealth for this poor community was the sale of eggs, butter and poultry to middle-men, who would then go and sell these products in the town markets. At the next village, Juvigny, things were better: 'The houses are for the most part thatched, with walls of earth. The way they have been built is not very hygienic, and in general the stables and cow-sheds are extremely unhygienic because of their small size and because of the tiny amount of air that is allowed to get in. All the inhabitants are either farmers or owners. The number of people who rent farms is decreasing daily.'

3.2.2 *Comprehension*

(a) Not a single person. (b) Thousands. (c) 43,000. (d) Because some is produced by nuclear power. (e) Nuclear energy provides power for industry. (f) Because they could not allow their food to be supplied by any manufactured gadget whatsoever. (g) They seem to be wearing more or less synthetic materials, and shoes manufactured in workshops powered by electricity of nuclear origin. (h) They had bare feet, or wore sandals made of plaited straw, and were dressed in cloth made from the wool of their ewes, which had been spun on a spinning-wheel. (i) That protesters of this type are hypocritical and inconsistent in their arguments.

3.2.3 *Exercises — Section A*

1. They are all words connected with death or injury.
2. les coups de grisou (fire-damp); le cancer de la silicose; l'explosion des premières machines à vapeur; produits chimiques; fuite de gaz; des accidents de voiture.
3. (a) Pas un Français . . . n'est jamais mort des . . . . (b) Il n'importe. (c) . . . .beaucoup trépassent des suites de leurs lésions. (d) . . . car pour partie issue du nucléaire. (e) Ils ne se nourrissent que de . . . . (f) . . . ces images étaient mensongères. (g) Car on se doit d'être conséquent . . . .

3.2.4 *Exercises — Section B*

1. See original text, 3.2.1.
2. (a) Pas un Français n'est mort des suites d'un accident nucléaire. (b) Tous ceux qui refusent l'énergie nucléaire ne s'éclairent pas, naturellement, à l'électricité. (c) Ils n'utilisent aucun produit manufacturé. (d) Ils n'usent d'aucun moyen de transport non plus. (e) Ils n'accepteraient pas de se servir du petit écran pour stigmatiser l'énergie nucléaire. (f) Leur nourriture ne doit être approvisionnée par quelque engin manufacturé que ce soit.

3.2.5 *Assignment*

Students' answers will vary, but the following are suggested answers.

(a) Je ne suis pas d'accord. La radio-activité est très dangereuse. (b) Au contraire, elle est tout à fait redoutable. (c) C'est faux. Nous en avons un très petit besoin en ce moment. (d) Ce n'est pas vrai. Vous n'avez qu'à regarder l'accident de Tchernobyl. (e) Pas du tout. Les effets de la radio-activité durent beaucoup plus longtemps que ceux des produits chimiques. (f) Jamais! Il faut la rejeter à tout prix. (g) Absolument pas. Elle s'est approvisionnée jusqu'ici en important du pétrole. (h) En aucun cas. Il s'agit plutôt de l'avenir de notre monde!

3.3 *Conversation*

(1) It's a fairly new term, and didn't exist twenty years ago. (2) That factories will be built and the sites destroyed. (3) That it does not have sufficient power. (4) They find them rather funny. (5) Forest fires in the South of France. (6) They leave litter everywhere. (7) The power of money. (8) Nothing came of it. (9) They don't know who to turn to. (10) They pass the buck.

Chapter 4

4.1.2 *Comprehension*

(a) The consumer goods sector. (b) Textiles and clothes, leather and shoes, agriculture and food. (c) Developing countries with a cheap labour-force. (d) Because they are more competitive, being better adapted to the tastes of the public, and are produced by companies who have invested and modernised to become more productive. (e) In electric and electronic consumer goods. (f)

50%. (g) Her former colonies. (h) Energetic modernisation and sustained investment. (i) She does not fully use the strength of her competitive agricultural industries, and exports too many products in their raw state.

4.1.3 *Exercises — Section A*

1. (a) 67%. (b) 77%. (c) 70,7%. (d) 80%. (e) 84%. (f) 80,4%. (g) 90%. (h) 90,9%. (i) 99,9%.
2. (c) énergie. (d) autonomie. (e) sociologie. (f) psychologie. (g) biologie. (h) photographie. All are feminine.
3. (a) doté *de*. (b) envahi *de*. (c) sans rapport *avec*. (d) *à* l'état brut.

4.1.4 *Exercises — Section B*

1. (a) 50%. (b) est de 7,4%. (c) est de 8,8%.
2. (a) Le secteur des biens de consommation est un des secteurs traditionnellement forts parce qu'enracinés dans l'histoire économique du pays. (b) Il s'agit ici d'un marché envahi par des produits étrangers parce qu'incapable de concurrencer ceux-ci. (c) Il reste un autre secteur très fort parce qu'indépendant des influences étrangères.
3. (a) Que le marché soit envahi de produits allemands ou italiens, la France reste supérieure dans le domaine de l'agriculture. (b) Que la France fasse preuve d'une faiblesse ou non, ses marchés sont envahis de produits étrangers. (c) Que le secteur des biens de consommation apparaisse fort ou non, la balance extérieure s'est rapidement dégradée.

4.1.5 *Assignment*

The consumer goods sector has traditionally been one of the strengths of French industry. Thus, France appeared to be relatively specialised in sectors such as the clothes and textile industries, leather and shoes and the agricultural and food industries.

But this French 'strength' in the consumer goods industries is, in fact, a weakness. The overseas trade balance in clothes and textiles and leather and shoes has gone seriously downhill. This phenomenon appears to be reflected not only in the loss of the European markets to the benefit of products from developing countries endowed with a cheap labour-force, as well as an invasion of the French markets by these same products, but also by German and Italian goods which are more competitive because they are better adapted to the tastes of the public, and because they have been produced by firms who have been able to invest and modernise in order to become more productive.

4.2.2 *Comprehension*

(a) Those who have lost a job. (b) Because they cannot find their *first* job. (c) The State. (d) No, she's behind. (e) A third. (f) They don't take into account the 200,000 or so young people on training schemes. (g) Their training, their personal characteristics, and luck.

4.2.3 *Exercises — Section A*

1. (a) un chômeur. (b) un emploi. (c) un licenciement. (d) un contrat à durée déterminée. (e) la vie professionnelle. (f) le droit au travail. (g) le

pouvoir d'achat. (h) les tentatives. (i) la garantie de l'emploi. (j) la formation.
2. (a) réussir à. (b) s'efforcer de. (c) faire bon — . (d) continuer de. (e) avoir les moyens de. (f) être en voie de.

4.2.4 *Exercises — Section B*

1. (a) Bien que les jeunes aient cherché du travail, ils n'ont pas eu de succès. (b) Bien que beaucoup de gens aient perdu leur emploi, ils peuvent profiter d'une année sabbatique. (c) Bien que la société ait proclamé bien haut le droit au travail, elle n'a pas les moyens de le reconnaître à tous.
2. (a) Quoi que les gens fassent, ils vont trouver de la frustration et de la souffrance dans le chômage. (b) Quoi que nous pensions du chômage, nous n'avons pas les moyens de garantir le droit au travail. (c) Quoi que nous donnions à un individu, nous touchons à sa dignité personnelle si nous ne pouvons pas lui offrir un emploi.

4.2.5 *Assignment*

Beaucoup de jeunes n'ont pas encore trouvé leur premier emploi. D'autres, y compris des gens plus âgés, ont perdu leur emploi à la suite d'un licenciement ou de la fin d'une période d'essai. Quoi que l'État fasse, pourtant, il ne peut pas garantir le droit au travail. Bien qu'on offre une année sabbatique aux chômeurs, ceux-ci vont certainement éprouver de la souffrance et de la frustration. Il ne fait pas bon avoir 18 ans et chercher son premier emploi, et la moitié à peu près des jeunes qui sortent de l'école commencent leur vie professionnelle par le chômage. Environ 200 000 sont en formation chaque année au titre des pactes pour l'emploi, mais il est clair que ces premières expériences ne seront pas sans effet sur la perception qu'ont les jeunes du travail et de la vie en général.

4.3.2 *Comprehension*

(a) The arrival of 1.5 million French people from Algeria and hundreds of thousands of immigrant workers. (b) Large housing estates. (c) They were smaller and of better quality. (d) Old people, poor families and the unemployed. (e) Lower-middle-class people, immigrant workers and their families, and young unemployed people. (f) Residential estates and groups of detached houses. (g) Yes, but it is only one aspect of it. (h) Different styles of housing, with regard being given to siting, house-types, cost, etc. (i) A good social mix. (j) Segregation into different social and ethnic groups, with the risk of creating ghettos and their attendant problems of unemployment, delinquency and violence.

4.3.3 *Exercises — Section A*

1. (a) en direction de. (b) venues de. (c) dans le même temps. (d) de taille plus modeste. (e) de plus en plus. (f) à faibles ressources. (g) sans emploi. (h) à l'évidence. (i) au sein de.
2. connaître — to go through; notamment — in particular; côtoyer — to rub shoulders with; chômeurs — unemployed people; (de) naguère — (of) recent years.

3. (a) création. (b) construction. (c) urbanisation. (d) installation. (e) concentration. (f) situation. (g) diversification. (h) localisation. (i) différenciation. (j) séparation. All are feminine.

4.3.4 *Exercises — Section B*

1. See original sentences in text of 4.3.1.
2. (a) 1983. (b) 314 000. (c) 1970. (d) 500 000. (e) 1968. (f) 378 000. (g) 1980. (h) 1950. (i) 1975.

4.3.5 *Assignment*

1960	La France tire des biens de consommation un important solde commercial.
1968	Fin des importants flux migratoires en direction des grandes métropoles.
1970	7,4% de la valeur ajoutée de l'économie française dans l'agriculture, dont 6,8% dans l'industrie agro-alimentaire.
Années 70	Perte des marchés européens. Invasion du marché français par des productions étrangères. Croissance immobilière.
1977	Début de la crise économique: inflation et chômage.
1980	378 000 nouveaux logements construits.
1983	314 000 nouveaux logements construits.
1987	10% de la population active en chômage. 200 000 jeunes en formation.

4.4 *Conversation*

(1) The TGV (Train à Grande Vitesse). (2) She sees Europe as a world power. (3) Poverty. (4) Nearly everybody seems to have at least one car. (5) In the Paris region, the trains are full, as are the cinemas and theatres. (6) The factories are closing one by one. (7) 4 or 5 million. (8) North Africa. (9) By blaming problems on the immigrants, they have found a scapegoat. This reassures people. (10) The spectre of racism.

Chapter 5

5.1.2 *Comprehension*

(a) Because they had really happened. (b) Flying over Corsica, Sardinia and Calchis and seeing the land set in the sea. (c) They were merely playgrounds. (d) The tunnels of the Métro and the Juglar coal-yard. (e) Because she had no true idea of the extent of Man's powers. (f) They took her to parades, religious processions and funerals. (g) A flick of the thumb. (h) Her books.

5.1.3 *Exercises — Section A*

1. (a) Je m'enchantais *de*. (b) Je m'émouvais *de*. (c) éclairée *de*. (d) taillés *dans* le marbre. (e) tant de plaisir *à* l'étude. (f) Quant *aux* distractions. (g) *sur* les Champs-Elysées.
2. *Nouns* étude (f.); déchirure (f.); dirigeable (m.).
   Verbs émouvoir; fuir.

5.1.4 *Exercises — Section B*

1. (a) J'ai regardé les objets quotidiens se réduire à leurs fonctions. (b) J'épiais des hommes aux visages barbouillés sortir du dépôt de charbon. (c) On entendait toujours les voitures passer dans la rue. (d) Mes parents m'emmenèrent voir les souverains anglais défiler sur les Champs-Elysées. (e) J'aimais voir la bande d'images tourner rapidement dans le kinéoscope.

2. (a) La décor domestiqué de Paris ne m'étonnait guère à cette époque-là. (b) On n'était jamais allé au cinéma, ce qui ne surprit point mes amis. (c) Nous n'allions plus aux Champs-Elysées voir les défilés et les cortèges. (d) A cette époque-là, je n'avais jamais quitté Paris pour aller à la campagne. (e) Je ne m'intéressais plus aux choses enfantines.

3. (a) Oui, elle s'en enchantait. (b) Oui, elle l'y a vue. (c) Oui, on l'y emmenait. (d) Non, on ne lui en offrait guère. (e) Non, elle ne s'y intéressait pas.

4. (a) Maman me faisait soigneusement réciter mes leçons. (b) De temps en temps on me laissait sortir. (c) Lorsque mes cousins venaient nous voir, je leur faisais voir mes jouets. (d) Ce que je ne les laissais pas faire, c'était de me faire abandonner mes études. (e) Mes parents voulaient me faire sortir de la maison de temps en temps.

5.1.5 *Assignment*

A suggested answer:

Je me rappelle très clairement les livres que je lisais à cette époque-là. J'adorais surtout les contes de fées, et mes parents m'en avaient acheté plusieurs tomes que je ne cessais de lire à tout moment. Je prenais beaucoup de plaisir à feuilleter les planches au moment de me coucher.

A cette époque-là on allait rarement à la campagne. Je n'avais aucune connaissance des plantes et des animaux, mais je m'enchantais des vaches dans les champs et des fleurs que je cueillais pour maman. J'ignorais les noms de celles-ci, mais maman avait un album dans lequel on les recherchait.

J'adorais aller en ville, où je fréquentais le magasin de jouets. J'avais rarement suffisamment d'argent pour acheter de ces merveilles qui s'y étalaient, mais je me souviens d'une espèce de kaléidoscope que le propriétaire me laissait voir de temps en temps. C'était parfait.

5.2.2 *Comprehension*

(a) He would fall off his chair with a half-eaten apple or banana in his hand. (b) To wake up at dawn in order not to waste any of the precious day. (c) He had made a hose with which the boys soaked each other. (d) He wanted to make them rest for an hour after lunch. (e) They realised that they were Indians! (f) He would make the whistling noise when Marcel threw the knife. (g) Under the fig-tree. (h) That they should go and wash their hands before eating.

5.2.3 *Exercises — Section A*

1. (a) épuisés. (b) rongée. (c) grogner. (d) la citerne. (e) s'effondrent. (f) la guérite. (g) la lame. (h) le pemmican.

2. *Point in time* de bonne heure; au moment où; chaque soir; à l'aurore; vers sept heures; alors; quand; après cette effroyable menace; après le déjeuner; parfois.
   Sequence of events qui commençait par; puis; jusqu'à ce que.

5.2.4 *Exercises — Section B*

1. (a) Je rattrapai Paul, afin de ne pas le laisser tomber. (b) Paul se retourna vers le mur, afin de ne pas être obligé de se lever. (c) Nous nous reposions une heure, afin de ne pas prendre un coup de soleil. (d) Nous sortîmes en catimini, afin de ne pas être vus de papa.
2. (a) Il ouvrit les yeux tout grands. (b) Nous descendions tout nus. (c) Maman était toute fâchée. (d) Enfin nous étions tout trempés. (e) Maman et la tante Rose furent tout étonnées de nos aventures.
3. (a) Nous ne sortions qu'après notre repos. (b) Nous ne rentrions qu'à midi. (c) Paul ne retournait que le soir. (d) Nous ne déjeunions qu'à notre retour à la maison. (e) On ne nous permettait de manger que quand nous avions les mains propres.
4. (a) Le petit Paul devait vouloir continuer à dormir, car il grognait lamentablement au réveil. (b) Mon père avait dû avoir une idée géniale, car il nous a créé une douche improvisée. (c) Mon arc doit être le vrai article, car il est venu tout droit de la boutique du brocanteur. (d) Nous avons dû jouer aux Indiens pendant de longues journées, car j'en garde d'excellents souvenirs. (e) Je devais être très sale, car mon père m'a dit d'aller me laver les mains.

5.1.5 *Assignment*

A possible answer:

A cette époque-là, nous habitions toujours la vieille maison de mon père. Lui avait été élevé dans cette demeure ancienne, et il n'avait aucune intention de déménager. Ma mère espérait trouver une nouvelle maison, car elle aimait tout ce qui était neuf. Quant à mon frère, ça lui était égal, car il n'avait à ce moment-là que deux ans.

Le matin, maman se levait la première d'habitude, préparait le café et les tartines et se mettait au travail, tandis que nous autres descendions tout ébouriffés pour nous asseoir autour de la grande table de la cuisine.

Un jour qu'elle avait la grippe, ce fut papa qui se leva le premier pour préparer le petit déjeuner. On l'entendait qui remuait dans la cuisine. A plusieurs reprises on entendit des assiettes qui se brisaient. Pendant le matin, il se mit à préparer le déjeuner, mais il fut obligé de monter dans la chambre pour demander à maman où se trouvait tel ou tel ustensile, ou comment on préparait tel ou tel plat.

Le soir maman décida de se lever — elle en avait eu assez des efforts de papa.

«Chérie, lui dit papa finalement, je pense qu'il faut déménager. Cette maison est beaucoup trop grande pour nous. On n'y peut rien trouver. Il y a trop de travail ici, tu n'es pas d'accord?»

Maman sourit. «Oui, répondit-elle, il y a trop de travail ici pour un seul homme.»

5.3 *Conversation*

(1) Fleeting images and little flashes. (2) A little nursery school on the boulevard Saint-Michel. (3) The gardens of the Luxembourg. (4) A puppet show. (5) People tended to stay at home more, and they meet less in a large city because it's busier. (6) She doesn't think that she's suffered or become spoiled. (7) Dolls, teddy bears and push-chairs. (8) If you give them an expensive present, they're happy with it for about three minutes. Then they'll turn to something like a piece of rag. (9) They have different needs, and they are not particularly interested in things. (10) When they are teenagers.

Chapter 6

6.1.2 *Comprehension*

(a) The choice of a career. (b) The joys of idleness. (c) She became carefree, joyful and young. (d) Watching the countryside change through the seasons and learning to ride. (e) Climbing the bilberry-covered paths, seeing the homes of the mountain-people, where everything was a masterpiece of carved wood, and seeing the lake known as the Eye of the Sea. (f) The parents prepared game, and the girls made cakes or sewed ribbons onto colourful costumes. (g) To escort the girls, lighting the way with torches. (h) They never missed a single note, despite the bumps and jolts of the sledges.

6.1.3 *Exercises — Section A*

1. (a) en échange *de*. (b) sa passion *de*. (c) affublée *de*. (d) brillants *de*. (e) les montées *dans*. (f) le signal *de*. (g) *à* la hâte. (h) vêtues *en*. (i) *dans* la neige. (j) *sur* les pentes glacées.
2. *Masculine* changement; élevage; chevaux.
    Feminine année; paresse; ardeur; passion; existence; fille; province; saisons; beautés; famille; contrée; cinquantaine; culottes; cavalière.

Commentary

Position of adverbs Elle trouve *à peine* le temps — She *hardly* finds time. Elle ira, *pendant un an*, vivre à la campagne — She will go and live *for a year* in the country.

6.1.4 *Exercises — Section B*

1. (a) Quand elle arrive à la campagne, comme elle est joyeuse! (b) Lorsqu'elle délaisse ses livres de classe, comme elle est contente! (c) Dès qu'elle voit ce lac étincelant, comme elle est enchantée! (d) Lorsqu'elle se trouve au milieu de cette famille bruyante, comme elle est heureuse! (e) Dès qu'elle entend les airs enivrants de ces danses, comme elle est charmée!
2. (a) On serait facilement tenté d'imaginer l'enfant de génie obsédée par une vocation précoce. (b) A ce moment un bel entr'acte champêtre s'intercale dans l'histoire de cette belle fille de professeur OR Un bel entr'acte champêtre s'intercale à ce moment dans l'histoire de cette belle fille de professeur. (c) Elle découvre constamment de nouvelles

beautés à la terre polonaise sur laquelle la famille est dispersée. (d) Elle est complètement captivée par la vue de ces montagnes brillantes de neige et par les forêts de sapins raides. (e) Ce soir-là, Mania s'est beaucoup amusée au kulig.

3. (a) En échange de vagues leçons qu'elle donnait à leurs enfants, ou du paiement d'une pension minime. (b) Elle découvrait constamment de nouvelles beautés à la terre polonaise. (c) Ils brillaient de neige. (d) Elle donnait le signal de passionnants branle-bas. (e) Elle était affublée de culottes peu élégantes, empruntées à ses cousins.

4. (a) Mania travaille jusqu'à ce que l'on parte pour la campagne. (b) Mania continue de s'amuser jusqu'à ce qu'elle n'ait plus la force de prendre sa plume. (c) Elle monte à cheval et apprend le galop et le trot enlevé jusqu'à ce qu'elle devienne une vraie cavalière. (d) Les jeunes filles restent dans un état d'excitation jusqu'à ce que les traîneaux arrivent. (e) Les quatre musiciens jouent jusqu'à ce que leurs camarades soient prêts à les rejoindre.

6.1.5 *Assignment*

A possible answer:

Finis les examens, fini le travail! Anne est enfin libre d'embrasser sa carrière de photographe. Les grandes vacances s'étendent devant elle. Son appareil en bandoulière, elle part à la recherche de ces vues qui vont la rendre célèbre. La campagne lui révèle de nouvelles beautés qu'elle s'efforce de saisir au fur et à mesure qu'elles se découvrent. Ses premiers essais, conservés maintenant au Musée National de la Photographie, reflètent une sensibilité naissante qui s'épanouira au cours des dernières années de son adolescence. Comme elle est heureuse!

6.2.2 *Comprehension*

(a) Because she had seen his attempts at being attractive. (b) With much elbow-grease. (c) So that they looked like ski-trousers. (d) Sometimes on top of the piles of paper, sometimes in the street, and sometimes under the sheets at night. (e) Although it could not console him, it showed him the true nature of his suffering and transmuted it into gold. (f) He already had innumerable friends in his books. (g) He abandoned evil and neurosis and tried to come close to the music of Apollinaire. (h) First, that they were so beautiful, and second, that they were even more beautiful than the things to which they referred.

6.2.3 *Exercises — Section A*
1.

Noun	Adjective	Verb
déception (f.)	déçu	décevoir
merveille (f.)	merveilleux	(s')émerveiller
contentement (m.)	content	contenter
écriture (f.)	écrit	écrire
lecture (f.)	lisible	lire
compréhension (f.)	compréhensible	comprendre
lointain (m.)	lointain	(s')éloigner
rapprochement (m.)	proche	rapprocher
beauté (f.)	beau	embellir

2. (a) *par* exemple. (b) Si je ne m'occupais pas *de* toi. (c) ornée *de*. (d) son appétit *de* lecture. (e) ... et le transformait *en* or. (f) des plaisirs *à* profusion. (g) Il n'apprenait pas tout *par* les livres. (h) ... pour se rapprocher *de* la musique d'Apollinaire.

6.2.4 *Exercises — Section B*

1. (a) Pour qu'Olivier pût paraître assez élégant, la tante Victoria décida de lui offrir des vêtements neufs. (b) Elle fut assez généreuse pour qu'il eût de quoi impressionner les jeunes filles de sa connaissance. (c) Pour qu'Olivier se fît une bonne idée du monde, son oncle lui donnait de l'argent pour acheter des livres.
2. (a) Olivier avait lu un livre d'Apollinaire auquel il fit souvent référence. (b) Il adorait ses livres de poésie auxquels il consacrait beaucoup de temps. (c) Ce qui lui importait, c'était la musique de la poésie à laquelle il prêtait toujours attention.

6.2.5 *Assignment*

A possible answer:

Une ère nouvelle s'ouvrait. Malgré ses rêves déçus, Alain prit une décision: il deviendrait écrivain. Seuls ses écrits lui permettraient d'exprimer tout ce qu'il éprouvait en ce moment. Par les livres il parviendrait à communiquer la nature de son mal, de sa solitude. Il multiplia donc son appétit de lecture, et dévora toutes sortes de littérature. Il y glanait autant de questions que de réponses, mais sa lecture le rapprochait des grands noms du passé. Il lui sembla que tout lui serait enfin révélé, si seulement il s'acharnait à poursuivre la route qu'il avait choisie.

6.3.2 *Comprehension*

(a) All that mattered was that they should go. (b) They thought that she was interested in *them*. (c) She was a year older and more experienced in these things. (d) Because people were looking at her, which proved the effect. (e) He was probably a father, and anyway he was on foot. (f) She quite liked it when men and boys turned to look at her. (g) It got her the reputation of being interested in motors. (h) That they could talk. (i) To learn to drive.

6.3.3 *Exercises — Section A*

1. T'as tapé dans l'oeil à Didi = Didi te trouve attirante; dans le coup = au courant; rudement = extrêmement; gueule = figure; patate = idiote; se marrant = riant; crevais = mourais; cracher sur = rejeter; types = hommes; je m'en fous = cela m'est égal; fortiches = forts; machin = chose.
2. caracoler = se faire valoir; se passer de = se priver de; en avoir à = manifester quelque intérêt à l'égard de quelqu'un; d'avantage = plus; d'ailleurs = en plus; néanmoins = de toute façon; constater = noter; poser = donner une certaine réputation à; viser = avoir comme but; vouloir.

1. (a) Ce type-là, il était vraiment idiot / Il était vraiment idiot, ce type-là. (b) Ces franges, elles étaient vraiment bêtes / Elles étaient vraiment bêtes, ces franges. (c) Les autres filles, elles étaient vraiment jolies / Elles étaient vraiment jolies, les autres filles. (d) Les garçons, ils croyaient que je m'intéressais à eux / Ils croyaient que je m'intéressais à eux, les garçons. (e) Ce garçon, il a fini par me laisser monter / Il a fini par me laisser monter, ce garçon.

2. (a) Je les regardais tous les soirs, les garçons / Les garçons, je les regardais tous les soirs. (b) Je ne les aimais pas beaucoup, ces idiots-là / Ces idiots-là, je ne les aimais pas beaucoup. (c) Je le détestais, ce type / Ce type, je le détestais. (d) J'en avais besoin, de cette moto-là / De cette moto-là, j'en avais besoin. (e) J'en avais honte, de ma coiffure / De ma coiffure, j'en avais honte. (f) Je pouvais m'en passer, de ces franges / De ces franges, je pouvais m'en passer.

3. (a) Je les adorais, ces petites motos-là. (b) Il était assez gentil, ce type. (c) J'en avais besoin, de ces leçons de conduite. (d) Elle était davantage au courant des choses, Liliane. (e) Je l'aimais beaucoup, Liliane.

4. (a) Je n'avais que deux buts — monter en scooter et sortir de Paris. (b) Je ne m'intéressais qu'aux scooters. (c) Jo n'avait qu'à regarder les types qui passaient. (d) On n'a qu'à lire *Les Petits Enfants* pour apprendre de l'argot. (e) Ces garçons ne possédaient qu'une chose que Josyane voulait — un scooter.

5. (a) Les garçons ne faisaient que se lancer sur l'avenue. (b) Josyane ne faisait qu'essayer de se rapprocher des scooters. (c) Les jeunes filles ne faisaient que monter en croupe. (d) Nous ne faisons qu'attendre à la grille. (e) Le soir, les jeunes ne font que flâner dans les rues.

6.3.5 *Assignment*

Le soir, on attendait à la grille, où l'on regardait les garçons caracoler sur leur scooter. Je les dévorais des yeux — les scooters, je veux dire.

—Tu veux monter en croupe? me demanda Liliane.

Je hochai la tête.

—T'as tapé dans l'oeil à André, m'informa-t-elle. Si tu te coiffais, tu aurais plus de chance de monter.

Elle avait un an de plus que moi, de sorte qu'elle était davantage dans le coup. Je décidai de suivre ses conseils, et me rebroussai les cheveux. Ça ne me faisait pas souffrir de savoir que les garçons tournaient la tête quand je passais. De toute façon, c'était un progrès.

Finalement je me rapprochai des scooters, et un des garçons me laissa monter dessus. Il me fit voir comment ça marchait. Maintenant je pouvais atteindre mes deux buts — qu'on m'apprenne à conduire et que je sorte de Paris.

6.4 *Conversation*

A suggested answer:

Marc pense que les jeunes d'aujourd'hui reçoivent beaucoup plus d'informations par rapport à quand il était jeune. Moi je suis tout à fait d'accord — il y a maintenant la télévision, facteur dominant dans l'audio-visuel, et puis la radio, les livres et les journaux. Marc pense que toute cette information prépare les adolescents à une vie un peu différente de la sienne. Il a tout à fait raison.

A l'avis de Catherine, les jeunes d'aujourd'hui sont beaucoup plus ouverts que les jeunes de sa génération. A mon avis, c'est faux — les gens ne changent pas de génération en génération, et si les jeunes semblent plus ouverts, ce n'est qu'une impression superficielle. Elle affirme aussi qu'ils ne s'intéressent à rien en particulier. Personnellement, je n'accepte pas cela.

Pour Marc, les jeunes savent s'amuser, et ils sont adultes plus tôt que sa génération ne l'était. Moi, j'abonde dans son sens. On est plus adulte, et donc on veut un maximum de liberté. Selon Marc, on est très décontracté aujourd'hui, tandis qu'eux étaient plus rigides. Moi, je dirais plutôt qu'on donne l'impression d'être décontractés, mais on a beaucoup plus de problèmes que les jeunes de la génération de Marc et Catherine n'en avaient.

Chapter 7

7.1.2 *Compréhension*

(a) Il y en attribue très peu. (b) Parce qu'elle se développe le plus difficilement et le plus tard. (c) On risque d'élever des enfants disputeurs et mutins. (d) Il doit ajouter aux motifs raisonnables ceux de convoitise, de crainte et de vanité. (e) Le mal, c'est ce qu'on vous défend. (f) Il se conduira en sorte qu'on n'en sache rien. (g) C'est un cercle inévitable. (h) Connaître le bien et le mal et sentir la raison.

7.1.3 *Exercices — Section A*

1. pourtant = cependant; sot = bête; le chef-d'oeuvre = le comble; mutin = rebelle; la convoitise = le désir.

Commentaire

Les exemples du «jeu de massacre» sont les suivants: *De toutes les facultés de l'homme, la raison, qui n'est, pour ainsi dire, qu'un composé de toutes les autres, est celle qui se développe le plus difficilement et le plus tard; et c'est de celle-là qu'on veut se servir pour développer les premières! Le chef d'oeuvre d'une bonne éducation est de faire un homme raisonnable, et l'on prétend élever un enfant par la raison!*

7.1.4 *Exercices — Section B*

1. (a) C'est sur un système philosophique discrédité que Rousseau écrit dans son livre. (b) C'est la raison que les philosophes veulent utiliser, et non pas les émotions. (c) Selon Rousseau, c'est de cette faculté-là qu'on ne peut aucunement se servir. (d) Ce sont les doctrines de Locke et de ses disciples que Rousseau souhaite critiquer. (e) C'est la possibilité d'élever des enfants mutins que Rousseau espère éviter.
2. (a) Si Rousseau approuvait le système de Locke, il ne jetterait pas le discrédit sur ses propos. (b) Si le système des rationalistes tenait, il ne

faudrait pas le rejeter. (c) Si les propos de Locke connaissaient le succès, Rousseau ne s'en moquerait pas.

3. (a) Rousseau s'est vu emprisonner pour avoir tenu des propos dangereux. (b) Locke a été critiqué pour avoir élaboré des théories ridicules. (c) Si l'on suit les théories de ce genre, on est ridiculisé pour avoir élevé un enfant mutin. (d) On accepte ce que disent les «savants», et on le paie cher pour avoir été dupe de théories à la mode. (e) Rousseau a été fêté pour avoir élaboré des théories sur la liberté de l'homme.

7.1.5 *Devoir*

Exemples:

(a) Les théories sur la liberté des enfants étaient très en vogue pendant les années 60. De grands savants souscrivaient à ces théories, et il semblait que l'on en était au seuil d'un nouvel âge. Quoi de plus révoltant, pourtant, que les enfants maldisciplinés de cette époque-là qui sont les adultes d'aujourd'hui.

(b) Le rôle du professeur est souvent mis en question. C'est le professeur qui, selon les parents, est responsable de la discipline de ses charges, et quand la discipline s'effondre, c'est la faute du professeur. Et pourtant ce sont les parents qui ont la charge des enfants pendant dix-huit heures sur vingt-quatre.

7.2.2 *Compréhension*

(a) Qu'il y a huit millions de personnes en France qui ne savent pas lire. (b) Le quart. (c) Un système incohérent d'apprentissage à la lecture. (d) Parce que chaque fois que l'on apprend quelque chose à un enfant on lui prend l'opportunité de le découvrir lui-même. (e) Pour que l'élève lui-même en déduise les enseignements. (f) C'était le seul moyen de maîtriser les difficultés du système orthographique. (g) Que le nombre des enfants de cadres ayant suivi une scolarité normale est presque deux fois plus élevé que celui des enfants de salariés agricoles. (h) Il faut que le rôle de l'école soit redéfini, mais l'école doit rester «l'école de la vie». (i) Que les psychopédagogues des années 60 avaient été trop irréalistes.

7.2.3 *Exercices — Section A*

1. (a) Pourtant, pour le quart des élèves accédant à la sixième . . . . (b) Chaque fois qu'on apprend quelque chose à un enfant . . . . (c) Parmi les aberrations de l'enseignement nouveau style . . . . (d) . . . force est de constater que . . . . (e) Aujourd'hui, on commence à prendre conscience de la gravité du problème.

Commentaire

Il n'y a pas de verbe dans la première phrase. Par conséquent on a l'impression d'un grand titre de journal qui frappe le lecteur.

7.2.4 *Exercices — Section B*

1. (a) Lire est un véritable calvaire, compter un casse-tête chinois et écrire correctement une mission impossible. (b) Apprendre à lire, écrire et

compter est toujours un jeu. (c) Apprendre pour le plaisir n'est plus un jeu.

2. Lorsqu'un élève commence *à* apprendre *à* lire et *à* écrire, tout est pour lui un jeu. Cependant il y en a des milliers qui ne parviennent pas *à* maîtriser les systèmes nécessaires. Ceux qui ne réussissent pas *à* le faire constituent une proportion effrayante de la population, Le problème, c'est que dans les années soixante, on avait coutume *de* mettre en question un système bien fondé qui se devait *d'*evoluer.

3. (a) Monsieur Gerard Mensier, directeur de l'Ecole Saint Louis, ... (b) Madame Thatcher, (le) Premier Ministre britannique, ... (c) Jean Dutourd, le célèbre écrivain français, ... (d) Alain Quinquet, chômeur, ... (e) M. Pierre Dufour, commerçant du quartier, ...

4. (a) Ici, un élève sur deux ne sait pas lire. (b) Heureusement, six adultes sur sept savent lire. (c) Trois enfants de cadres supérieurs sur quatre ont suivi une scolarité normale.

7.2.5 *Devoir*

Il y a huit millions d'illettrés en France, et l'école en est la première accusée. Beaucoup d'enfants ont des problèmes, ne sachant pas lire, compter ou écrire. Cela implique que les systèmes de base ne fonctionnent pas bien. Les événements de mai 68 y sont pour beaucoup, car c'est à cette époque-là que tout a changé. On a abandonné le «par coeur» et la dictée, ainsi que l'apprentissage des tables de multiplication. Les enfants de cadres supérieurs sont plus favorisés, suivant une scolarité normale, d'où l'on tire que le milieu socioculturel de l'enfant n'est pas sans effet sur les progrès de l'élève. Le rôle du professeur est en train de changer, mais les élèves ont toujours besoin de diplômes. Cela implique que les écoles doivent changer, sans pour autant cesser de préparer les enfants à la vie. Les psychopédagogues reconnaissent maintenant avoir été fautifs. On en conclut, alors, qu'il faut réexaminer tout le problème de l'enseignement primaire.

7.3.2 *Compréhension*

(a) Faux. (b) Faux. (c) Vrai. (d) Faux. (e) Vrai. (f) Faux. (g) Vrai. (h) Faux.

7.3.3 *Exercices — Section A*

1. (a) les classes moyennes. (b) à la différence de. (c) qu'ils ignorent. (d) vivre au présent. (e) (leur) fréquentation assidue du troquet. (f) peu portés à. (g) à la façon de. (h) sur le champ. (i) Ils se posent en. (j) l'école y est pour beaucoup.

2. A: appartiennent, s'inscrivant, s'insérant, représentatifs. B: paumés, désadaptés, largués, à la dérive, indifférents. C: absence, dépourvus, dénuement.

7.3.4 *Exercices — Section B*

1. (a) Les adolescents n'ont ni-attaches ni perspectives. (b) Ils ne s'inscrivent ni dans la tradition familiale ni dans la culture éducative. (c) Ces jeunes ne présentent ni signes de délinquance ni signes de déviance.

2. (a) En abandonnant une culture traditionnelle, les adolescents se trouvent à la dérive entre le passé et l'avenir. (b) En écrivant d'une façon amère, l'auteur espère attirer l'attention sur le sort des jeunes d'aujourd'hui. (c) En attaquant la famille, les jeunes cherchent à justifier leur mal-être.

3. (a) Ne respectant plus la tradition familiale, ces adolescents se réfugient à l'écart du foyer familial. (b) Ne présentant pas de signes de délinquance, ils sont représentatifs de la majorité des jeunes. (c) N'ayant ni attaches ni perspectives, ils sont complètement désadaptés. (d) Ils sont conditionnés et complètement irresponsabilisés, et attendent donc des autres une prise en charge totale. (e) Elle ne sert plus à grand'chose, et la famille est donc la première responsable de leur mal-être. (f) Ils ont besoin de confidents et de tuteurs, et les adolescents regrettent donc que les professeurs partent, les cours terminés.

7.3.5 *Devoir*

M. le Rédacteur en chef,
La Dépêche de Paris,
Rue du Louvre,
Paris.

Bristol, le 23 mai 198..

Monsieur,

J'ai lu votre article sur les adolescents d'aujourd'hi, paru dans La Dépêche du 20 mai. Je me permets d'attirer votre attention sur les points suivants.

La culture dans laquelle les jeunes d'aujourd'hui ont été élevés est une culture qui rend hommage à tout ce qui est traditionnel. Ne s'inscrivant plus dans une culture de ce genre, les adolescents d'aujourd'hui sont à la recherche d'un mode de vie qui reflète tout ce qui est jeune, moderne et neuf.

Que l'auteur ait attiré l'attention de vos lecteurs sur le sort des jeunes est assurément louable. Il était certainement temps que le grand public prenne conscience de la situation des adolescents d'aujourd'hui. Il est donc d'autant plus ironique que les parents de ces mêmes jeunes se trouvent parmi vos lecteurs, car ils sont en grande partie responsables de leur mal-être.

Les étudiants d'aujourd'hui sont toujours prêts à apprendre. C'est pour cela qu'ils souhaitent que leurs professeurs deviennent leurs confidents. Reste le problème de l'apprentissage. Ces nouveaux esprits ne sont plus prêts à digérer des informations périmées ou inutiles. Que l'école prépare des programmes utiles et intéressants, en consultation avec les consommateurs de ceux-ci, et on verra certainement un intérêt renouvelé au sein de nos collèges et de nos lycées.

Veuillez agréer, Monsieur, l'expression de mes sentiments distingués.

P. Legrand

Chapter 8

8.1.2 *Compréhension*

La plupart des nouveaux mots français sont puisés dans le français lui-même. Le Français moyen croirait que certains mots ne sont pas d'origines étrangères. L'évolution d'une langue est inévitable, voire nécessaire. Contrairement à ce que l'on croit, il n'existe pas une seule langue française. Il y a plutôt plusieurs variétés de langage. Il s'agit non seulement des langages techniques, mais aussi des parlers régionaux. Certains parlers sont encore plus riches que le langage des auteurs classiques. En fin de compte, la langue française s'adapte à toutes sortes d'usages.

8.1.3 *Exercices — Section A*

1. (a) un dictionnaire des anglicismes. (b) le parler «branché» des jeunes. (c) les vocabulaires spécialisés des sciences et des technologies. (d) (aux) erreurs superficielles de l'orthographe, du vocabulaire.
   Le français emploie toujours l'article défini là où il n'y pas d'article en anglais.

Commentaire

communisme; socialisme; fascisme; impérialisme — tous sont masculins, comme le sont tous les noms en -isme.
acte; adulte; limite; pilote; prétexte; tente; visite — le genre n'est pas prévisible.

8.1.4 *Exercices — Section B*

1. (a) Ce qui est remarquable, c'est le pouvoir d'adaptation de la langue. (b) Ce qui apporte une vraie moisson de néologismes, c'est le parler branché des jeunes. (c) Ce qui existe, ce sont *des* langues françaises et *des* usages.
2. (a) Ce qu'on remarque, c'est la diversité des parlers régionaux. (b) Ce que les sciences et les technologies apportent, c'est une variété importante de la langue. (c) Ce qu'un vigneron de Bourgogne peut employer, c'est un vocabulaire plus large que celui de Racine.
3. (a) Que vous fassiez un effort pour examiner la langue et vous verrez qu'elle a de remarquables pouvoirs d'adaptation. (b) Que nous admettions la distinction de Mitterand et nous verrons qu'il existe plusieurs genres de français. (c) Que les défenseurs du français reconnaissent le besoin qu'il y a de nouveaux mots et la langue fera des progrès. (d) Qu'ils n'aient pas la sagesse de reconnaître ce besoin et le français se verra dépasser par l'anglais.
4. (i) toutefois — Réservation; du reste — Liaison; à vrai dire — Concession; c'est-à-dire — Explication; mais aussi — Amplification. (ii) (a) c'est-à-dire. (b) toutefois. (c) à vrai dire. (d) du reste. (e) mais aussi.

8.1.5 *Devoir*

Une réponse proposée:

La survie de toute espèce biologique dépend de ses pouvoirs d'adaptation. Il en est de même pour les langues. Bien que les puristes parlent d'un «âge d'or» linguistique, il n'a jamais existé une telle période, et la langue française doit son existence non pas aux dramaturges classiques, mais à sa capabilité de s'adapter.

Au moment où Molière écrivait ses pièces comiques, il n'y avait ni hélicoptères ni puces électroniques. Par conséquent on n'avait pas besoin de termes techniques de ce genre. S'il a fallu les inventer, c'est qu'il était nécessaire de trouver un moyen de se référer à ces nouveautés. A toute invention une appellation. La langue classique ne suffisait pas, et s'il avait fallu s'en tenir là, il est hors de doute qu'on aurait eu du mal à faire des progrès techniques.

L'argot des jeunes est souvent critiqué. Est-il nécessaire, demandent les adultes, de créer de nouveaux mots, quand on dispose déjà d'un vocabulaire conventionnel qui est connu de tous? Peut-être qu'ils ne comprennent pas que les jeunes ont besoin de codes secrets que seuls leurs contemporains comprennent. Peut-être qu'ils ne savent pas non plus que l'argot d'aujourd'hui devient souvent le vocabulaire de demain.

La langue française est certainement menacée aujourd'hui par l'anglais, langue mondiale d'une puissance extraordinaire. Toute langue se doit de se développer, et si la langue française n'est pas à même de s'adapter, la concurrence de la langue anglaise assurera en deux cents ans sa disparition complète. Le patrimoine linguistique ne saurait être conservé dans le musée de l'Académie Française. Le français est une langue vivante et doit continuer de l'être.

Sans néologismes, sans argots, sans la possibilité d'évoluer, le français est voué à la disparition. Que l'on se borne à la langue du passé, et on se borne à une société du passé. Français — gare à vous!

8.2.2 *Compréhension*

(a) Un manque de fidélité apparent. (b) Un scénario, c'est un outil qu'on peut changer comme il le faut. (c) S'il n'a pas de but, le résultat peut être superficiel. (d) Il les découvre en les faisant parler. (e) Il le compare à une sage-femme. (f) La tâche d'un metteur en scène est d'accoucher l'acteur de l'enfant qu'il porte en lui. (g) Ils doivent tâcher de sortir leur conviction intérieure.

8.2.3 *Exercices — Section A*

1. (a) la prise de vues. (b) le scénario. (c) les décors. (d) le metteur en scène. (e) un acteur.
2. (a) à son insu. (b) faute de. (c) dans le temps. (d) en lui.

8.2.4 *Exercices — Section B*

1. (a) Renoir croit avoir découvert les caractères en les faisant parler. (b) Il estime aussi avoir accouché ses acteurs d'enfants dont ceux-ci ne soupçonnaient pas la présence. (c) Ce metteur en scène pense en être arrivé à une formule artistique: accoucher et non pas créer.

2. (a) Sa connaissance de l'environnement sera utilisée par le metteur en scène. (b) Lors du tournage, les caractères des personnages sont découverts par l'auteur du film. (c) La conviction chez certaines gens a souvent été étouffée par l'amas de mensonges dont est pavée notre existence. (d) Renoir croyait que l'essence du film serait révélée par le temps.
3. (a) La difficulté est d'établir un rapport entre le scénario et le tournage. (b) L'essentiel est de collaborer avec ses acteurs et ses techniciens. (c) Le but du metteur en scène est de rester fidèle à l'esprit général de l'oeuvre. (d) Le plus difficile est de découvrir les caractères en les faisant parler. (e) La tâche de l'acteur est de suivre les instructions du metteur en scène.

8.3 *Conversation*

(1) L'impérialisme de la langue anglaise. (2) Parce qu'il y a un certain snobisme qui s'attache à la langue anglaise. (3) La langue française est très difficile à apprendre, plus que n'est l'anglais. (4) Dans les domaines de l'informatique et de l'aéronautique. (5) Les Etats-Unis et l'Australie. (6) En 1636. (7) Parce que l'Académie Française lui a interdit de changer. (8) Elle a du mal à s'adapter à un monde qui est en train de changer. (9) Elle utilise une terminaison anglaise ou même un mot anglais, en changeant le sens. (10) Les anciennes colonies de l'Angleterre ont connu un développement considérable, tandis que celles de la France ont subi un développement réduit, quand ce n'est pas une récession.

Chapter 9

9.1.2 *Compréhension*

(a) Du côté de l'homme. (b) Non, l'un est supérieur et l'autre subalterne. (c) Le soldat et son chef, le valet et son maître, l'enfant et son père, un moine (petit frère) et son supérieur. (d) Elle doit être encore plus docile, obéissante, humble and respectueuse. (e) Elle doit baisser les yeux. (f) Il risque de blesser son honneur. (g) Elle doit se garder d'imiter les coquettes et d'écouter les propos de jeunes hommes. (h) Son âme deviendra noire comme un charbon, et elle ira bouillir aux enfers pour toute éternité.

9.1.3 *Exercices — Section A*

1. *Supériorité, etc.:*   la toute puissance; suprême; qui gouverne; le chef; son maître; son père; son supérieur; son chef; son seigneur; son maître; faire grâce; mon honneur.
   Infériorité, etc.:   la dépendance; subalterne; soumise; le soldat; le valet; un enfant; le moindre petit frère; la docilité; l'obéissance; l'humilité; profond respect; son devoir; baisser les yeux; n'oser jamais le regarder en face.
2. (a) la dépendance. (b) l'égalité. (c) l'obéissance; (d) le supérieur. (e) sérieux. (f) baisser. (g) mal. (h) propre.

9.1.4 *Exercices — Section B*

1. (a) Il faut que la femme se garde d'être libertine. (b) Il faut qu'elle obéisse à son mari. (c) Il faut qu'elle se garde de regarder son mari en face quand il lui parle. (d) Il faut qu'elle se garde d'imiter des femmes coquettes. (e) Il faut qu'elle se garde d'écouter les propos de jeunes hommes. (f) Il faut qu'elle montre un profond respect envers son mari.
2. (a) Bien que Molière ait écrit sur un ton chauvin, il se moquait d'Arnolphe. (b) Bien qu'il y ait un ton didactique, ses paroles ne sont pas à prendre au sérieux. (c) Bien qu'il se moque de la société chauvine, certaines femmes s'en prennent toujours à lui. (d) Bien que le Mouvement pour la Libération des Femmes soit né au 20e siècle, le rôle des femmes se discute depuis longtemps. (e) Bien que *L'Ecole des Femmes* ait été beaucoup critiquée lors de sa parution, c'est toujours une pièce très importante pour les féministes.

9.2.2 *Compréhension*

La culture tend à changer la nature. Les hommes tendent à se libérer de la nature. C'est ainsi qu'ils réussissent à déterminer leur propre destinée. La femme peut être plus ou moins différente de l'homme. La possibilité d'un rapprochement des sexes ne correspond pas aux désirs des êtres humains. Un «brave nouveau monde» ne donnerait pas le moyen de remplacer l'amour. Bien qu'on désire voir l'égalité des sexes, on ne veut surtout pas en voir une uniformisation.

9.2.3 *Exercices — Section A*

1. (a) ... la culture, qui *de plus en plus* règlemente les rapports entre les sexes. (b) *De plus*, les découvertes scientifiques.... (c) Chaque culture particulière a sa manière originale de le faire; elle y parvient *plus ou moins*. (d) Si la fonction de reproduction paraît devenir *de moins en moins* la raison d'être du couple homme–femme.... (e) Il n'est pas étonnant alors de voir les hommes, et *plus encore* les femmes....
2. *Adjectifs:* préparatoire; obligatoire.
   Substantifs: observatoire (m.); ivoire (m.); histoire (f.); gloire (f.). Il n'est pas possible de prédire le genre d'après cette terminaison.
3. changement; développement. Les noms dont la terminaison est -ment sont *masculins*.
   évolution; direction; communication; aspiration; libération; exaltation; uniformisation; généralisation. En général, les noms dont la terminaison est -ion sont *féminins*, à quelques exceptions près.

9.2.4 *Exercices — Section B*

1. (a) Il est essentiel de faire remarquer que la culture règlemente les rapports entre les sexes. (b) Il est facile de montrer que l'instabilité de certains caractères sexuels relève de la culture. (c) Il est difficile de soutenir la thèse que la soi-disant supériorité de l'homme relève de la nature.
2. (a) Sans reprendre les vieux débats sur la philosophie de la nature, il est important de souligner ici le rôle de la culture. (b) Cette transformation se produit progressivement, sans qu'il y ait une division nette

173

entre les étages. (c) La culture change le rôle des sexes, sans que la société en prenne conscience. (d) Sans envisager un «brave nouveau monde», on peut toujours voir la possibilité de modifier le rapport entre les sexes. (e) On recherche souvent l'égalité, sans que les hommes comprennent ce que cela implique.

9.2.5 *Devoir*

Une réponse proposée:

—Ce que je voudrais voir, moi, c'est une charte pour les droits de la femme.

—Moi, je m'opposerais complètement à une telle charte.

—Et puis il faudrait avoir l'octroi d'un salaire de ménagère.

—Un salaire de ménagère! Moi, je m'opposerais formellement à cela! Quelle idée!

—Personnellement, je soutiendrais l'égalité des sexes au regard de la loi.

—Moi, je n'accepterais jamais la notion d'égalité. Les hommes sont supérieurs!

—Il faut absolument qu'on ait aussi une prolongation du congé de maternité.

—Jamais de la vie! Ce serait ridicule, une telle prolongation. Ça ne suffit pas, alors, neuf mois?

—Moi, je prônerais l'établissement d'un congé de paternité, pour que le père puisse soigner le bébé, lui aussi.

—Hors de question, un tel congé. C'est à l'homme de travailler, en fin de compte.

—Oui, et puisqu'il travaille, il doit payer des impôts. Moi, j'approuverais des impôts égaux pour les hommes et les femmes.

—N'insistez pas. C'est impossible, un système de ce genre. Les hommes paient déjà trop d'impôts.

. . . et caetera, et caetera!

9.3.2 *Compréhension*

(a) Il estime qu'il a une situation suffisante, et il préfère la voir à la maison, détendue. (b) Pour que ses deux filles ne connaissent pas la dépendance économique d'un homme. (c) Non, elle ne pense pas que la condition féminine ait changé. (d) Parce que le travail ne lui donne pas une réelle indépendance économique. (e) C'est son mari qui le lui donne. (f) L'octroi par l'homme d'une mensualité, dont l'emploi est en principe établi d'avance. (g) Parce qu'il se complique toujours du rapport économique. (h) Elle est obligée de le suivre partout où il va, et c'est lui qui assigne son lieu de domicile.

9.3.3 *Exercices — Section A*

1. *Verbes:* assujettir; conditionner; réclamer; obliger; dépendre.
   Substantifs: l'octroi (m.); l'emploi (m.); la subsistance; l'accomplissement (m.).
2. dépendre *de; à* ce point de vue; *dans* leur foyer; *à* leur tour; se compliquer *de; à* cet égard.

9.3.4 *Exercices — Section B*

1. (a) Oui, mais mon mari ne désire pas que j'en trouve un. (b) Oui, mais mon mari ne désire pas que j'en fasse. (c) Oui, mais mon mari ne désire pas que j'y aille. (d) Oui, mais mon mari ne désire pas que j'en aie. (e) Oui, mais mon mari ne désire pas que je le sois.
2. (a) Croyez-vous que la condition féminine ait changé? (b) Croyez-vous que le Mouvement pour la Libération des Femmes ait beaucoup gagné au cours des années? (c) Croyez-vous que les femmes soient parvenues à avoir plus de liberté?
3. (a) Oui, il faut que je travaille. (b) Oui, il faut que j'en aie un. (c) Oui, il faut que je m'en nourrisse. (d) Oui, il faut que j'en fasse. (e) Oui, il faut que j'en vive.
4. (a) Je travaille pour que mes filles ne connaissent pas la dépendance économique de leur père. (b) Je voudrais donner une mensualité à mon mari pour qu'il sache combien il est difficile de joindre les deux bouts. (c) Les femmes font leurs protestations pour que la société soit obligée de changer.

9.3.5 *Devoir*

Les femmes souhaitant travailler affrontent plusieurs choix. En premier lieu, le mari ne veut souvent pas que la femme travaille. En second lieu, il y a celles qui appartiennent aux classes plus aisées et qui ont des diplômes leur autorisant une certaine ambition professionnelle. Certaines espèrent voir leurs filles se libérer de la dépendance économique d'un homme. Il est rare, pourtant, qu'un emploi soit le moyen par lequel une femme se libère, parce que cela ne lui donne pas une réelle indépendance financière.

D'autre part celle qui se consacre totalement à son foyer est totalement assujettie à son mari. C'est de lui que dépendent les finances, et la femme se voit obligée de se débrouiller en utilisant la mensualité qu'il lui octroie. Son lien avec lui se complique du rapport économique, et par conséquent elle fait en quelque sorte partie de l'équipage de son mari, le suivant partout où bon lui semble.

En résumé, la femme qui souhaite travailler ne saurait résoudre ses problèmes. D'une part, elle risque d'aliéner son mari et d'autre part elle court le risque d'être complètement assujetti à celui-ci si elle ne sort pas du foyer familial. A ce point de vue, la condition féminine a peu évolué. Plus ça change, plus c'est la même chose.

9.4 *Conversation*

Au passé, il y a eu des femmes militantes, notamment les suffragettes. Celles-ci ont été critiquées par les hommes à cause de leur extrêmisme, mais c'est par elles que la condition féminine a fait des progrès.

Aujourd'hui il y a une différence par rapport aux femmes du passé — la femme d'aujourd'hui travaille. Parfois c'est un choix, parfois c'est une nécessité, le salaire de l'homme ne suffisant pas à l'entretien d'une famille. Le travail, pourtant, peut être la source de l'épanouissement de la femme, la rendant indépendante du point de vue financier, et lui permettant d'élargir le cercle de ses relations.

Il faut que le salaire de la femme soit à l'avenir l'égal de celui de l'homme. Certaines professions sont toujours réservées aux hommes, ce qui est en partie dû à la force supérieure des hommes, mais la condition de la femme doit être amenée à évoluer.

Chapter 10

10.1.2 *Compréhension*

(a) Parce qu'il voulait régler un compte avec le «hibou roux». (b) Il pensait combattre l'assassinat. (c) Parce qu'ils voulaient amener un monde où l'on ne tuerait plus personne. (d) Il a changé d'avis quand il a vu fusiller un homme. (e) Il les aurait eues en voyant des estampes et en lisant des livres. (f) Parce qu'on ne parle pas des détails d'une exécution de ce genre. (g) Parce qu'il ne faut pas empêcher les braves gens de dormir. (h) Il n' avait pas cessé d'y penser.

10.1.3 *Exercices — Section A*

1. (a) J'ai cru que la société où je vivais était celle qui reposait sur la condamnation à mort, et qu'en la combattant, je combattrais l'assassinat. (b) Mais on me disait que ces quelques morts étaient nécessaires pour amener un monde où l'on ne tuerait plus personne. (c) Non, vous ne le savez pas, parce que ce sont là des détails dont on ne parle pas.
2. (a) *en* grande partie: *to* a great extent. (b) *à* l'occasion: *on* occasions. (c) c'était vrai *d'*une certaine manière: it was true *in* some ways. (d) cela se fait généralement *sur* invitation: it is generally done *by* invitation. (e) le goût consiste *à* ne pas insister: good taste consists *of* not making a fuss.

10.1.4 *Exercices — Section B*

1. (a) Il n'y a pas une seule condamnation à mort dont Tarrou n'ait pris conscience. (b) Les personnages de *La Peste* n'affrontent pas un seul problème dont le lecteur n'ait considéré la solution. (c) Il n'est pas de philosophie humaniste moderne dont Camus n'ait influencé les idées.
2. (a) Vous n'avez jamais vu fusiller un homme? (b) Avez-vous jamais vu condamner un homme? (c) Avez-vous jamais entendu prononcer une sentence?

10.1.5 *Devoir*

Un public effrayé devient de plus en plus conscient de la montée des crimes violents, sans pour autant pouvoir s'assurer que les autorités font tout leur possible pour sauvegarder ses intérêts. Il ne faut guère s'étonner que les gens de la rue se mettent de nouveau à exiger la peine de mort pour les meurtriers. Mais fusiller un homme, le couper en deux, à quoi cela sert-il?

Il faut d'abord reconnaître que les crimes violents n'augmentent qu'au fur et à mesure que la population elle-même s'accroît. Voir une montée indépendante des statistiques criminelles est ignorer la moitié de la question. Que l'on réduise la population et on verra diminuer le nombre des meurtres. Pendre un homme est le blâmer en partie de la situation socio-économique où il se trouve.

«Vie pour vie, oeil pour oeil, dent pour dent»: cette philosophie périmée s'est vue rejeter par tous les pays civilisés d'Europe. Là où il règne une religion médiévale ou une tyrannie militaire la peine de mort est toujours en vigueur. Celles-ci ont besoin d'une telle peine, ne pouvant autrement assurer leur suprématie sur une population consciente des droits de l'homme.

Ceux qui exigent la peine de mort pour les crimes de meurtre et d'enlèvement ne veulent pas que la justice soit faite — ils veulent tout simplement se venger. Ils obéissent à des instincts primitifs, à des sentiments irraisonables. Ils veulent tuer, pour faire voir aux autres — et au meurtrier lui-même — qu'il ne faut pas tuer. Quelle contradiction ridicule!

Le respect de la vie est primordial. Sans lui, toute société est vouée à l'anarchie. Prôner le meurtre judiciaire est contradictoire, et seuls les naïfs croient que la guillotine ou la pendaison supprimeront les assassinats. Certes une punition est nécessaire, mais quoi de pire que la réclusion à perpétuité, une mort vivante?

Au cours des derniers millénaires, l'homme a fait des progrès, mais il est loin d'atteindre ses buts. Lorsqu'on a demandé à Gandhi ce qu'il pensait de la civilisation occidentale, il a répondu: «Ce serait une bonne idée». Tant qu'on n'aura pas aboli la peine de mort partout dans le monde, l'homme ne pourra certainement pas se qualifier de «civilisé».

10.2.2 *Compréhension*

(a) A cause des mesures de prévention mises en place dans certaines villes. (b) Elles ont vu leur taux d'infractions cesser d'augmenter, ou même passer à un décompte négatif. (c) Il a baissé de 18%. (d) Il n'a augmenté que de 4%. (e) Seuls 17% ont subi un vol important. (f) Parce que les Parisiens subissent davantage de vols et de cambriolages. (g) La moitié des Français refusent de faire des dépenses pour se sauvegarder, et seuls 6% acceptent de dépenser plus de 3 000 francs pour leur sécurité. (h) La solution la plus fortement préconisée est le renforcement des effectifs policiers.

10.2.3 *Exercices — Section A*

1. se juger; estimer; être d'accord avec l'idée; se ranger à cette opinion; reconnaître; se montrer; se déclarer; considérer; préconiser.
2. (a) crainte. (b) euphorique. (c) psychose.

Commentaire

lesquelles = les villes; double victoire = non seulement le taux d'infractions a cessé d'augmenter (1), mais aussi il a passé à un décompte négatif (2); leurs départements = les départements de ces villes; qui en est faite = qui est faite de la psychose de la violence; chez eux = chez les Français; cette opinion = l'opinion que «nous vivons une époque de violence».

10.2.4 *Exercices — Section B*

1. (a) Les aggresseurs seraient de jeunes chômeurs. (b) La violence serait sur une pente descendante. (c) Les Parisiens subiraient davantage de vols et de cambriolages. (d) Le Français moyen craindrait une aggression plutôt qu'un cambriolage. (e) Les habitants des petites villes se montreraient plus inquiets que les Parisiens.

177

2. (a) La moitié des Français disent être à l'abri chez eux. (b) 83% des personnes interrogées reconnaissent ne pas risquer d'être victime d'un vol important. (c) Plus de la moitié des Français considèrent pouvoir se protéger chez eux.

3. (a) 7% disent avoir été victimes d'un vol, 4% d'un cambriolage. (b) 82% reconnaissent s'être rangés à cette opinion en 1977. (c) 96% des personnes âgées reconnaissent n'avoir jamais subi un cambriolage.

4. (a) La moitié refuse de faire des dépenses pour protéger leur logement. (b) Le dixième considère que la détention d'une arme à feu ne sert à rien. (c) Le cinquième a subi un vol important.

5. (a) et; cependant. (b) mais; d'ailleurs.

10.2.5 *Devoir*

Questions: —Est-ce que vous vous jugez à l'abri chez vous?
—Estimez-vous que la violence va beaucoup augmenter ces années prochaines?
—Etes-vous d'accord avec l'idée que «nous vivons une époque de violence»?
—Avez-vous jamais été victime d'un vol important?
—Etes-vous prêt à faire des dépenses pour protéger votre logement?
—Etes-vous prêt à dépenser plus de 3 000 francs pour votre sécurité?
—Considérez-vous la détention d'une arme à feu comme moyen efficace de vous protéger?
—Quelles mesures préconisez-vous pour la sécurité du grand public?

Les résultats: Ceux-ci dépendront de votre public, mais votre rapport écrit devrait ressembler au texte de 10.2.1.

10.3 *Conversation*

(1) L'existence des médias comme moyen d'expression politique. (2) Il n'est pas du tout convaincu que la violence aujourd'hui soit beaucoup plus présente que celle d'hier. (3) On a l'impression que la violence est un fait de tous les jours, alors qu'elle ne l'est pas. (4) Il a l'impression qu'on est plus civilisé, mais il fait preuve d'une certaine réservation. (5) Deux Présidents de la République furent assassinés, ainsi que le roi de Yougoslavie et le Ministre des Affaires Etrangères. (6) L'écart entre les pays nantis et les pays sous-développés. (7) Le chômage, les conditions de vie des parents qui se voient à peine, et les conditions de vie dans les villes. (8) La violence qu'ils dirigent contre eux-mêmes, c'est la drogue. (9) A cette époque-là, on rencontrait beaucoup moins d'inconnus dans les conditions qui peuvent provoquer la violence. (10) Il y avait des incidents violents entre le village de son père et un village voisin.

2 Grammar Summary

TABLE OF CONTENTS

1	**The Noun**	181
1.1	Definitions	181
1.2	Gender	181
	(a) Formation of feminine of nouns	181
	(b) Rules for recognising gender	182
1.3	Number (singular and plural)	183
2	**The Article**	184
2.1	The Definite Article	184
	(a) Forms	184
	(b) Uses	184
2.2	The Indefinite Article	185
	(a) Forms	185
	(b) Uses	185
2.3	The Partitive Article	186
	(a) Forms	186
	(b) Uses	186
2.4	Omission of the Article	186
3	**The Adjective**	187
3.1	Qualificative Adjectives	187
	(a) General rules	187
	(b) Formation of the feminine	188
	(c) Formation of the plural	188
	(d) Degrees of comparison	188
	(e) Position of the adjective	189
3.2	Determinative adjectives	190
	(a) Numeral adjectives (cardinal numbers)	190
	(b) Numeral adjectives (ordinal numbers)	191
	(c) Numeral adjectives — further notes	191
	(d) Possessive adjectives	191
	(e) Demonstrative adjectives	192
	(f) Interrogative adjectives	192
	(g) Indefinite adjectives	192
4	**The Pronoun**	193
4.1	Personal Pronouns	194
	(a) Forms	194
	(b) Uses	194

4.2	Possessive Pronouns	196
	(a) Forms	196
	(b) Uses	196
4.3	Demonstrative Pronouns	197
	(a) Forms	197
	(b) Uses	197
4.4	Relative Pronouns	198
	(a) Forms	198
	(b) Uses	198
4.5	Interrogative Pronouns	199
4.6	Indefinite Pronouns	200
5	**The Verb**	**201**
5.1	Forms	201
5.1.1	Regular Verbs	201
5.2	Forms — Auxiliary Verbs	203
5.3	Forms — Irregular Verbs	203
5.4	Types of Conjugation	209
	(a) Active voice	209
	(b) Passive voice	209
	(c) Reflexive verbs	210
	(d) Impersonal verbs	210
5.5	Uses of Tenses and Moods	211
	(a) Indicative mood	211
	(b) Imperative mood	214
	(c) Subjunctive mood	214
	(d) The infinitive	217
	(e) The perfect infinitive	219
	(f) Participles	219
6	**The Adverb**	**220**
6.1	Adverbs of Manner	220
6.2	Adverbs of Quantity	221
6.3	Adverbs of Time	222
6.4	Adverbs of Place	222
6.5	Adverbs of Affirmation	222
6.6	Adverbs of Negation	223
6.7	Adverbs of Doubt	223
6.8	Interrogative Adverbs	223
6.9	Position of the Adverb	223
7	**The Preposition**	**224**
8	**The Conjunction**	**226**
8.1	Co-ordinating Conjunctions	226
8.2	Subordinating Conjunctions	226
8.3	Reduced Clauses	227
9	**Differences between Spoken and Written French**	**227**
9.1	Register	227
9.2	Vocabulary	228
9.3	Highlighting	228

9.4   Elision   229
9.5   Inversion   229
9.6   Other Variations in Grammar   229

10   Word Formation   **230**

10.1   Opposites   230
10.2   Nouns and Verbs   230
10.3   Adjectives and Verbs   231
10.4   Adjective to Verb to Noun   231
10.5   Noun to Verb to Noun   231
10.6   Nouns and Adjectives   231

1 The Noun

1.1 Definitions

The noun is traditionally defined as the name of a person, place or thing. The latter may include actions, feelings, qualities and ideas, as well as inanimate objects. Common nouns are those which refer to all beings or objects of a particular class or type: for example, *théâtre; village; idée; année*. Proper nouns refer to beings or objects which have their own individual name: for example, *la France; la Bretagne; Albert Camus; l'Académie Française*. Proper nouns are written with a capital letter. Simple nouns consist of a single word. Compound nouns consist of two or more words linked to form a single idea. These are usually linked by a hyphen but this is not always the case. Compare *l'arc-en-ciel* and *la bande son*. A generic noun is a noun that is used to refer to all members of its class. It may be singular — *Le Breton* (2.3.1) — or plural — *les étrangers* (4.3.1).

1.2 Gender

French nouns are classified into two genders — masculine and feminine. In general, the grammatical gender of animate nouns corresponds with the sex of the being named, i.e. male animals are masculine and female animals are feminine. The few exceptions will be listed below.

(a) *Formation of Feminine of Nouns*

(i) Masculine adds -*e: marchand, marchande; bourgeois, bourgeoise*.
(ii) Masculine -*el* and -*eau* change to -*elle: chameau, chamelle*.
(iii) Masculine -*en* and -*on* double the *n* and add -*e: gardien, gardienne; Breton, Bretonne*.
(iv) Masculine -*ain* and -*in* never double the *n*, but merely add *e: châtelain, châtelaine; voisin, voisine*.
(v) Masculine -*et* doubles the *t* and adds -*e: cadet, cadette*. Note, however, *préfet, préfète*.
(vi) Masculine -*at* and -*ot* add *e: candidat, candidate; idiot, idiote*. Note, however, *chat, chatte* and *sot, sotte*.
(vii) Masculine -*er* changes to -*ère: boulanger, boulangere*.
(viii) Masculine -*x* changes to -*se: ambitieux, ambitieuse; époux, épouse*.
(ix) Masculine -*f* changes to -*ve: Juif, Juive; veuf, veuve*.
(x) Masculine -*eur*, in nouns derived from verbs, becomes *euse: menteur*,

181

menteuse. Note, however, *enchanteur, enchanteresse; vengeur, vengeresse; mineur, mineure.*

(xi) Many masculine nouns ending in *-teur* change the suffix to *-trice: acteur, actrice; téléspectateur, téléspectatrice.* Note, however, *ambassadeur, ambassadrice.*

(xii) Some feminine forms use *-esse: maître, maîtresse; prince, princesse.* Note *duc, duchesse.*

(xiii) Some feminine forms are not formed from the masculine root: *homme, femme; bouc, chèvre; gendre, bru.*

(xiv) Some nouns have no special form for the feminine — in particular, the names of occupations and professions: *architecte; athlète; champion; dentiste; écrivain; juge; médecin; professeur.* If necessary, the particular case may be clarified by the addition of *femme: une femme professeur.*

(xv) Some nouns designating females have no equivalent masculine form: *Amazone; nonne; nourrice.*

(xvi) Some words, although usually denoting males, are always feminine: *une sentinelle.*

(xvii) Some common nouns have the same form for both genders: *le (la) camarade; le (la) concierge; un (une) élève; un (une) enfant.*

(xviii) Some nouns of identical sound and appearance have different meanings according to their gender: *le livre* — book; *la livre* — pound; *le poste* — post, situation; *la poste* — post office; *le somme* — nap; *la somme* — sum; *le vase* — vase; *la vase* — mud, slime.

(xix) The case of *gens* needs particular attention. It is a masculine word, and nowadays only appears in the plural. If, however, it is preceded by an adjective, the latter takes the feminine form: *les vieilles gens.* Note that *jeunes gens* is always masculine.

(xx) Another noteworthy case is *amour.* This is usually masculine in the singular, but is traditionally feminine in the plural: *malgré ses rêves déçus et ses amours malheureuses* — 6.2.1. This is also true of *oeuvre: les oeuvres les plus anciennes* — 2.3.1.

(b) *Rules for Recognising Gender*

(i) Masculine are the following:

1. Most nouns ending in a consonant are masculine. Some common exceptions are: *la chair; la clef; la dent; la faim; la fin; la fleur; la fois; la fôret; la main; la mer; les moeurs; la mort; la nuit; la paix; la part; la plupart; la soif.*
2. Nouns ending in *-acle, -age, -ail, -al, -as, -asme, -at, -aume, -é* (not abstract nouns in *-té* and *-tié*), *-eau, -ège, -eil, -el, -ème, -ême, -er, -ent, -eu, -i, -ice, -ier, -illon, -in, -is, -isme, -ment, -o, -oir, -oire, -ot, -ou, -our, -tère.* Exceptions: *la cage, une image, la nage, la page, la rage; l'eau, la peau; la crème; la cuiller, la mer; la fourmi, la foi, la loi, la merci, la paroi; la justice, la malice, la police; la fin, la main; la jument; la dynamo; une armoire, une histoire, la victoire; la cour, la tour.*
3. The names of most males, except *une personne* — person; *une recrue* — recruit; *une sentinelle* — sentry. *La dupe* is always feminine, as is *la victime,* whether the person referred to is male or female.
4. Names of human agents ending in *-eur* and *-ien: le facteur; le technicien.*
5. Names of trees and shrubs: *un orme* — elm; *le chêne* — oak. Exceptions: *une aubépine* — hawthorn; *la ronce* — bramble; *la vigne* — vine.
6. Points of the compass: *le nord; le sud-ouest.*
7. Decimal weights and measures: *le kilogramme; le mètre.*

8. Names of metals and chemicals: *le fer* — iron; *le magnésium* — magnesium.

9. Names of days, months and seasons: *le lundi; janvier dernier; le printemps*.

10. Names of languages: *le français; le portugais*.

11. Names of countries not ending in *-e* mute: *le Japon; le Portugal; les Etats-Unis*.

(ii) Feminine are the following:

1. Nouns ending in *-ade, -aie, -aille, -aine, -aison, -ance, -ande, -anse, -ée, -elle, -ence, -ense, -esse, -ette, -eur* (abstract nouns), *-ie, -ière, -ille, -ine, -ion, -ise, -sion, -té, -tié, -tion, -tude, -ue, -ule, -une, -ure*. Exceptions: *le lycée, le musée, le mausolée; le squelette; un honneur, le labeur; le génie, un incendie, le parapluie; le cimetière; un avion, le camion, le champion, le lion, le million; le comité, le comté, le côté, l'été; le murmure*.

2. The names of most females (but see above, 1.2 (xiv)).

3. Most abstract nouns, except *le vice*.

4. The names of branches of learning and science: *la philosophie; la physique*. Exception: *le droit* — law.

5. Names of countries ending in *-e* mute: *la France; l'Allemagne*.

1.3 Number (Singular and Plural)

As in English, the plural is usually formed by adding *s* to the singular form. Note that this *s* is not usually pronounced. The following are exceptions to the general rule.

(a) Nouns ending in *-s, -x* and *-z* do not change in the plural: *le fils, les fils; la noix, les noix; le nez, les nez*. Note that the plural of *un os* is *des os* — the *s* ceases to be pronounced in the plural.

(b) Nouns ending in *-al* change to *-aux* in the plural: *journal, journaux*. Note these exceptions: *bals; carnavals; cérémonials; chacals; festivals*.

(c) Nouns ending in *-au, -eau* and *-eu* add *x: tuyau, tuyaux; bateau, bateaux; cheveu, cheveux*. Note this exception: *pneu, pneus*.

(d) Nouns in *-ou* form their plural in the usual way, with the exception of the following, which add *x: bijou, caillou, chou, genou, hibou, joujou*.

(e) Nouns ending in *-ail* change the suffix to *-aux* in the plural: *travail, travaux*. Note the following exceptions, which form their plural with *s: détail, éventail, gouvernail, portail*. Note the plural of *ail* — garlic: *des aulx*.

(f) *aïeul, ciel* and *oeil* have two plurals:

    aïeuls — grandparents; *aïeux* — ancestors

    ciels — skies (in paintings); *cieux* — heavens

    yeux — eyes; *oeils-de-boeuf* — small round windows

(g) Proper nouns usually form the plural by adding *s: les Parisiens*. They are not marked for the plural in the case of a family name: *les Curie*. If, however, individuals are designated, usually metaphorically, the noun shows the plural: *Les Curies et les Pasteurs sont rares*.

(h) Compound nouns which are written as one word form their plural in the usual ways: *entrepôt, entrepôts; portemanteau, portemanteaux*. Note the following exceptions: *bonhomme, bonshommes; monsieur, messieurs; madame, mesdames; mademoiselle, mesdemoiselles*.

(i) Hyphenated compound nouns consisting of two nouns mark both nouns for plural: *un chou-fleur, des choux-fleurs; une femme-pilote, des femmes-pilotes* — 9.4.1.

(j) In compound nouns consisting of a noun and an adjective, both parts are marked for plural: *une basse-cour, des basses-cours; un coffre-fort, des coffres-forts*.

(k) When two nouns are linked by a preposition, only the first noun shows the plural: *un ver à soie, des vers à soie*.

(l) When the compound noun consists of an invariable word and a noun, only the noun shows the plural: *un contre-ordre; des contre-ordres*.

(m) When the compound noun consists of a verb and a noun, only the noun shows the plural: *un tire-bouchon, des tire-bouchons*. In some cases the noun is already plural: *un porte-avions, des porte-avions*.

(n) When the compound noun consists of two verbs, neither is marked for plural: *un laissez-passer, des laissez-passer*.

(o) Foreign words show little consistency. Some simply add *s* (*des snacks*); others use the plural form from the source language (*des spaghetti*). Sometimes a false analogy with the source language is made, producing curiosities such as *des rugbymen* and *des recordmen*.

(p) Some nouns exist only in the plural form: *les gens*.

2 The Article

The article is placed in front of the noun, and shows gender and number. The definite article shows that the noun is to be understood in a completely determined sense (as with 'the' in English), or else in a generic sense, referring to a whole class. The indefinite article indicates that the noun is to be taken in an incompletely determined sense. The indefinite article may also be used for generics.

2.1 The Definite Article

(a) *Forms*

Masculine — singular: *le, l'* (before vowels and *h* mute, except with *le huit* and *le onze* — dates); plural: *les*.
Feminine — singular: *la, l'* (before vowels and *h* mute, except with *la ouate* — cotton wool); plural: *les*.

The following contractions occur: *à + le = au; à + les = aux; de + le = du; de + les = des*.

(b) *Uses*

(i) The definite article is used with nouns in a generic sense: *Les merveilles* — 1.1.1; *l'architecture bretonne* — 2.2.1. Note that the article does not appear when translated into English.

(ii) With parts of the body, to express possession: *Je n'ouvrais les yeux que vers sept heures* — 5.2.1. The possessive adjectives (*mon, ma, mes,* etc.) are also found in this sense.

(iii) With *la plupart de, une/la majorité de, une/la minorité de* and fractions: *la plupart des Français; la minorité des jeunes; le quart des élèves* — 7.2.1.

(iv) The definite article is used to indicate specific days of the week, as in dates: *le lundi 3 novembre*. The article is also used to indicate habitual action with days and times: *le dimanche on allait à l'église; on se couchait tard le soir*.

(v) The definite article is used before a singular noun indicating a unit of weight or measure: *25 francs le kilo; 60 francs la bouteille; 75 francs le mètre; 3 francs la pièce* — 3 francs each. The definite article is not used after *par: Il gagne 160 000 francs par an.*

(vi) The definite article is used before the geographical names of continents, countries and provinces: *La France fait preuve* . . . — 4.1.1; *le prolongement immédiat de la Bretagne* — 2.2.1. Note, however, that the definite article is not used after *en: en France; en Bretagne.* 'From' is expressed by *de*, and the article is not usually used with feminine countries: *il revient de France; elle est nouvellement arrivée de Bretagne.* With masculine countries, the article is incorporated: *mon père vient du Canada.*

(vii) With languages, the choice of the article is optional: *elle parle français; elle parle le français.* If an adverb is used, the article appears: *il parle bien le français.*

(viii) The article is used with titles . . . *l'oncle Jules lisait l'autre* — 5.2.1 and when a proper noun is qualified by an adjective: *il fallait emporter le petit Paul* — 5.2.1. Note the use of *monsieur le docteur, monsieur le maire, madame la directrice.*

(ix) The definite article is used with most Saints' Days and festivals: *la Saint-Sylvestre; la Toussaint.* The article is feminine, since *fête* is understood. Note that *Noël* and *Pâques* do not require the article: *à Noël; à Pâques.*

(x) The definite article is used to form the superlative of adjectives: *les plus malheureux de ses enfants* — 1.2.1. The article agrees in number and gender with the noun.

(xi) The definite article *le* is used for the superlatives of adverbs. It is invariable: . . . *l'architecture bretonne ne déplaît pas, le plus souvent, aux visiteurs* — 2.2.1.

(xii) The definite article is used in certain idiomatic constructions which do not correspond exactly with English: *j'ai mal à la tête; il a les yeux bleus; la semaine dernière; le mois prochain; apprendre le français; je n'ai pas le temps; partir le premier.*

2.2 The Indefinite Article

(a) *Forms*

Masculine — singular: *un*; plural: *des*.
Feminine — singular: *une*; plural: *des*.

(b) *Uses*

The use of the indefinite article in French corresponds very closely with its counterpart in English (a, an). Note, however, the following.

(i) An abstract noun qualified by an adjective will require an indefinite article: *un grand courage* — great courage.

(ii) The distributive function of 'a' in English ('two pounds a metre') is taken by the definite article and *par* in French. See above, 2.1(v).

(iii) *cent* (a hundred) and *mille* (a thousand) do not require the indefinite article in French.

2.3 The Partitive Article

(a) *Forms*

Masculine — singular: *du, de l'*; plural: *des* (sometimes *de*).
Feminine — singular: *de la, de l'*; plural: *des* (sometimes *de*).

(b) *Uses*

(i) The partitive article indicates an indeterminate number or amount of the noun to which it is attached. It agrees in number and gender with the noun: *il faut du temps* — 1.1.1; *elle se mettait du fond de teint et des ceintures larges* — 6.3.1.

(ii) The partitive article is reduced to *de* after expressions of quantity or containers: *dans beaucoup d'autres régions* — 2.2.1; *on prend un verre de vin.*

(iii) The partitive is reduced to *de* after negative verbs: *Les merveilles ne font pas de cadeaux* — 1.1.1; *il n'y a pas encore de sens civique* — 3.3.1.

(iv) The partitive disappears following expressions involving *de: en échange de vagues leçons* — 6.1.1; *les sommets brillants de neige* — 6.1.1.

(v) When a plural adjective precedes its noun, the partitive is reduced to *de: de gros villages* — 1.1.1; *d'importants flux migratoires* — 4.3.1. This rule is not always observed, particularly in spoken French. When the adjective and the noun form a single semantic unit, the use of *des* is correct: *des jeunes gens; des beaux-parents.* Note that *des* is reduced in the pronominal use of *d'autres: D'autres, parmi les plus jeunes* — 4.2.1.

2.4 Omission of the Article

While it is usual for nouns to be preceded by articles in French, there are certain cases in which the article is omitted.

(i) Before a dependent noun whose function is descriptive, and therefore identical with that of an adjective: *l'Ambassade de France; Histoire de France.*

(ii) When the noun is a complement to *être* or *devenir: les gens arrivent . . . et deviennent Parisiens* — 1.3.1; *mon père était fermier, cultivateur* — 2.3.1. When the noun is qualified by an adjective, however, the article is required: *Son père est un écrivain célèbre.*

(iii) In some lists and enumerations: *rues, maisons, tramways, réverbères, ustensiles* — 5.1.1. Note the following, in which the omission of the article increases the pace of the sentence: *nous étions des Indiens, des fils de la fôret, chasseurs de bisons, tueurs de grizzlys, étrangleurs de serpents boas, et scalpeurs de Visages Pâles* — 5.2.1.

(iv) Before nouns standing in apposition to a preceding noun: *La Bretagne, héritière d'un riche passé* — 2.2.1; *Gerard Mensier, directeur de l'école Saint-Louis* — 7.2.1. However, if the noun is to be stressed, the article is included: *Madame Thatcher, le Premier Ministre britannique.*

(v) After *quel*, when this is used as an exclamation: *quel dommage!; Quelles bases incomparables . . .* — 2.1.1.

(vi) After *sans, avec, par* and *ni: Sans attaches ni perspectives* — 7.3.1; *avec énergie; par accident.* Note that the latter two examples form adverbial phrases.

(vii) With nouns closely linked to a verb to form a single semantic unit: *Le Breton ... se souvient ... d'avoir eu peur* — 2.3.1; *Ils ne font pas du tout attention* — 3.3.1. Common expressions of this type include:

avoir besoin de	*avoir sommeil*
avoir chaud	*avoir tort*
avoir envie de	*faire attention à*
avoir faim	*faire cadeau de*
avoir froid	*faire fortune*
avoir honte de	*faire mal à*
avoir lieu	*faire plaisir à*
avoir peur de	*faire semblant de*
avoir raison	*mettre fin à*
avoir soif	*reprendre courage*
avoir soin de	*trouver moyen de*

(viii) In proverbs and sayings: *Pauvreté n'est pas vice; Remuer ciel et terre; Travailler nuit et jour.*

(ix) After *tout/toute*, when this is followed by a singular noun, meaning 'each', 'every': *Tout Français* — every Frenchman.

3 The Adjective

An adjective is a word which qualifies a noun, drawing attention to some feature or quality. Qualificative adjectives express a quality associated with the noun: *le petit Paul* — 5.2.1; *par des motifs raisonnables* — 7.1.1. Determinative adjectives (numeral, possessive, demonstrative, interrogative and indefinite) point to the noun, but attribute no qualities to it: *Mais* cette *«force» française* ... — 4.1.1; Mon *père avait adapté un long tuyau* — 5.2.1.

3.1 Qualificative Adjectives

(a) *General Rules*

(i) The adjective agrees in number and gender with the noun that it qualifies: *Mania devient subitement indolente* — 6.1.1.

(ii) A plural adjective is used with singular nouns if it qualifies all the nouns: *Un père et un fils riches.*

(iii) A singular adjective is used with a plural noun when the adjective qualifies each of the referents of the noun individually: *les armées égyptienne et israélienne.*

(iv) A masculine adjective is used with nouns of mixed gender: *Un homme et une femme intelligents.*

(v) Five adjectives have two forms for the masculine. The second form is used before a masculine noun beginning with a vowel or *h* mute: *beau, bel; fou, fol; mou, mol; nouveau, nouvel; vieux, vieil.*

(vi) *Nu* and *demi* are invariable when used before a noun (*on sortait nu-pieds*), but agree with the noun (or pronoun) when placed after it: *Nous descendions tout nus* — 5.2.1.

(vii) Compound adjectives of colour are invariable (*avoir les yeux bleu-clair*), as are adjectives of colour using a noun (*des cheveux paille*). In compounds consisting of an adverb and an adjective, only the adjective inflects: *des enfants nouveau-nés.*

(b) *Formation of the Feminine*

General rule: The feminine is formed by adding *e* mute to the masculine. This will, in general, mean that a previously silent final consonant will be pronounced (*vert, verte*), and will cause some other changes of spelling and pronunciation.

(i) Adjectives ending in *e* in the masculine do not change in the feminine: *une femme riche.*

(ii) Adjectives ending in *-el, -eil, -en, -on, -et, -ot* and *-s* double the final consonant before adding *e: La France a été cruelle pour ses maîtres* — 1.1.1; *les oeuvres les plus anciennes* — 2.3.1. Exceptions: *ras, rase; gris, grise; dévot, dévote; idiot, idiote.*

(iii) Six adjectives in *-et* do not double the final consonant, but take a grave accent over the *e*, with accompanying pronunciation change: *complet, complète; concret, concrète; discret, discrète; replet, replète; secret, secrète.*

(iv) The five adjectives mentioned in 3.1(a)v form their feminines as follows: *beau, belle; fou, folle; mou, molle; nouveau, nouvelle; vieux, vieille.*

(v) Adjectives in *-f* change to *-ve: actif, active; bref, brève.*

(vi) Adjectives in *-x* change to *-se: j'étais très heureuse* — 5.3.1. Note the following exceptions: *doux, douce; faux, fausse; roux, rousse.*

(vii) Adjectives in *-er* change to *-ère: léger, légère; entier, entière.*

(viii) Adjectives in *-eur* which are based on the present participle (*chantant, chanteur*) change to *-euse* in the feminine: *chanteur, chanteuse; flatteur, flatteuse.* Exceptions: *demandeur, demanderesse; défendeur, défenderesse; chasseur, chasseresse* (poetic)*; enchanteur, enchanteresse; vengeur, vengeresse; gouverneur, gouvernante.*

(ix) Adjectives in *-eur* not based on the present participle change *-teur* to *-trice: accusateur, accusatrice.*

(x) The adjectives *majeur, mineur, meilleur* and those in *-érieur* form their feminine regularly: *majeur, majeure; supérieur, supérieure.*

(xi) Adjectives in *-gu* add *ë: aigu, aiguë.*

(xii) Note the following exceptions to more general rules: *blanc, blanche; franc, franche; sec, sèche; frais, fraîche; gentil, gentille; nul, nulle; paysan, paysanne; tiers, tierce; turc, turque; public, publique; caduc, caduque; grec, grecque; long, longue; oblong, oblongue; bénin, bénigne; malin, maligne; favori, favorite.*

(c) *Formation of the Plural*

All feminine adjectives form their plural by adding *s* to the singular. Most masculine adjectives follow this pattern, but there are some exceptions.

(i) Adjectives ending in *-s* or *-x* in the singular do not change in the plural: *heureux, heureux; gros, gros.*

(ii) Adjectives ending in *-eau* add *x: beau, beaux.*

(iii) Adjectives in *-al* change to *-aux: brutal, brutaux.* Exceptions: *banal, banals; fatal, fatals; final, finals; glacial, glacials; natal, natals; naval, navals.*

(d) *Degrees of Comparison*

(i) The comparative of superiority is formed by placing *plus* before the adjective and *que* after it: *un Occident plus rapproché que jamais* — 2.1.1. 'Even more' is translated by *encore plus: L'Histoire sainte me semblait encore plus amusante que les contes de Perrault* — 5.1.1. The comparative of inferiority is formed with *moins ... que: C'étaient beaucoup moins perfectionnés qu'aujourd'hui* — 5.3.1. 'Even less' is translated by *encore moins . . . que: Il est encore moins intéressé qu'il ne l'était.* The comparative of equality is formed with *aussi . . . que: cette nouvelle surface . . . aussi mobile, aussi éphémère que l'ancienne* — 1.2.1. In the negative, *si* can replace *aussi: Paris n'est pas si grand que Londres.*

(ii) The English idioms 'more and more', 'less and less', 'the more . . . the more', 'the less . . . the less' and 'all the more . . . as' are rendered by *de plus en plus, de moins en moins, plus . . . plus, moins . . . moins* and *d'autant plus . . . que: Le centre ville: de plus en plus consacré aux affaires* — 4.3.1; *La culture devient de moins en moins intéressante pour les jeunes; Plus les villes deviennent animées, plus on veut y vivre; Moins les films sont intéressants, moins on a envie d'aller au cinéma; Ce problème est d'autant plus grave qu'il nous touche à tous.*

(iii) The following adjectives have an irregular comparative: *bon — meilleur; mauvais — pire; petit — moindre. Pire* and *moindre* are usually used with emotional overtones. *Plus mauvais* and *plus petit* are the more common usage.

(iv) The superlative is formed by adding the definite article (*le, la* or *les*, as necessary) to the comparative form: *les plus malheureux de ses enfants* — 1.2.1; *les témoins du passé les plus précieux* — 2.2.1.

(e) *Position of the Adjective*

The adjective is normally placed after the noun: *ses aspects variés de jour et de nuit* — 1.2.1; *le mobilier paysan traditionnel* — 2.2.1; *grâce à la permanente indéfrisable* — 6.2.1. The following *always* follow the noun:

(i) Adjectives of nationality: *le gouvernement français* — 2.3.1; *le marché français est envahi de productions allemandes* — 4.1.1.

(ii) Nouns used as adjectives: *une table Louis XV; le phénomène hippy.*

(iii) Adjectives joined by *et: le patrimoine architectural et immobilier* — 2.2.1; *les sapins noirs et raides* — 6.1.1.

(iv) Adjectives modified by an adverb: *des maisons assez bien bâties* — 3.1.1.

In the following cases, the adjective is *usually* placed after the noun:
1. A polysyllabic adjective following a monosyllabic noun: *la vie individuelle* — 2.2.1; *Voilà le cercle inévitable* — 7.1.1.
2. Adjectives expressing physical characteristics: *des sites naturels agréables à regarder* — 3.3.1; *derrière la toile peinte* — 5.1.1. Adjectives of colour (*le port de la blouse grise* — 6.4.1), except when these are used metaphorically: *un noir chagrin* — bitter grief; *une verte semonce* — a good talking-to.
3. Past and present participles used adjectivally: *je n'étais pas une enfant . . . enfin, gâtée, pourrie* — 5.3.1; *le soleil africain tombe . . . sur l'herbe mourante* — 5.2.1. Exceptions: *soi-disant* and *prétendu* are always placed before the noun.

(v) The following adjectives are *always* placed before the noun:
1. Ordinal numbers: *le premier ministre; la deuxième rue à gauche.* Exceptions: monarchs (*François premier, Louis Quatorze*, etc.).
2. Adjectives qualifying proper nouns: *le petit Paul* — 5.2.1.

(vi) The following common adjectives are *usually* placed before the noun: *beau, bon, excellent, gentil, grand, gros, jeune, joli, long, mauvais, meilleur, nouveau, petit, vaste, vieux, vilain.* Examples: *Un bel entr'acte champêtre* — 6.1.1; *une nouvelle exposition* — 1.3.1; *les vieilles pierres* — 2.2.1.

(vii) When stylistic effects are sought, the standard position of the adjective may change. This draws the reader's or listener's attention to the adjective. Such may include figurative usage: *les maigres richesses de mon existence —*

5.1.1; *qu'aux sombres jours de son enfance* — 6.1.1. The force of the adjective may be strengthened: *en échange de vagues leçons* — 6.1.1

(viii) When two adjectives qualify a noun, one may come before and one after the noun: *un bel entr'acte champêtre* — 6.1.1. This positioning may also occur for stylistic reasons, altering the usual order: *la fantastique farandole nocturne* — 6.1.1.

(ix) A number of adjectives change their meaning according to their position. In the following list, the first meaning given is that expressed when the adjective is placed before the noun, and the second meaning that which is expressed when the adjective follows the noun: *ancien* — former, old; *bon* — good, morally upright; *brave* — honest, brave; *certain* — certain, undoubted; *cher* — beloved, expensive; *dernier* — last in sequence, just passed; *grand* — great, tall; *haut* — high, open (sea); *même* — same, itself; *pauvre* — to be pitied, indigent; *propre* — own, clean; *pur* — absolute, clear; *simple* — mere, simple. Examples: *ce n'était point là pure hallucination de poète* — 2.1.1; *un ciel pur* — 2.1.4; *Les prix des choses anciennes* — 2.2.1; *une ancienne tradition* — 2.2.1; *ses propres destins* — 2.1.1; *avoir les mains propres.*

3.2 Determinative Adjectives

(a) *Numeral Adjectives (Cardinal Numbers)*

Many of the cardinal numbers are simple in form: *un, deux, trois, vingt, trente,* etc. Others are formed by juxtaposition or co-ordination with others: *dix-sept, vingt et un,* etc., or by multiplication: *quatre-vingts.* In *quatre-vingt-dix* there is both multiplication and addition. Note the following points.

(i) Below 1 600, the hundreds are given using *cent(s): onze cents, treize cent douze.* Above 1 600, one may say either *mil(le) sept cent(s)* or *dix-sept cent(s).* For dates, the short form *mil* is used instead of *mille.* Note that *million* = 1 000 000 and *milliard* = 1 000 000 000. The use of spaces to separate thousands and hundreds should be noted, since the comma that is used in English for this purpose serves as a decimal point in French. Thus, *3 657 = trois mille six cent cinquante-sept,* and *3,657 = trois virgule six cinq sept.*

(ii) *Mille* ('thousand') is used for numbers over 2 000, but never adds *s* in the written form (*mille* written with an *s* means 'miles'). *Millier* is used when the sense is rather vague: *des milliers de cas particuliers* — 4.2.1. Note that *millier* is a noun and adds *s* in the plural. *Cent* and *vingt* have *s* when standing alone, but drop the *s* when another numeral follows. Thus, *quatre-vingts,* but *quatre-vingt-un,* and *deux cents,* but *deux cent deux.*

(iii) In compound numerals, a hyphen is placed between numerals which are each less than one hundred, except when they are joined by *et: vingt et un, vingt-deux, soixante-treize, quatre-vingt-dix-neuf; trois cent huit; dix-sept mille huit cent soixante et onze.*

(iv) With 101 and 1 001, one usually says *cent un* and *mille un.* However, *cent et un* and *mille et un* are used to indicate something less precise than the actual figure, and are also used in certain well-known literary cases: *Les Mille et Une Nuits; Les mille et trois amours de Don Juan.*

(v) Unlike *mille, million* shows the plural, as it is a noun and not an adjective: *il y a des millions et des millions de personnes* — 8.3.1.

(vi) As stated in 3.1(e), cardinals appear before the noun, except in the case of monarchs. Note also the following exceptions.
1. References: *livre cinq; chapitre trois; acte quatre.*
2. Years: *l'an deux mille.*

3. When in apposition: *le chiffre sept.*

(vii) With *plus* and *moins*, *de* must appear before the cardinal: *plus de deux mille chômeurs. Quelque* does not require *de: les quelque 200 000 jeunes* — 4.2.1.

(viii) Percentages are expressed as *pour cent* — 37% is pronounced as *trente-sept pour cent.*

(b) *Numeral Adjectives (Ordinal Numbers)*

(i) *Premier* is employed to mean 'first', including dates and kings (see above). *Unième* is used with compound numbers: vingt et unième; cent unième.

(ii) *Deuxième* and *second* mean 'second', but only the former may be used with compound numbers. Note: *en seconde* = in the Fifth Form. The numeral is here used as a feminine noun.

(iii) In a sequence of ordinals, only the last will have the suffix *-ième: A la cinq ou sixième entrevue.*

(iv) Ordinals agree in number and gender with their noun.

(v) Ordinals are used for fractions: *six septièmes des adultes savent lire* — 7.2.4. Note, however, the fraction expressed as follows: *un élève sur trois ne sait pas lire.* Note, also, that nouns are used for 'quarter', 'third' and 'half': *le quart; le tiers; la moitié.*

(c) *Numeral Adjectives — Further Notes*

(i) The following numerals add *-aine* to indicate a collective or approximate number: *huit, dix, douze, quinze, vingt, trente, quarante, cinquante, soixante, cent: une douzaine d'oeufs; une vingtaine d'oeufs. Un homme d'une quarantaine d'années* = a man of about forty.

(ii) The suffix *-aire* is added to modified numbers to indicate age: *quadragénaire, quinquagénaire, sexagénaire, septuagénaire, octogénaire, nonagénaire, centenaire.* Examples: *une femme quadragénaire; un vieillard octogénaire.* These adjectives follow the noun.

(iii) After such expressions as *le prix est . . .* and *le taux de chômage est . . .*, the preposition *de* precedes the numeral adjective: *le taux de couverture n'est, en moyenne, que de 50%* — 4.1.1.

(d) *Possessive Adjectives*

(i) Forms:

	Masc. sing.	Fem. sing.	Plural
je:	mon	ma	mes
tu:	ton	ta	tes
il/elle:	son	sa	ses
nous:	notre	notre	nos
vous:	votre	votre	vos
ils/elles:	leur	leur	leurs

The masculine forms *mon, ton* and *son* are used before feminine nouns whose initial letter is a vowel or *h* mute.

(ii) *son, sa* and *ses* mean 'his', 'her' or 'its', according to the context: *J'aime ses rues, ses places* — I love its streets, its squares — 1.1.1; *Mania Sklodowska et ses trois cousines* — Mania Sklodowska and her three cousins — 6.1.1; *une partie de sa petite enfance* — part of his early childhood — 6.2.1.

(iii) Note that *notre, votre* and *leur* remain in the singular, when the noun referred to is owned individually by each of the persons mentioned: *ils prirent leur manteau* — they took their coats, i.e. they each had one. When each person owns more than one object, the noun is plural: *je regardais . . . leurs pieds* — 6.3.1.

(iv) *Chacun, on* and *tout le monde* are each used with the *il/elle* form of the possessive: *Chacun à son goût; Tout le monde prend sa part.*

(v) Note: *un de mes amis* — a friend of mine.

(vi) When the possession is stressed, *propre* or *à moi, à toi, à lui,* etc., are added: *C'est mon idée à moi* — It's *my* idea.

(e) *Demonstrative Adjectives*

(i) Forms:
singular masc.: ce, cet
       fem.: cette
Plural, all forms: ces

The masculine form *cet* is used before vowels and *h* mute: *cet inventaire de richesses; Que cet honneur est tendre* — 9.1.1. The demonstrative forms correspond to both 'this' and 'that' in English. If it is necessary to stress the 'thisness' or 'thatness', then *-ci* or *-là* may be added to the noun (*ce jour-là* — on that day — 2.2.1). The hyphen may be omitted.

(ii) The demonstrative adjective agrees in number and gender with its noun: *Que ce pillage se soit effectué* — 2.2.1; *Ces rapports sont caractérisés* — 8.2.1; *Cette distinction* — 9.2.1.

(f) *Interrogative Adjectives*

(i) Forms:

	Masculine	Feminine
Singular	quel	quelle
Plural	quels	quelles

(ii) The interrogative adjective is used to indicate that the speaker is asking a question, directly or indirectly, about the noun following the adjective. It is always used in conjunction with a noun, with which it agrees in number and gender, though it may be separated from its noun by some part of *être: Quelle heure est-il?; Quelle est l'opinion des autres Français . . .?* — 1.3.1; *Quels sont vos souvenirs d'enfance?* — 5.3.1. Note the doubt expressed in the indirect question form: *Je ne sais pas quel a été le résultat.*

(iii) The interrogative adjective may be used in an exclamation, with the force of 'What . . .!' or 'What a . . .!': *Quelles bases incomparables* — 2.1.1; *Quel dommage!*

(g) *Indefinite Adjectives*

Indefinite adjectives give a vague idea of quality or quantity connected with the noun to which they are linked. They agree in number and gender with the noun.

(i) *Aucun* is normally used negatively: *Ils n'utilisent aucun produit* — 3.2.1. It may also be used as a pronoun: *aucune ne semble, comme Paris, avoir été créée* — 1.2.1. *Aucun* is more rarely used positively, to mean 'any': *le rond horizon qui paraît être plus loin que dans aucun autre point du monde* — 6.1.1.

(ii) *Autre* may be singular or plural: *Le travail considérable ... doit ... servir à autre chose* — 2.2.1; *les Parisiens viennent d'Auvergne, d'autres régions* — 1.3.1. Note that *d'autres* may serve as a pronoun: *D'autres, parmi les plus jeunes* — 4.2.1.

(iii) *Certain* is used in the sense of 'some undefined (people, etc.)': *Certains domaines ne peuvent s'expliquer* — 8.3.1.

(iv) *Chaque* is always used in the singular with a noun: *Chaque époque ne serait-elle pas ressentie ...* — 10.2.1. The pronoun is *chacun(e)*.

(v) *Différents* and *divers*, when used in the sense of 'several', require no article: *Il l'a entendu dire à différents témoins de l'accident; J'ai parlé à diverses personnes.*

(vi) *Maint* means 'many'. It is commonly used in the expression *maintes fois* — many times.

(vii) *Même*, used to mean 'same', is placed before the noun: *les mêmes lettres* — 7.2.1.

(viii) *N'importe quel* means 'any . . . at all': *N'importe quel Français peut vous le dire.*

(ix) *Nul*, like *aucun*, requires *ne: Nulle trace ne subsiste de notre ancien passage* — 1.2.1.

(x) *Plusieurs* has no feminine: *J'en ai parlé à plusieurs personnes.*

(xi) *Quel que* (= whatever) is followed by a verb, and this must be in the subjunctive mood (see 5.5(c)(xiii)4): *Quel que fût l'essor de la production céréalière* — 3.1.1.

(xii) *Quelque(s)* usually occurs in the plural: *Quelques kilomètres plus loin* — 3.1.1. Used with the subjunctive (see 5.5(c)(xiii)3) it means 'whatever': *à quelque niveau qu'elles s'exercent* — 2.2.1.

(xiii) *Quelconque* means 'some . . . or other': *Donnez-moi un livre quelconque*. Note that *quelconque* is placed after the noun, and is singular.

(xiv) *Tel* can be used to be extremely vague: *telle chose m'advint* — 1.2.1. It may be used to mean 'like': *tel cet élève qui declare ...* —7.3.1. It is used with *que* to mean 'such as' in comparative constructions (*le sens de l'évolution telle qu'elle se produit* — 9.2.1), or to introduce examples (*Il a appris plusieurs langues telles que le français et l'allemand*).

(xv) *Tout* functions as adjective, adverb and pronoun. Only the adjectival uses will be dealt with here.
1. *Tout* used in the singular means 'the whole': *tout le monde; toute la classe politique*. It is used in this sense with *ceci* and *cela* (*tout ceci; tout cela*), and with *ce qui* and *ce que* (*un président qui aimait tout ce qui était jeune et neuf* — 1.1.1; *et tout ce qu'on pense obtenir d'eux* — 7.1.1). Note: *J'aime tout ce qui est jazz* = I like everything to do with jazz.
2. *Tout* used in the singular can mean 'any': *Tout Breton reconnaîtra ces sentiments.*
3. *Tout* used adjectivally in the plural means 'all': *Tous les grands noms étrangers* — 1.1.1; *De toutes les facultés de l'homme* — 7.1.1. Note that *tout* agrees in number and gender with the noun.

4 The Pronoun

Pronouns replace a noun, adjective or prepositional phrase that has already been mentioned. Pronouns that replace nouns are marked for gender and number.

4.1 Personal Pronouns

(a) *Forms*

	1st person masc. and fem.	2nd person masc. and fem.	3rd person Masc.	Fem.	Reflexive
Subject	je	tu	il	elle	
Direct object	me	te	le	la	se
Indirect object	me	te	lui	lui	se
Emphatic	moi	toi	lui	elle	soi
Subject	nous	vous	ils	elles	
Direct object	nous	vous	les	les	se
Indirect object	nous	vous	leur	leur	se
Emphatic	nous	vous	eux	elles	

The subject pronoun *on* should be added to this list, together with the pronouns *y* and *en*. The use of *on* is discussed below.

(b) *Uses*

(i) The general rule for pronouns is that they precede the verb. The two exceptions to this rule are:
1. Pronouns used in a positive command, which follow the verb, and are linked to it by hyphens in the written language: *Sortez-en* — 7.1.1; *Donnez-le-moi*.
2. Emphatic (disjunctive pronouns), which may precede a verb when used as subject (see below, (ii)), but which also follow verbs and prepositions (see below, (vi)). Remember the mnemonic **PVC: P**ronouns before **V**erbs in most **C**ases.

(ii) The pronoun as subject is normally represented by the pronouns on the *Subject* line of the above table. When it is necessary to emphasise the subject, the emphatic pronouns are used: *Lui le croit; moi non.* Before a verb, *moi* and *toi* cannot be used alone, but serve to reinforce *je* and *tu*: *Moi, je ne suis pas Parisien* — 1.3.1; *Toi, tu as été joueur de football.*

(iii) *On* is a subject pronoun. Its reflexive is *se*, and its emphatic form, *soi*. When an object or indirect object pronoun is required, *nous, vous* or *se* is used, according to sense: *Voilà ce qu'on vous dit. On* as subject pronoun may represent *nous*, particularly in speech: *On est de Paris, on est des gens bien, quoi?* — 1.3.1. (See also 4.6, below.)

(iv) Object pronouns follow the PVC rule: *tous ces édifices se sont imposés* — 1.1.1; *Je l'aime passionnément* — 1.2.1; *je l'ai cru, d'autres me l'ont dit* — 10.1.1. This holds true of negative imperatives (*Ne vous inquiétez pas*) and questions *(Le connaissez-vous?; L'a-t-il fini?).*

(v) Note the use of pronouns to complete the sense of a sentence: *Ç'a peut-être été plus agréable pour y vivre que ça ne l'est maintenant* — 1.3.1; *il meurt beaucoup beaucoup plus de bretonnants qu'il n'en naît* — 2.3.1.

(vi) In positive imperatives, the indirect object pronouns appear in the emphatic form: *Donnez-moi ce livre; Lave-toi les mains.*

(vii) When a sentence requires more than one pronoun before the verb, the order is as follows (optional negatives and past participles are indicated):

(ne)	me te se nous vous	le la les	lui leur	y en	verb	(neg.)	past part.

Examples: *On ne m'en offrait guère* — 5.1.1; *Elle ne la lui a pas donnée; Je n'y en ai pas acheté.*

(viii) Note the order of pronouns in positive imperatives:

le la les	moi toi lui nous vous leur	y	en

Examples: *Donnez-le-moi; Apportez-leur-en.* Note that *moi* and *toi* shorten to *m'* and *t'* before *en: Donnez-m'en; Va-t'en.*

(ix) With verbs which are followed by an infinitive, the pronouns may occupy one of two places:

1. Before the first verb. This occurs with *écouter, emmener, entendre, envoyer, faire, laisser, mener, regarder, sentir, voir: nous nous voyons encore sourire* — 1.1.1; *Maman . . . me faisait soigneusement réciter mes leçons* — 5.1.1; *mon père . . . nous le fit accepter* — 5.2.1. Note that in an imperative, the pronoun will follow the verb in the usual manner: *Faites-le entrer.*

2. Before the infinitive with verbs other than those listed above: *qu'ils aillent d'abord se laver les mains* — 5.2.1; *il me donne suffisamment pour que je puisse m'habiller* — 9.3.1.

(x) If a direct object pronoun occurring before the auxiliary verb *avoir* in any compound tense is feminine or plural, then the past participle must agree in number and gender with the pronoun: *Si on vous les a montrés descendant d'avions* — 3.2.1. Note that the pronoun *en* does not cause agreement: *Vous avez eu des problèmes? — Oui, j'en ai eu.*

(xi) Indirect object pronouns are required with verbs that take both a direct and indirect object (*lui abrégeant d'un chiffre respectable de milles le trajet de l'aller comme du retour* — 2.1.1; *elle lui offrit encore une vraie cravate* — 8.2.1) and with verb constructions taking *à* (*la maîtresse fonction qui lui incombe* — 2.1.1; *il lui semblait qu'ils parfumaient ses pages* — 6.2.1).

(xii) The emphatic pronouns may stand alone (*Qui a fait cela? — Moi*) or after the verb *être* preceded by *ce*, often with a relative clause (*C'est moi qui la lui réclame* — 9.3.1). They may also stand as subject pronouns when the subject is being emphasised: *. . . tandis qu'eux s'amusent bien, hein?* — 6.4.1. These pronouns are also used to reinforce weak forms in highlighting (see 9.3, below), particularly in the spoken form of the language: *Nous, nous avons eu la télévision* — 6.4.1. Note the use of *nous* to reinforce *on: Peut-être que nous, on n'a pas su s'amuser* — 6.4.1.

(xiii) Emphatic pronouns appear after prepositions: *tu as devant toi de larges perspectives* — 2.1.1; *les emprunts disparaissent avec elle* — 8.1.1.

(xiv) As a pronoun, *en* represents *de* + noun, and is used in constructions requiring *de: Quand il y a eu les retombées de Tchernobyl, on en a parlé* — 3.3.1. *En* may thus mean 'of it', 'of them', 'some' or 'any': *Quant aux distractions, on ne m'en offrait guère* — 5.1.1; *si le besoin s'en fait ressentir* — 8.3.1; *parmi les colonies anglaises, il y en a qui ont connu un développement considérable* — 8.3.1. Note that *en* is required when numerals or expressions of quantity are used without the noun to which they refer: *Des livres? J'en ai des douzaines*. Note also the use of *en* to mean 'for that': *ils n'en sont donc que plus représentatifs* — 7.3.1.

(xv) *Y* may mean 'there', 'to it' or 'to them': *le chauffeur de taxi m'y amène* — 1.1.1; *Tous les grands noms étrangers venaient s'y parfaire* — 1.1.1. *Y* is also required as a pronoun for verbs which are followed by the prepositions *à, dans, en, sur* and *sous*. Thus, *s'intéresser à: On s'y intéresse ponctuellement* — 3.3.1.

(xvi) Both *y* and *en* are much used in set expressions: *il y a; il y avait; s'en aller; j'en ai marre de cela*; etc. There is rarely an exact English translation for the pronouns in these cases.

4.2 Possessive Pronouns

(a) *Forms*

	Singular	
	One object	*Several objects*
1st person masc.	le mien	les miens
fem.	la mienne	les miennes
2nd person masc.	le tien	les tiens
fem.	la tienne	les tiennes
3rd person masc.	le sien	les siens
fem.	la sienne	les siennes

	Plural	
	One object	*Several objects*
1st person masc.	le nôtre	les nôtres
fem.	la nôtre	les nôtres
2nd person masc.	le vôtre	les vôtres
fem.	la vôtre	les vôtres
3rd person masc.	le leur	les leurs
fem.	la leur	les leurs

(b) *Uses*

Possessive pronouns refer to a noun or nouns already mentioned. Thus, in the following example, *la leur* refers to *la vérité: cette course de l'auteur vers sa vérité intérieure n'empêche nullement ses collaborateurs de découvrir la leur* — 8.2.1. Note that the article (*le, la, les*) depends on the object referred to, the pronoun to the person speaking, spoken to or spoken about.

4.3 Demonstrative Pronouns

(a) *Forms*

	Masculine	*Feminine*	*Neuter*
Singular	celui	celle	ce, ceci, cela
Plural	ceux	celles	

These forms (with the exception of *ce*) are usually restricted to appearing with *de, qui* or *que*. They may, however, be linked to *-ci* and *-là* (*celui-ci; celles-là*), to distinguish between a referent close to the speaker or one that is more distant either in space or in the discourse (see below, (b)(i)). The neuter forms are *ceci* and *cela*. The latter is often reduced to *ça*, particularly in the spoken language: *Mais est-ce que ça veut dire que c'est mieux?* — 6.4.1; *Je pense à ça* — 9.4.1. The pronoun *ce* is elided to *c'* before a vowel: *C'est un terme un peu nouveau* — 3.3.1.

(b) *Uses*

(i) *Celui, celle(s)* and *ceux* can only be followed, as mentioned above, by *de*, by *-ci* and *-là*, or by a relative clause. The demonstrative pronoun agrees in number and gender with the noun to which it refers: *. . . les plus malheureux de ses enfants. J'entends par là ceux qui y sont nés* — 1.1.1; *elle demeurait d'une importance moindre, et surtout bien moins prestigieuse que celle du vin de Champagne* — 3.1.1; *J'allais voir des films et des pièces* — *ceux-là m'intéressaient, mais pas celles-ci.* Note that in the last example, the demonstrative pronouns are equivalent to 'the former' and 'the latter'. Note also that with relative clauses, the demonstrative pronouns are followed by *qui, que* or *dont: ceux qui y sont nés* — 1.1.1; *ceux que j'ai lus; celle dont j'ai besoin.*

(ii) *Ce* is used as a subject pronoun:

1. Before a relative clause beginning with *qui, que* or *dont: ce qui m'intéressait dans tous les mirages optiques* — 5.1.1; *Ce qu'il faut, c'est de redéfinir le rôle de l'école* — 7.2.1; *Je ne me rappelle plus ce dont il parlait.* Note the use of *ce* to refer to an entire clause: *J'eus la réputation de m'intéresser à la mécanique, ce qui pour une fille me posait* — 6.3.1; *Il n'y est jamais retourné, ce qu'il regrette maintenant.*

2. Before the verb *être*:

   (a) Where *être* is followed by a pronoun or a defined noun: *C'est moi qui la lui réclame* — 9.3.1; *C'est une belle ville* — 1.3.1. Some undefined nouns take *ce* before *être: C'est dommage; c'est pitié.*

   (b) When *être* is followed by a verb, adverb, preposition or conjunction: *vouloir c'est pouvoir; c'est beaucoup dire; c'est pour vous; c'est parce qu'il est malade.*

   Note the use of *c'est . . . que* for highlighting: *C'est sur les vagues . . . qu'est tracé le chemin du progrès* — 2.1.1; *c'est pour ça que c'est si surprenant* — 4.4.1. (See also 9.3, below.)

3. Before the verbs *devoir* and *pouvoir* when these are followed by the infinitive of *être: Ce doit être lui; ce peut être le cas.*

4. The distinction between *c'est* and *il est* often causes difficulty. The essential difference is that *c'est defines* and *il est refers*. Thus, *c'est* points to something that occurs after it: *c'est une ville bien faite* — 1.1.1. In the same passage, the author refers back to Paris: *il est harmonieux dans toutes ses parties.* However, if an adjective follows *être*, and the subject refers to something

occurring later in the sentence, *il* is used: *il n'est pas rare d'entendre des gens parler en franglais*. Note the construction *il est* + adjective + *de: il est utile de souligner que la culture ... tend à en changer la nature* — 9.2.1. *Ce*, however, is used to refer to a whole clause or sentence: *Il est difficile de faire cela? — Oui, c'est difficile*.

The distinction between *ce* and *il* is often blurred in the grammar of the spoken language, *ce* often doing the work of both: *c'est vrai que ... les Bretons ne croient pas qu'on puisse conserver cette langue-là* — 2.3.1; *j'avais ... des poupées, des ours, des poussettes. C'étaient beaucoup moins perfectionnés qu'aujourd'hui* — 5.3.1.

(iii) *Ceci* and *cela* are used to refer to generalised concepts: 'this' and 'that'. Note that *ceci* is used to refer forward: *Je vous dis ceci, qu'on va avoir des problèmes. Cela* (or *ça*) refers back to something already mentioned: *...il y a quand même des pauvres. On ne ressent pas beaucoup ça* — 4.4.1. However, the construction *cela* (*ça*) + verb of emotion + *de* refers forward: *Cela m'amusait beaucoup d'y aller*. Note that *ceci* requires *de* before an adjective: *Il y a ceci d'intéressant*.

4.4 Relative Pronouns

(a) *Forms*

Qui is the relative pronoun which is used as the subject of its clause. *Que* is the pronoun used for the object. *Dont* is equivalent to 'whose/of which'. *Où* means 'where' or 'when', according to context. *Quoi* means 'what'. The compound forms of the relative pronoun are as follows:

| *Singular* | | *Plural* | |
Masculine	*Feminine*	*Masculine*	*Feminine*
lequel	laquelle	lesquels	lesquelles
duquel	de laquelle	desquels	desquelles
auquel	à laquelle	auxquels	auxquelles

(b) *Uses*

(i) *Qui* is used as the subject of a relative clause: *un président qui aimait tout ce qui était jeune et neuf* — 1.1.1. As in this example, *qui* may refer to a person, or, as in the following example, to something inanimate or abstract: *Ils se préparent des lendemains qui grincent* — 7.3.1. Note that *qui* may follow the preposition when it refers to a person: *L'homme à qui je parlais*.

(ii) *Que* is the direct object of its clause: *toutes les leçons de morale qu'on fait et qu'on peut faire aux enfants* — 7.1.1. Note that *que*, but not *qui*, reduces to *qu'* before a vowel or *h* mute.

(iii) *Lequel* and its other forms (see table above) occur mainly after prepositions: *un pillage véritablement scandaleux, contre lequel la Bretagne n'a pas réussi à se défendre efficacement* — 2.2.1; *il reçut ces merveilles, auxquelles s'ajouta ... une paire de chaussures de sport* — 6.2.1. *Lequel* and its other subject forms are also used to refer to an antecedent which does not directly precede: *le directeur de cette société, lequel connaît des problèmes*. Ambiguity of reference is thus avoided.

(iv) *Dont* may mean 'of which': *les usines de produits chimiques dont l'une ou l'autre explose* — 3.2.1. It is often used to mean 'whose': *une bande*

d'images immobiles dont la rotation engendrait le galop d'un cheval —
5.1.1. The word order with *dont* is always subject, verb, complement. Note,
therefore, that the word order will have to change when the following example is
translated: *une grande maison dont nous aurions habité toutes les
chambres* = a large house, in all of whose rooms we seem to have lived —
1.2.1. Note that the noun connected with *dont* must be accompanied by an
article, unless it is a proper noun, and that *dont* cannot be used when the noun is
governed by a preposition — some form of *lequel* is then required: *Cette
presqu'île, au milieu de laquelle se dressent des montagnes.*

(v) *Où* usually means 'where': *cette vaste mer, où chaque flot pousse
l'autre* — 1.2.1. In expressions of time, *où* can mean 'when' or 'that': *Jusqu'au
moment où elle a trouvé à sa tête un président* . . . — 1.2.1. Note: *le jour
où*, but *un jour* que.

(vi) *Quoi* is vague in its meaning, approximating to 'what'. It is used after
prepositions: *Voici à quoi je pensais; Dites-moi de quoi vous parliez.* Note
the expressions using *de quoi*, which correspond roughly to 'the wherewithal':
Donnez-moi de quoi écrire; Il n'a pas de quoi vivre.

(vii) Position of the relative pronoun: the relative pronoun is usually placed
directly after the noun to which it refers (its antecedent): *un président qui; une
maison dont* ; etc. If the relative clause cannot be placed close to its antecedent,
et may be used to make the reference more explicit: *Ce vieillard qui possédait
tant d'argent, et qui ne l'utilisait pas.*

(viii) Inversion in the relative clause. In relative clauses involving *que, dont* or
a form of *lequel* used with a preposition, inversion of subject and verb
sometimes takes place. This is often the case when the subject is long: *des
quartiers anciens, assez pauvres, dans lesquels vivent souvent des personnes âgées* — 4.3.1; *il reçut ces merveilles, auxquelles s'ajouta* . . . *une
paire de chaussures de sport à épaisses semelles de crêpe* — 6.2.1.
Inversion of this type is most common in the written language.

4.5 Interrogative Pronouns

(i) *Qui* is used for people only: *Qui pense aux pauvres?* It may follow a
preposition: *A qui pensez-vous?* Note that the longer form *Qui est-ce qui* is
used as the subject of a sentence (*Qui est-ce qui a fait cela?*), while *Qui est-ce
que* is the object (*Qui est-ce que vous avez vu?*).

(ii) *Que?* means 'what?': *Que pensez-vous de cela?* The longer form
Qu'est-ce qui is the subject of a sentence: *Qu'est-ce qui motive une telle
conduite? Qu'est-ce que* is the object: *Qu'est-ce que vous avez à dire à tout
ça?* — 1.3.1.

(iii) *Quoi?* also means 'what?'. It may be used alone, to seek information, or
to ask for a repetition, though this latter is not very polite. It is also used as a
filler at the end of a sentence in spoken French to seek assent from the hearer
and to keep him/her in the conversation: *C'est surtout la langue,
quoi?* — 2.3.1. *Quoi* is also used after prepositions: *En quoi la Bretagne
est-elle différente?* Note the expression *Quoi de neuf?* — 'What's new?'

(iv) *Lequel* and its variants are used to distinguish between two or more
people, or two or more things: *Lequel de ces livres préférez-vous?; J'ai perdu
une cassette — Laquelle?; Dans laquelle de ces boîtes avez-vous mis mes
disques?*

4.6 Indefinite Pronouns

(i) Certain indefinite pronouns are invariable. These are: *autrui; on (l'on), quiconque, personne, plusieurs, quelque chose, rien.*

(ii) The grammatical structures connected with *on* have been dealt with in 4.1(b). Note that *l'on* is sometimes used for euphony: *Que l'on prenne une vision plurielle* — 8.1.1. This is the case after *ainsi, ou, où, que, qui* and *si*. An important use of *on* is to replace a passive verb: *Si on vous les a montrés* — If they have been shown — 3.2.1; *On n'utilisait pas le terme «environnement»* — The term 'environment' wasn't used — 3.3.1. Note that verbs that take *à* after them cannot be made passive (see 5.4(b), below) and *on* is therefore used: *Ce qu'on vous défend* — What you're not allowed to do — 7.1.1.

(iii) *Quiconque* means 'whoever', and takes the third person singular of the verb: *Quiconque a un peu voyagé me peut comprendre* — 1.2.1.

(iv) *Personne, quelqu'un, quelque chose* and *rien* followed by an adjective take *de* before the adjective: *quand on leur offre un cadeau, enfin quelque chose de superbe* — 5.3.1; *je ne vois rien de plus sot que ces enfants* — 7.1.1. Note that *personne* and *rien* may be used positively to mean 'somebody' and 'anything', and negatively to mean 'nobody' and 'nothing. In the latter cases, both require *ne* with the verb.

(v) *Autrui* (= other people) is used only with prepositions: *Il s'occupe des opinions d'autrui.*

(vi) *Plusieurs* has no feminine, and takes the third person plural of the verb: *On attend deux cents invités. Plusieurs sont déjà arrivés.*

(vii) The indefinite pronouns which vary according to the noun that they represent are: *aucun, l'autre, certains, chacun, nul, quelqu'un, tel, tout* (pl. *tous*), *l'un.*

(viii) *Aucun* is usually negative, and requires *ne: aucune ne semble, comme Paris, avoir été créée . . .* — 1.2.1.

(ix) *L'autre* has the plural *les autres*, which is often used in conjunction with *les uns: Les uns avaient un vrai scooter, les autres une petite moto* — Some had a real scooter, others a little motor-bike — 6.3.1.

(x) *Certains* is plural: *Certains disent que c'est vrai* — Some people say it's true.

(xi) *Chacun* may be feminine (*chacune*), but has no plural: *ceux auxquels chacune de ses rues, chacun de ses coins, chacun de ses pavés dit quelque chose* — 1.2.1.

(xii) *Nul* requires *ne: On cherche des traces. Nulle ne se révèle.* Note the expression *Je suis nul en maths* — I'm useless at maths.

(xiii) *Quelqu'un* ('someone, somebody') may be used in the plural. Thus, *quelques-uns, quelques-unes* = some of them: *Quelques-uns sont traduits* — Some of them are translated — 8.1.1.

(xiv) *Tel* can be used to mean 'somebody': *Tel est pris qui croyait prendre* — The catcher is caught (i.e. somebody who thought he was the catcher). Note the use of *Monsieur Untel* = Mr So-and-so.

(xv) *Tout* may be used in the singular: *Il a tout abandonné — femme, enfants, maison et travail.* Note its position in a compound tense — between auxiliary and past participle. In the masculine plural, the *s* is pronounced: *Je les ai invités. Ils sont venus tous.*

(xvi) *L'un* is often used in conjunction with *l'autre: L'une est moitié suprême, et l'autre subalterne* — 9.1.1.

(xvii) *Qui que ce soit* and *n'importe qui* mean 'anyone at all': *N'importe qui vous le dira* — Anyone will tell you.

(xviii) *Quoi que ce soit* and *n'importe quoi* mean 'anything at all': *Vous pouvez prendre quoi que ce soit* = You can take anything at all.

5 The Verb

5.1 Forms

French verbs are formed from a stem based on the infinitive, plus endings. Whereas the endings of English verbs are consonantal, French verbs end in a vowel sound, even when the written form ends in consonants. Note that the only possible terminal letters for each person of the verb are:

je:	-s, -e, -x, -ai	*nous:*	-mes, -ons
tu:	-s, -x	*vous:*	-ez, -es
il, elle:	-d, -a, -t, -e	*ils, elles:*	-nt

There are four infinitive endings (*-er, -ir, -re, -oir*), three of which give regular and irregular verbs. All *-oir* verbs are irregular, though there are groups within the irregulars.

Note that in the subjunctive present, the first and second persons plural (*nous* and *vous*) are usually identical with the first and second persons plural of the imperfect indicative. Many verbs in the subjunctive follow a 1–2–3–6 pattern, in which the vowel of the stem is the same for *je, tu, il* and *ils*, and changes in the *nous* and *vous* form.

5.1.1 *Regular Verbs*

The forms for the three conjugations in simple tenses are as follows.

(a) *donner*

	Present indicative	*Present subjunctive*	*Imperfect indicative*
je	donne	donne	donnais
tu	donnes	donnes	donnais
il, elle	donne	donne	donnait
nous	donnons	donnions	donnions
vous	donnez	donniez	donniez
ils, elles	donnent	donnent	donnaient

	Imperfect subjunctive	*Past historic*	*Future*
je	donnasse	donnai	donnerai
tu	donnasses	donnas	donneras
il, elle	donnât	donna	donnera
nous	donnassions	donnâmes	donnerons
vous	donnassiez	donnâtes	donnerez
ils, elles	donnassent	donnèrent	donneront

Conditional Add the endings of the imperfect (*-ais, -ais, -ait, -ions, -iez, -aient*) to the infinitive: je donnerais, etc.

Participles Present (formed from *nous* form, less *ons*): donnant; past: donné.

Imperative donne! donnons! donnez!

(b) *choisir*

	Present indicative	*Present subjunctive*	*Imperfect indicative*
je	choisis	choisisse	choisissais
tu	choisis	choisisses	choisissais
il, elle	choisit	choisisse	choisissait
nous	choisissons	choisissions	choisissions
vous	choisissez	choisissiez	choisissiez
ils, elles	choisissent	choisissent	choisissaient

	Imperfect subjunctive	*Past historic*	*Future*
je	choisisse	choisis	choisirai
tu	choisisses	choisis	choisiras
il, elle	choisît	choisit	choisira
nous	choisissions	choisîmes	choisirons
vous	choisissiez	choisîtes	choisirez
ils, elles	choisissent	choisirent	choisiront

Conditional Add the endings of the imperfect to the infinitive: je choisirais, etc.
Participles Present: choisissant; past: choisi.
Imperative choisis! choisissons! choisissez!

(c) *vendre*

	Present indicative	*Present subjunctive*	*Imperfect indicative*
je	vends	vende	vendais
tu	vends	vendes	vendais
il, elle	vend	vende	vendait
nous	vendons	vendions	vendions
vous	vendez	vendiez	vendiez
ils, elles	vendent	vendent	vendaient

	Imperfect subjunctive	*Past historic*	*Future*
je	vendisse	vendis	vendrai
tu	vendisses	vendis	vendras
il, elle	vendît	vendit	vendra
nous	vendissions	vendîmes	vendrons
vous	vendissiez	vendîtes	vendrez
ils, elles	vendissent	vendirent	vendront

Conditional The imperfect endings added to the stem (formed by dropping the *-e* from the infinitive): je vendrais, etc.
Participles Present: vendant; past: vendu.
Imperative vends! vendons! vendez!

5.2 Forms — Auxiliary Verbs

(a) *avoir*

	Present indicative	*Present subjunctive*	*Imperfect indicative*
j'	ai	aie	avais
tu	as	aies	avais
il, elle	a	ait	avait
nous	avons	ayons	avions
vous	avez	ayez	aviez
ils, elles	ont	aient	avaient

	Imperfect subjunctive	*Past historic*	*Future*
j'	eusse	eus	aurai
tu	eusses	eus	auras
il, elle	eût	eut	aura
nous	eussions	eûmes	aurons
vous	eussiez	eûtes	aurez
ils, elles	eussent	eurent	auront

Conditional Add the imperfect endings to the future stem: j'aurais, etc.
Participles Present: étant; past: été.
Imperative aie! ayons! ayez!

(b) *être*

	Present indicative	*Present subjunctive*	*Imperfect indicative*
je, j'	suis	sois	étais
tu	es	sois	étais
il, elle	est	soit	était
nous	sommes	soyons	étions
vous	êtes	soyez	étiez
ils, elles	sont	soient	étaient

	Imperfect subjunctive	*Past historic*	*Future*
je	fusse	fus	serai
tu	fusses	fus	seras
il, elle	fût	fut	sera
nous	fussions	fûmes	serons
vous	fussiez	fûtes	serez
ils, elles	fussent	furent	seront

Conditional Add the imperfect endings to the future stem (*ser-*): je serais, etc.
Participles Present: étant; past: été.
Imperative sois! soyons! soyez!

5.3 Forms — Irregular Verbs

The irregular verbs are here listed in related groups. The following alphabetical list indicates in which section the verb may be found.

absoudre — (c)(xiii)
accroître — (c)(xvii)
accueillir — (b)(i)
acquérir — (b)(ii)
admettre — (c)(i)
aller — (a)
apercevoir — (d)(vi)
apparaître — (c)(iv)
apprendre — (c)(ii)
s'asseoir — (d)(i)
atteindre — (c)(ix)
battre — (c)(vii)
boire — (c)(xiv)

combattre — (c)(vii)
commettre — (c)(i)
comparaître — (c)(iv)
complaire — (c)(iii)
comprendre — (c)(ii)
conclure — (c)(xi)
conduire — (c)(vi)
connaître — (c)(iv)
conquérir — (b)(ii)
contenir — (b)(ii)
contraindre — (c)(ix)
convaincre — (c)(xvi)
convenir — (b)(ii)
corrompre — (c)(x)
coudre — (c)(iii)
courir — (b)(iv)
couvrir — (b)(i)
craindre — (c)(ix)
croire — (c)(xii)
croître — (c)(xvii)
cueillir — (b)(i)
décrire — (c)(viii)
défaire — (c)(iii)
démentir — (b)(iii)
desservir — (b)(iii)
devenir — (b)(ii)
devoir — (d)(vi)
dire — (c)(iii)
disparaître — (c)(iv)
dissoudre — (c)(xiii)
dormir — (b)(iii)
écrire — (c)(viii)
s'enfuir — (b)(iv)
entrevoir — (d)(v)
envoyer — (a)
exclure — (c)(xi)
faire — (c)(iii)
falloir — (d)(iii)
fuir — (b)(iv)
haïr — (b)(iv)
inclure — (c)(xi)
interdire — (c)(iii)
interrompre — (c)(x)
joindre — (c)(ix)
lire — (c)(iii)
maintenir — (b)(ii)
maudire — (c)(iii)
mentir — (b)(iii)
mettre — (c)(i)
mourir — (b)(ii)
naître — (c)(xv)
offrir — (b)(i)
omettre — (c)(i)
ouvrir — (b)(i)

paraître — (c)(iv)
partir — (b)(iii)
parvenir — (b)(ii)
peindre — (c)(ix)
permettre — (c)(i)
plaindre — (c)(ix)
plaire — (c)(iii)
pleuvoir — (d)(iii)
poursuivre — (c)(viii)
pourvoir — (d)(v)
pouvoir — (d)(vi)
prédire — (c)(iii)
prendre — (c)(ii)
prévaloir — (d)(iv)
prévoir — (d)(v)
promettre — (c)(i)
recevoir — (d)(vi)
reconnaître — (c)(iv)
recueillir — (b)(i)
refaire — (c)(iii)
remettre — (c)(i)
renvoyer — (a)
reparaître — (c)(iv)
reprendre — (c)(ii)
résoudre — (c)(xiii)
ressentir — (b)(iii)
ressortir — (b)(iii)
revenir — (b)(ii)
revoir — (d)(v)
rire — (c)(v)
rompre — (c)(x)
savoir — (d)(vi)
sentir — (b)(iii)
servir — (b)(iii)
sortir — (b)(iii)
souffrir — (b)(i)
soumettre — (c)(i)
sourire — (c)(v)
soutenir — (b)(ii)
suffire — (c)(iii)
suivre — (c)(viii)
surprendre — (c)(ii)
taire — (c)(iii)
tenir — (b)(ii)
vaincre — (c)(xvi)
valoir — (d)(iv)
venir — (b)(ii)
vivre — (c)(viii)
voir — (d)(v)
vouloir — (d)(ii)

The following parts of the irregular verbs are given in the sub-sections (a)–(d), below.

205

Infinitive This provides the stem for future and conditional tenses in some cases. Irregular futures are shown where necessary.

Present participle This gives the stem for the imperfect indicative, except in the case of *avoir* and *savoir*.

Past participle This is used for the formation of all compound tenses.

Present indicative, first person singular and plural, from which may be deduced the remainder of the present. The present subjunctive is derived from the third person plural of the present indicative. The whole tense is given where necessary.

Past historic First person is given, from which the rest of the tense may be derived. The imperfect subjunctive is formed from the second person singular.

(a) *Irregular -er Verbs*

aller: allant   allé   je vais, tu vas, il va, nous   j'allai
                                allons, vous allez, ils vont
(Future: j'irai; Conditional: j'irais; Subjunctive: j'aille, nous allions, ils aillent; Imperative: va! allons! allez!)

envoyer: Irregular future: j'enverrai. Note vowel change in present tense: j'envoie, nous envoyons. (Also *renvoyer*.)

(b) *Irregular -ir verbs*

(i) Verbs identical in present tense with *-er* conjugation
ouvrir: ouvrant   ouvert   j'ouvre, nous ouvrons   j'ouvris
(Also *couvrir, offrir, souffrir*)
cueillir: cueillant cueilli   je cueille, nous cueillons   je cueillis
(Also *accueillir, recueillir*)

(ii) Verbs with strong and weak present stems (i.e. the *nous* and *vous* forms differ in their stem vowel from the 1–2–3–6 forms)
acquérir: acquérant acquis   j'acquiers, nous acquérons   j'acquis
(Future: j'acquerrai; conditional: j'acquerrais. Also *conquérir*)
mourir: mourant   mort   je meurs, nous mourons   je mourus
(Future: je mourrai; conditional: je mourrais)
tenir: tenant   tenu   je tiens, nous tenons   je tins
(Future: je tiendrai; conditional: je tiendrais. Also *contenir, convenir, maintenir, soutenir, venir, devenir, parvenir, revenir*)

(iii) *dormir* group
dormir: dormant   dormi   je dors, tu dors, il dort,   je dormis
                                nous dormons, vous
                                dormez, ils dorment
(Also *mentir, démentir, partir, sentir, ressentir, servir, desservir, sortir, ressortir*)

(iv) Other verbs
fuir: fuyant   fui   je fuis, nous fuyons   je fuis
(Also *s'enfuir*)
courir: courant   couru   je cours, nous courons   je courus
(Future: je courrai; conditional: je courrais. Also *recourir (à)*)
haïr: haïssant haï   je hais, tu hais, il hait,   je haïs
                                nous haïssons, vous
                                haïssez, ils haïssent

(c) *Irregular -re Verbs*

(i) *mettre* group

| *mettre:* | mettant | mis | je mets, nous mettons | je mis |

(Also *admettre, commettre, omettre, permettre, promettre, remettre, soumettre*)

(ii) *prendre* group

| *prendre:* | prenant | pris | je prends, tu prends, il prend, nous prenons, vous prenez, ils prennent | je pris |

(Also *apprendre, comprendre, reprendre, surprendre*)

(iii) Stem ending in *-s*

| *coudre:* | cousant | cousu | je couds, nous cousons | je cousis |
| *dire:* | disant | dit | je dis, tu dis, il dit, nous disons, vous dites, ils disent | je dis |

(Also *interdire, maudire, prédire*)

| *faire:* | faisant | fait | je fais, tu fais, il fait, nous faisons, vous faites, ils font | je fis |

(Future: je ferai; present subjunctive: je fasse. Also *défaire, refaire*)

| *lire:* | lisant | lu | je lis, nous lisons | je lus |

(Also *élire*)

| *plaire:* | plaisant | plu | je plais, nous plaisons | je plus |

(Also *complaire*)

| *suffire:* | suffisant | suffi | je suffis, nous suffisons | je suffis |
| *taire:* | taisant | tu | je tais, nous taisons | je tus |

(iv) *connaître* group

| *connaître:* | connaissant | connu | je connais, tu connais, il connaît, nous connaissons, vous connaissez, ils connaissent | je connus |

(Also *reconnaître, paraître, apparaître, comparaître, disparaître, reparaître*)

(v) Stem ending in vowel

| *rire:* | riant | ri | je ris, nous rions | je ris |

(Also *sourire*)

(vi) *-uire* group

| *conduire:* | conduisant | conduit | je conduis, nous conduisons | je conduisis |

(Also most other *-uire* verbs)

(vii) *battre*

| *battre:* | battant | battu | je bats, nous battons | je battis |

(Also *combattre*)

(viii) Stem in *-v*

| *écrire:* | écrivant | écrit | j'écris, nous écrivons | j'écrivis |

(Also *décrire*)

| *suivre:* | suivant | suivi | je suis, nous suivons | je suivis |

(Also *poursuivre*)

| *vivre:* | vivant | vécu | je vis, nous vivons | je vécus |

(ix) Verbs with stem in *-aign, -eign, -oign*

| *craindre:* | craignant | craint | je crains, nous craignons | je craignis |

(Also *(se) plaindre, contraindre, peindre, atteindre, joindre*)

(x) *rompre*

| *rompre:* | rompant | rompu | je romps, nous rompons | je rompis |

(Also *corrompre, interrompre*)

(xi) *conclure*

| *conclure:* | con-cluant | conclu | je conclus, nous concluons | je conclus |

(Also *inclure, exclure*)

(xii) *croire*

| *croire:* | croyant | cru | je crois, nous croyons | je crus |

(xiii) Stem modified by vocalisation

| *résoudre:* | résol-vant | résolu | je résous, nous résolvons | je résolus |

(Also *absoudre, dissoudre* but past participles absous, dissous)

(xiv) *boire*

| *boire:* | buvant | bu | je bois, nous buvons | je bus |

(xv) *naître*

| *naître:* | naissant | né | je nais, nous naissons | je naquis |

(xvi) *vaincre*

| *vaincre:* | vain-quant | vaincu | je vaincs, nous vainquons | je vainquis |

(Also *convaincre*)

(xvii) *croître*

| *croître:* | croissant | crû | je croîs, nous croissons, ils croissent | je crûs |

(*Accroître* is similar, but has no circumflex for *je* and *tu* forms in the present, or on 1–2–3–6 in the past historic. The past participle also lacks a circumflex.)

(d) *Irregular -oir Verbs*

(i)

| *s'asseoir:* | asseyant | assis | je m'assieds/je m'assois, nous nous asseyons | je m'assis |

(Future: je m'assiérai; present subjunctive: je m'asseye)

(ii)

| *vouloir:* | voulant | voulu | je veux, nous voulons, ils veulent | je voulus |

(Future: je voudrai; present subjunctive: je veuille)

(iii) Impersonal verbs

| *falloir:* | | fallu | il faut | il fallut |

(Future: il faudra; present subjunctive: il faille)

| *pleuvoir:* | pleuvant | plu | il pleut | il plut |

(Future: il pleuvra; present subjunctive: il pleuve)

(iv)

| *valoir:* | valant | valu | je vaux, nous valons | je valus |

(Future: je vaudrai; present subjunctive: je vaille. Note: *valoir* is often used impersonally. Also *prévaloir*, but present subjunctive: je prévale)

(v) *voir*

| *voir:* | voyant | vu | je vois, nous voyons | je vis |

(Future: je verrai; present subjunctive: je voie. Also *revoir, entrevoir, pourvoir* (but future: je pourvoirai; past historic: je pourvus), *prévoir* (but future: je prévoirai).

(vi) Verbs with strong stems in 1–2–3–6

devoir: devant   dû   je dois, nous devons, ils   je dus
                                      doivent

(Future: je devrai; present subjunctive: je doive, nous devions. Also apercevoir)

pouvoir: pouvant   pu   je peux, nous pouvons, ils   je pus
                                        peuvent

(Future: je pourrai; present subjunctive: je puisse)

recevoir: recevant   reçu   je reçois, nous recevons,   je reçus
                                          ils reçoivent

(Future: je recevrai; present subjunctive: je reçoive, nous recevions)

savoir: sachant   su   je sais, nous savons   je sus

(Future: je saurai; present subjunctive: je sache)

5.4 Types of Conjugation

(a) *Active Voice*

The active voice is the voice of the verb in which the subject of the sentence is the performer of the action. It is, thus, the most frequently used form. The verb may be intransitive, i.e. have no object (*Mania a beaucoup travaillé* — 6.1.1), or transitive, i.e. govern an object (*J'ai connu la pauvreté à dix-huit ans* — 10.1.1).

(b) *Passive Voice*

The passive voice is the voice of the verb in which the subject undergoes the action expressed by the verb. Thus, only transitive verbs may be used in the passive. In the following example, the active form of the verb is shown to illustrate this point. Passive: *Depuis quelques années, des mesures ont été prises . . .* — 2.1.1. Active: *Depuis quelques années, on a pris des mesures . . . .*

The passive is formed with the appropriate tense of *être*, plus the past participle of the verb which the subject undergoes. The passive exists in all tenses in both indicative and subjunctive moods. The past participle must agree in number and gender with the subject. Examples: *des milliers de mineurs ont été écrasés* — 3.2.1; *30 000 sont blessés* — 3.2.1; *Vous serez puni* — 7.1.4.

The infinitive of the passive exists in both present and past forms: *il y a eu une histoire avec une usine qui allait être construite* — 3.3.1; *aucune ne semble, comme Paris, avoir été créée et mise au monde* — 1.2.1.

When the agent is expressed, it is introduced by *par* if the agent is human: *Un enfant qui n'est pas pris en charge par ses parents* — 7.2.1, by *avec* or *par* if the instrument is concrete (*Il a été tué avec un couteau*), and by *de* or *par* if the instrument is abstract (*Des centaines . . . de manoeuvres ont été brûlés par l'explosion des premières machines à vapeur* — 3.2.1; *Le marché français est envahi de productions allemandes* — 4.1.1).

With verbs which are followed by *à* and a noun, no passive can be constructed, since these verbs are not truly transitive. The use of *on* with an active verb provides a common way of dealing with this construction. Thus, 'You will be given time to do it' is rendered as *On vous donnera le temps de le faire*. Some verbs, such as *dire, promettre, défendre* and *répondre*, are sometimes used impersonally to express the passive: *Il lui a été dit de partir* — She was told to go; *Il m'est défendu de sortir* — I am not allowed to go out.

The passive may be avoided with transitive verbs by the use of *on: On vous punit pour avoir désobéi; On vous épiera; On vous questionnera* — 7.1.1. Note that this avoidance is optional. Another method of avoiding the passive is to use *se voir: Rousseau s'est vu emprisonner* — Rousseau was imprisoned — 7.1.4).

A reflexive verb is often used to give the verb a passive sense: *Sous ce terme . . . se cachent des situations bien différentes* — Behind this label . . . are hidden . . . — 4.2.1; *«l'unité urbaine» se divise désormais . . .* — the 'urban unit' is henceforth divided . . . — 4.3.1.

In French, *faire* plus an infinitive gives a passive sense: *Il faut du temps pour faire accepter les constructions humaines* — It takes time to get Man's edifices accepted — 1.1.1. A similar use of *laisser* is to be noted: *ceux qui se sont un moment laissé abuser* — those who allowed themselves to be deceived for a time — 2.2.1. The past participle of *laisser* shows no agreement in such cases.

An infinitive following a verb of perception is understood passively in the following example: *Avez-vous jamais vu fusiller un homme?* — 10.1.1.

Note the passive sense of expressions such as *Maison à vendre, Stock à liquider.*

(c) *Reflexive Verbs*

Beside the common use of reflexives to express an action done to oneself (*il se rase; elle se lave*), the following uses should be noted.

(i) The reciprocal use, in which actions are done by people to each other: *ils se sont battus* — they fought each other. This reciprocal sense may be brought out by the use of *l'un l'autre* or *les uns les autres: ils se détestent les uns les autres.* Note the use of verbs with an indirect object: *ils se sont téléphoné.* In such cases the past participle shows no agreement, since the preceding object pronoun is indirect.

(ii) The reflexive verb may have a different sense from that of the verb used non-reflexively: *il approche la retraite* — he's coming up for retirement. Here *approcher* is used with no implied intention. Compare *il s'est approché de moi.* Here intention is implied.

(iii) Many reflexive verbs in French have lost the sense of doing the action to oneself. Examples include: *il s'agit de* — it is a question of; *s'emparer de* — to seize; *se promener* — to go for a walk.

(iv) When used with the semi-auxiliary *faire*, the reflexive infinitive is used without the pronoun: *Un acide pour faire en aller les taches.* This usage also occurs with *laisser, envoyer, mener* and *emmener.*

(d) *Impersonal Verbs*

Impersonal verbs are those whose subject is *il*, without this *il* having specific reference. These verbs are always in the third person singular. Examples are as follows.

(i) Expressions concerning the weather: *il pleut, il a neigé, il fera beau*, etc.

(ii) The verb *falloir* in all its tenses: *il fallait faire quelque chose* — 1.1.1; *il faut qu'ils se disent une chose* — 2.3.1.

(iii) *il y a* (and all other tenses of *y avoir*): *Il y a des capitales qui ne sont que de gros villages* — 1.2.1; *il y avait une musique traditionnelle en Bretagne* — 2.3.1. Note the use of *il est* to replace *il y a: il en est d'autres qui ne sont que des labyrinthes* — 1.2.1. This latter use is mainly confined to formal writing.

210

(iv) *il y a, il y avait* and *voilà*, used with expressions of time: *il y a quelques années; Voilà une heure que j'attends.*

(v) *il est* followed by a time: *il est huit heures et demie.*

(vi) *il est* plus an adjective, followed by *de* and an infinitive: *Il n'est pas rare d'entendre des gens parler* — 8.3.1.

(vii) *il* is used as a subject for a sentence, when the real subject in fact occurs later: *il s'ensuit . . . une très forte croissance urbaine* — 4.3.1. The true subject is *une très forte croissance urbaine.* This type of construction occurs with verbs such as *arriver* and *advenir*, which express the idea of 'happening': *il lui est arrivé un accident; il lui advint telle et telle chose.*

(viii) *il* is also used as subject when a clause or infinitive phrase is the true subject of the sentence: *il est clair qu'elle n'utilise pas à plein l'atout d'une agriculture compétitive* — 4.1.1; *il vaut mieux finalement habiter en province* — 1.3.1.

(ix) An impersonal use of *être* may form a passive: *il a été fait beaucoup de demandes* — 3.1.1.

(x) *Valoir* is often used impersonally, particularly in the expression *valoir mieux: il vaut mieux finalement habiter en province* — 1.3.1.

(xi) With certain verbs the *il* is dropped: *qu'importe?; N'importe; Reste à savoir; où bon lui semble* — 9.3.1.

5.5 Uses of Tenses and Moods

(a) *Indicative Mood*

(i) *Present tense* The present tense is used to indicate events which occur generally (*Les merveilles ne font pas de cadeaux* — 1.1.1), and those which are occurring at this moment (*les habitants de Paris finalement sortent de plus en plus de Paris* — 1.3.1). Other uses are as follows.
1. The historic present tense gives a sense of immediacy to events which happened in the past: *De 1950 à 1968, se produisent d'importants flux migratoires en direction des grandes métropoles* — 4.3.1. In such circumstances, the more recent past may be rendered by a future or its equivalent, with *aller: Celle-ci va modifier considérablement . . .* — 4.3.1.
2. The present tense of *être* is used with *ce*, even though the verb in a subordinate clause is in another tense: *C'est Henri qui a fait cela; C'est à Versailles que fut signé ce traité important.*
3. The present tense is used with *depuis* to indicate a state of affairs which began in the past and which still continues: *la crise économique que connaît la France depuis une dizaine d'années* — 4.3.1. Note also the use of *il y a . . . que: Il y a deux heures que je l'attends.*
4. The present tense is used with a *si* clause, if the main verb is in the future tense: *Si les Bretons profitent de leur situation géographique, ils s'assureront un avenir prospère.*
5. French sometimes uses a present where English uses a perfect: *Je viens vous voir* — I've come to see you; *Il arrive de Paris* — He's just arrived from Paris.
6. The present tense of *venir* renders 'has just' in the construction *venir de: Ce nouveau problème vient de se poser.*

(ii) *Imperfect tense* The uses of the imperfect are as follows.
1. To describe states in the past: *Il fallait faire quelque chose* — 1.1.1; *J'avais quelques jouets qui m'amusaient* — 5.1.1.
2. To describe repeated actions in the past: *Nous descendions tout nus . . . J'arrosais Paul, puis il m'inondait* — 5.2.1. Note that in written literary

French, if the length of time taken for these repeated actions is specified, then the past historic is used: *Pendant deux semaines j'allai tous les jours à la bibliothèque.*

3. With *depuis*, the imperfect corresponds to 'had been doing': *Depuis quelques années la France perdait sa prépondérance naturelle* — For some years France had been losing her naturally dominant position.

4. To describe continuous unbroken action in the past: *Lui, il parlait, parlait, et moi je ne cessais d'écouter.*

5. To describe an action at a point in time, when that point in time is specified: *Tout lui réussissait. A vingt-cinq ans il entrait dans le Parlement.*

6. To form a *si* clause, when the verb of the main clause is in the conditional tense: *Si les enfants entendaient raison, ils n'auraient pas besoin d'être élevés* — 7.1.1.

7. With *venir de*, the imperfect renders 'had just': *On venait de rentrer lorsque le téléphone sonna* — We had just got back when the phone rang.

(iii) *Past historic tense* The past historic is confined to the written language. Essentially, it narrates events which took place at a single, given point of time, often in the distant past: *Mes parents m'emmenèrent voir défiler sur les Champs-Elysées les souverains anglais* — 5.1.1. In long narratives, the author may wish to distinguish between the distant past and the more recent past, and may use both past historic and perfect tenses. See Text 5.1.1.

(iv) *Perfect tense* (*passé composé*) The perfect tense is used as follows.

1. The perfect is used both in writing and in speech, in which latter it is one of the most commonly used tenses. It corresponds to the English perfect (*j'ai vu* — I have seen) and the English simple past (*j'ai vu* — I saw).

2. The majority of French verbs form the perfect tense with the present tense of the auxiliary *avoir* — in particular, all transitive verbs. A group of verbs, mainly those of motion or change of state, use the present tense of *être: aller, arriver, descendre, devenir, entrer, monter, mourir, naître, partir, remonter, rentrer, rester, retourner, revenir, sortir, tomber, venir.* On occasions, *disparaître* and *passer* will be found with *être*.

3. When normally intransitive verbs such as *monter* and *descendre* take an object, they are conjugated with *avoir*, not *être: Avez-vous monté les bagages?*

4. The past participle in the perfect (and all other compound tenses) must agree in number and gender with a preceding direct object. This object may be a pronoun (*Ces livres, je les ai lus*), or it may be the relative pronoun *que*, which refers back to a previously mentioned noun: *Les images que vous avez vues étaient mensongères.* The direct object preceded by *quel* or *combien* often precedes and thus causes agreement: *Quelles statistiques a-t-on offertes? Combien de chômeurs a-t-on interviewés?*

5. Reflexive verbs in the perfect and other compound tenses take *être* as their auxiliary and are a particular example of point 4: *Elle s'est levée.* Note that if the pronoun is indirect, then no agreement ocurs: *Elle s'est demandé si elle irait ou non.*

6. All verbs other than reflexives which take *être* agree in number and gender with their subject: *Hélène est arrivée à deux heures. Ses deux frères sont arrivés une heure plus tard.*

(v) *Pluperfect tense* The pluperfect tense is formed with the imperfect of the auxiliary verb (*avoir* or *être*) and the past participle of the verb: *Mon père avait adapté un long tuyau en caoutchouc* — 5.2.1; *les prodiges qu'elle relatait étaient arrivés pour de vrai* — 5.1.1. The rules of agreement outlined above for the perfect tense apply to the pluperfect.

1. The pluperfect is used in *si* clauses, which may then be followed by a main clause in which the verb is in the conditional or conditional perfect: *Si nous avions écouté nos parents, nous ne serions pas dans un tel embarras; Si les événements de mai 68 ne s'étaient pas produits, le système universitaire se serait écroulé.*

2. The pluperfect is used in indirect speech to report words that were originally in the perfect. Thus, *Il a dit «La France a changé»* becomes *Il a dit que la France avait changé.*

(vi) *The past anterior* When one action takes place immediately after another in a narrative whose main verb is in the past historic, the pluperfect is replaced by the past anterior. This consists of the past historic of the auxiliary, plus the past participle of the verb, and follows the conjunctions *quand, lorsque, aussitôt que, dès que* and *à peine: Quand il eut fini de travailler, il sortit; A peine fut-elle rentrée que le téléphone sonna.* Note the inversion with *à peine.*

(vii) *Future tense* The future tense is used to talk about events which will take place in the future: *Ils ne garderont pas un excellent souvenir de leur entrée dans la vie professionnelle* — 4.2.1.

1. The immediate future is rendered by *aller* + infinitive: *La France va poursuivre la route des technologies.* This construction is particularly frequent in the spoken language. Note the vivid use of *aller* + infinitive to render 'was to', when the main verb is in the present tense, rendering a vivid past. See 5.5(a)i,1.

2. When the main verb is in the future, or when futurity is suggested, as in a command, the verb in a subordinate clause introduced by *quand* or *lorsque* is also in the future: *Quand la citerne sera vide, nous serons obligés de partir* — 5.2.1; *Dites-le-lui quand vous le verrez.* Note that French here uses a future where the verb in English would be in the present tense.

3. The awkward shall/will distinction in English has a parallel in French: 'I *shall* go' is rendered by *Je veux bien y aller.*

(viii) *Future perfect tense* This tense corresponds to the English 'will have done': *Il aura fini demain.* Note that French is precise with regard to sequence of tenses in the following construction: *Je le ferai quand j'aurai fini ceci* — I'll do it when I have finished this.

(ix) *The conditional* This tense has the following uses.

1. To express a possibility in the future, with the suggestion that certain conditions would have to be fulfilled: *La grande masse des gens s'étonnerait de connaître la vérité.* When the underlying condition is expressed with a *si* clause, the verb in the *si* clause is in the imperfect. See 5.5(a)(ii)6.

2. To render reported speech which was originally in the future: *Il a dit «Je le ferai»* becomes *Il a dit qu'il le ferait.*

3. To express uncertainty about a fact, or to report it as hearsay: *la violence quotidienne . . . serait même sur une pente descendante* — 10.2.1.

4. To add politeness to a request: *pourriez-vous . . .?; vous serait-il possible de . . .?; voudriez-vous . . . ?*

5. To express 'if' when used with *au cas où: Au cas où vous auriez la possibilité de le faire* — If you have a chance to do it.

6. To express 'even if', when used with *quand même: Je ne le ferais pas, quand même j'aurais le temps.*

7. The conditional of the verb *devoir* expresses 'ought to': *On devrait faire plus d'attention à ce genre de choses.*

(x) *The conditional perfect* This corresponds to the English 'would have done', and is formed from the conditional of the auxiliary, plus the past participle: *J'aurais bien aimé voir cela.* Like the conditional, it may be used to express uncertainty or to report hearsay about an event in the past: *Le Président aurait pardonné aux responsables de cet acte* — The President is reported to have pardoned . . . . Similarly, the conditional perfect may express a hypothesis: *N'est-ce pas comme une grande maison dont nous aurions habité toutes les chambres?* — 1.2.1. The conditional perfect of *devoir* expresses 'ought to have done': *On aurait dû consulter les autorités.*

(b) *Imperative Mood*

The imperative is the mood of the verb in which orders are given. It is formed from the second person singular and plural of the verb, less the subject pronoun: *Pierre, viens ici! Vous autres, restez là.* Suggestions are made with the first person plural of the verb, less its subject pronoun: *Allons-y!* Note that *-er* verbs lose the *-s* of the *tu* form in commands: *Reste là! Va à la porte!* However, the *-s* is restored to the *tu* form of *aller* in the expression *Vas-y!* Third person commands are rendered by the subjunctive: *qu'ils aillent d'abord se laver les mains* — let them go and wash their hands —5.2.1.

(c) *Subjunctive Mood*

(a) Uses
The subjunctive expresses doubt or reservation on the part of the speaker, or indicates an attitude or interpretation. Unlike the indicative, which reports facts and sets them in time, the subjunctive suggests that the speaker considers that the topic under discussion does not form part of immediate reality, i.e. it is either non-existent or not yet existent. Thus, to suggest *Il est possible que . . .* necessarily requires the subjunctive, since what is being suggested is not an existent fact.

Since the subjunctive shows nuances of attitude and certainty, its occurrence in formal and elevated registers of language is frequent, but even everyday constructions demand its use.

The subjunctive is used as follows.

(i) In certain set expressions: *advienne que pourra* — come what may; *quoi qu'il en soit* — be that as it may; *quoi que ce soit* — anything at all; *qui que ce soit* — anybody at all; *fût-ce* — even if it were (only).

(ii) With verbs expressing *wish* or *desire*. These include:

aimer mieux	exiger
commander	ordonner
consentir	permettre
défendre	préférer
demander	souhaiter
désirer	tolérer
dire (ordonner)	vouloir

In sentences involving these verbs, the subjunctive is used when the subject of the subordinate clause is different from that of the main clause: *Mon mari ne désire pas je travaille* — 9.3.1; *Exiger que l'on apprenne la liste des départements . . . peut être discuté* — 7.2.1; *ils ne pourraient tolérer que leur approvisionnement soit véhiculé . . .* — 3.2.1.

(iii) After verbs of emotion, expressing joy, pain, surprise, fear, regret, etc.: *c'était merveille que les mots fussent aussi beaux . . .* — 6.2.1; *ils regrettent que «les professeurs partent, le cours terminé»* — 7.3.1. Verbs and expression of fearing require an expletive *ne: Je crains qu'un accident comme celui de Tchernobyl ne se produise en France.*

(iv) After verbs expressing doubt, lack of belief, denial: *les Bretons ne croient pas qu'on puisse conserver cette langue-là* — 2.3.1; *Je doute que ce soit vrai.*

(v) After verbs of belief which are in the interrogative: *Catherine, pensez-vous que la condition féminine ait beaucoup changé . . .?* — 8.4.1.

(vi) After impersonal verbs and expressions which indicate possibility, impossibility, doubt, negation, necessity, a state of mind, a criticism (positive or negative). These include:

il est possible	il est important
il est impossible	il est naturel
il se peut	il est rare
il est douteux	c'est dommage
il faut	il est (grand) temps
il est nécessaire	il vaut mieux
	il s'en faut de beaucoup

The subjunctive occurs in the subordinate clause after *que: Il se peut d'ailleurs que la seule tradition ait contribué à faire persister des différences sensibles* — 3.1.1; *Et les gens . . . il faut qu'ils se disent une chose* — 2.3.1; *Mais il est grand temps qu'une sorte de «sanctuaire» tente de rassembler les témoins du passé* — 2.2.1. Note that *il semble* — 'it seems' — is usually followed by a subjunctive, but *il me semble* — 'It seems to me' — is followed by an indicative.

(vii) In a noun clause beginning with *que* placed at the head of the sentence: *Que, ce faisant, ils se préparent des lendemains qui grincent . . . peu en conviennent* — 7.3.1.

(viii) In a relative clause which expresses a desired quality or an aim: *Je cherche quelqu'un qui connaisse les rues de Paris.*

(ix) After a superlative or expression of equivalent value using *seul, premier, dernier, unique* or *suprême: C'est le plus grand désastre qui se soit produit en France.* The indicative is often used in such circumstances, particularly in the spoken language.

(x) In a relative clause with a negative antecedent: *Il n'a pas un seul livre que j'aie lu.* Note that if the relative clause itself is negative, no *pas* is required: *Il n'a pas un seul livre que je n'aie lu; Il n'est pas un seul pays d'Europe dont je n'aie partagé les luttes* — 10.1.1.

(xi) In clauses introduced by *pour que* and *afin que*, and in clauses expressing intention: *il a fallu du temps pour qu'ils deviennent beaux* — 1.1.1; *il faudra faire un effort à l'avenir pour que cette histoire soit connue* — 2.3.1; *leur but: que l'élève tire par lui-même la substantifique moelle* — 7.2.1; *Tout ce que je visais, c'est qu'on m'apprenne à conduire* — 6.3.1; *Je ferai en sorte qu'on n'en sache rien* — 7.1.1. Similar to this latter example are the expressions *de sorte que* and *de façon que/à ce que*, which take a subjunctive when they express purpose ('in such a way as to . . .'), but the indicative when they express result.

(xii) After *non que* and *ce n'est pas que: Non que La France ait besoin d'un apport financier.*

(xiii) In clauses expressing opposition, concession and reservation.
1. After *quoique* and *bien que* meaning 'although': *bien que la France ait pris quelque retard par rapport aux autres pays* — 4.2.1; *Bien qu'on soit deux moitiés de la société* — 9.1.1; *Quoiqu'on fasse des efforts pour améliorer*

la situation. Encore que is also used to mean 'although', but is rarer than the other two.

2. With *si* + adjective, meaning 'however': *Si animé qu'il paraisse, Paris décèle des coins tranquilles* — 1.2.4. In this construction, *si* may be replaced by *pour, quelque* or *aussi: Quelque animé qu'il paraisse . . . .*

3. With *quelque* + noun, meaning 'whatever': *Tout cela a d'autant plus de chance de s'épanouir que la tutelle est moins pesante et l'autorité plus libérale, à quelque niveau qu'elles s'exercent* — 2.2.1.

4. With *quel que* + verb + noun: *quel que pût être l'essor de la production céréalière* — whatever (may have been) the rise in cereal production — 3.1.1.

5. With *quoi que*, meaning 'whatever' (pronoun): *Les premiers sont, quoi qu'on en dise, beaucoup plus nombreux que les seconds* — 4.2.1. Similarly, *où que*, meaning 'wherever': *Où que vous alliez . . . .*

6. After initial *que*, meaning 'whether': *Qu'il s'agisse d'appareils ménagers, d'appareils de radio et de télévision, sa balance extérieure est déficitaire* — 4.1.1. Similarly: *Soit que . . . soit que* — 'whether . . . or whether'. Note the use of *que* to mean 'if': *Que l'on prenne une vision plurielle* — 8.1.1.

7. With *pour peu que*, meaning 'however little': *Oui, pour peu que les circonstances te favorisent, tu as devant toi de larges perspectives, ô Bretagne* — 2.1.1.

8. With *pourvu que* and *à condition que*, meaning 'provided that': *Moi, des franges je m'en serais passée, pourvu que ça roule* — 6.3.1.

9. Clauses introduced by *à moins que* ('unless'), *de peur que/de crainte que* ('lest') require *ne* before the verb: *A moins qu'on ne voie bon nombre de gens là, il faudra fermer l'exposition*. Note that the subjunctive is necessary because the subjects of the two clauses are different. If they are the same, then *à moins de, de peur de* and *de crainte de* may be used, all of which govern an infinitive.

(xiv) In clauses following verbs and expressions which indicate chance: *il arrive qu'il soit là en ce moment; il y a le danger qu'il puisse vous voir.*

(xv) After an occurrence of *que* which replaces a second occurrence of *si: Si vous êtes là et que vous ayez le temps . . . .*

(xvi) After *avant que: Il faut que tout soit vérifié avant qu'un accident ne se produise*. The expletive *ne* is often dropped in the spoken language. Note that *après que* is usually followed by a subjunctive in the spoken language, but strict adherence to the rules of written French demands the indicative.

(xvii) After *jusqu'à ce que: Ils joueront . . . jusqu'à ce que trois, cinq, dix autres traîneaux . . . les retrouvent dans la nuit* — 6.1.1; *elle durait jusqu'à ce que ma mère nous criât par la fenêtre* — 5.2.1.

(xviii) After *sans que: Ce passage s'effectue progressivement . . . sans qu'il y ait nécessairement opposition . . .* — 9.2.1. Note that the subjects of the two clauses are different.

(xix) In literary and highly formal French, the pluperfect subjunctive may replace the pluperfect of the indicative in a sentence with a *si* clause in it: *. . . la voix du grand-maître s'éleva . . . et, comme si elle se fût adressée à chacun, atteignit chacun en plein visage*. The pluperfect subjunctive may also be used in elevated registers of language to replace the conditional perfect: *On eût dit qu'on brûlait un prophète fou*. These quotations are taken from *Le Roi de Fer*, by Maurice Druon, a member of the Académie Française.

(b) Tenses

The subjunctive has four tenses: present, perfect, imperfect and pluperfect. The perfect is formed from the present tense of the subjunctive of the auxiliary, plus the past participle, and the pluperfect from the imperfect of the subjunctive, plus the past participle.

In a subordinate clause, the tense of the subjunctive verb is dependent upon the tense of the verb in the main clause. In everyday speech, the present tense of the subjunctive is used in nearly all circumstances when referring to a present, past, future or conditional action:

$$\left.\begin{array}{l} \textit{il faut que} \\ \textit{il a fallu que} \\ \textit{il fallait} \\ \textit{il avait fallu} \\ \textit{il faudra que} \\ \textit{il faudrait que} \end{array}\right\} \qquad \textit{je le fasse}$$

In the speech of the highly educated and in writing, however, a sequence of tenses is observed. Though these rules are not strictly observed, the correspondence of the tenses is as follows:

Main clause (indicative)	Subordinate clause (subjunctive)
Present Future Future perfect Conditional Infinitive Imperative	Present (referring to present or future action) Perfect (referring to past action)
Imperfect Past historic Perfect Pluperfect Conditional perfect	Imperfect (present or future action) Pluperfect (past action)

Space does not here permit enlargement of this point. Students wishing to explore further should consult one of the grammars listed in the Bibliography.

(d) *The Infinitive*

(i) The infinitive may stand as the subject of a sentence: *lire est un véritable calvaire, compter un casse-tête chinois* — 7.2.1.

(ii) The infinitive is more usually governed by another verb. It may be directly dependent on another verb, without any intervening preposition.

1. As outlined in 5.4(b), *faire* may be followed by an infinitive, with the meaning of 'to get something done': *Le Roi-Soleil n'a pas fait accepter Versailles de but en blanc* — 1.1.1. Note that if the infinitive governed by *faire* has an object, then the object governed by *faire* itself is indirect: *J'ai fait comprendre cela à Jean*. For use of pronouns with *faire*, see 4.1(b)(ix)1.

2. *Laisser* and verbs of perception such as *voir, entendre, sentir, écouter* are also followed by an infinitive: *j'ai vu d'avion la Corse et la Sardaigne s'inscrire dans le bleu de la mer* — 5.1.1. Note that a passive sense can be given to a transitive verb: *Vous n'avez jamais vu fusiller un homme?* — 10.1.1.

3. *pouvoir, savoir* and *vouloir* precede an infinitive and have meanings other than 'to be able', 'to know' and 'to want'. In the conditional, *pouvoir* can mean 'might': *Cela pourrait bien se produire en France.* *Savoir* has the sense of 'to be able': *Il ne sait pas nager; Je ne saurais vous faire une idée de ce qu'il a fait.* *Vouloir* has the sense of 'to be willing': *Voulez-vous faire cela? — Oui, je veux bien.*

4. *devoir* precedes an infinitive, and has senses other than 'to have to'. It is possible to use *devoir* to express certainty: *Leur route a dû être longue, car leurs pieds sont poudreux* — Their journey must have been long . . . —

5.2.1. To decide which tense of *devoir* is required in such circumstances, follow this rule: *devoir* is put into the same tense as the verb would have had if *devoir* had not been there, e.g. *Il a eu une idée géniale* becomes *Il a dû avoir une idée géniale*. Since the original verb is in the perfect, *devoir* is placed in the perfect.

5. A number of verbs expressing wish, desire, liking and preference are followed directly by an infinitive when the understood subject of the infinitive is the same as that of the first verb (if the second subject is different, then a subjunctive is required: see 5.5(c)(ii)). These verbs include *vouloir, souhaiter, désirer, aimer, adorer, préférer* and *aimer mieux: J'aimais apprendre* — 5.1.1.

6. *Dependent infinitive governed by de* Common verbs requiring *de* before an infinitive include:

achever de	manquer de
s'arrêter de	oublier de
avoir peur de	prendre garde de
décider de	refuser de
essayer de	regretter de
s'étonner de	se souvenir de
éviter de	tenter de
finir de	venir de
se garder de	

Among verbs which require *de* are those which take a direct object between the verb and its preposition:

accuser quelqu'un de	persuader quelqu'un de
empêcher quelqu'un de	remercier quelqu'un de
excuser quelqu'un de	

Verbs which take an indirect object before the *de* include:

conseiller à quelqu'un de	offrir à quelqu'un de
demander à quelqu'un de	permettre à quelqu'un de
dire à quelqu'un de	promettre à quelqu'un de
défendre à quelqu'un de	proposer à quelqu'un de

Space does not permit a full treatment of these verbs. Consult one of the grammars mentioned in the Bibliography for further information.

7. *Dependent infinitive governed by à* Verbs requiring *à* before an infinitive include the following:

aider à	s'habituer à
apprendre à	hésiter à
s'attendre à	parvenir à

chercher à	*réussir à*
se décider à	*tenir à*

Other examples include: *on nous forçait à nous reposer* — 5.2.1; *on les accoutume à se payer de mots* — 7.1.1.

8. *Dependent infinitives governed by* pour, sans, par   Pour + infinitive means 'in order to': *ils n'accepteraient de se servir du petit écran pour stigmatiser . . . l'énergie nucléaire* — 3.2.1. Note the use of *pour* followed by a perfect infinitive to express 'because': *On vous punit pour avoir désobéi* — 7.1.1. *Sans* means 'without': *Sans oublier les mathématiques modernes . . .* — 7.2.1. *Par* usually occurs after verbs which express 'starting' or 'finishing': *Il commença par me gronder, mais il finit par me laisser sortir.*

(iii) An infinitive may replace a noun clause. Thus, *Les Français disent qu'ils se sentent de moins en moins en sécurité* becomes *Les Français disent se sentir de moins en moins en sécurité* — 10.2.1. This construction is used with verbs of stating, thinking, believing and fearing.

(iv) An infinitive follows such expressions as *il est possible de* and *à condition de*.

(v) In such expressions as 'The main thing is to . . .', *être* is followed by *de*, which precedes the infinitive: *L'essentiel, c'est d'avoir l'égalité.*

(vi) The negative infinitive is preceded by *ne pas: à condition de ne pas se cantonner* — 2.2.1.

(e) *The Perfect Infinitive*

The perfect infinitive consists of the infinitive of the auxiliary verb and the past participle.

(i) It is commonly used after *après: Après avoir prononcé ce discours, le Président est parti.*

(ii) The use of the perfect infinitive to express 'because' has been noted above. Here is a further example: *un élève sur trois échoue pour n'avoir pas assimilé correctement les bases de la lecture* — 7.2.1.

(iii) The passive voice has its perfect infinitive: *aucune ne semble, comme Paris, avoir été créée . . .* — 1.2.1.

(iv) The perfect infinitive may replace a noun clause. Thus, *7% disent qu'ils ont été victimes d'un vol* becomes *7% disent avoir été victimes d'un vol* — 10.2.1.

(f) *Participles*

(i) The present participle is formed from the *nous* form of the present tense of the indicative, with the exception of the verbs *être (étant), avoir (ayant)* and *savoir (sachant).*

1. It is used in a verbal function to describe continuing activity or state: *évitant ainsi à la circulation humaine les dangers de la traversée de la Manche* — 2.1.1.

2. *En* may be used with a present participle to mean 'by', 'in' or 'while': *Même en faisant la part d'une certaine complaisance* — 3.1.1; *on nous rassure en disant que des incidents peuvent se produire à l'étranger.*

3. When used as an adjective, it agrees in number and gender with its noun: *il ne résistait pas à l'ouverture de la fenêtre, soudain resplendissante . . .* — 5.2.1; *les sommets brillants de neige* — 6.1.1.

4. The present participle may be used to express a cause or reason: *La situation*

4. The present participle may be used to express a cause or reason: *La situation des ménages se diversifiant de plus en plus, il paraît indispensable de prévoir également une large diversification du parc immobilier* — 4.3.1.

5. It may be used in place of a relative clause: *Si on vous les a montrés descendant d'avions* — 3.2.1; *la masse d'étrangers vivant en France* — 4.4.1.

Note that a present participle in English may be rendered by an infinitive in French: *Raisonner avec les enfants était la grande maxime de Locke* — Reasoning with children . . . — 7.1.1.

(ii) The past participle is used as follows.

1. To form all compound tenses and the passive voice. See the section on the perfect tense, 5.5(a)(iv), and the passive.

2. As an adjective, when it agrees in number and gender with its noun: *Le Luxembourg, aux massifs intouchables, aux pelouses interdites.*

3. As an absolute adjective in a reduced clause: *il ne faut pas penser, non plus, qu'une fois réalisés, tous ces édifices se sont imposés au goût de la foule immédiatement* — 1.1.1.

4. As a noun: *Les blessés furent immédiatement hospitalisés.*

6 The Adverb

6.1 Adverbs of Manner

(i) The largest group of adverbs of manner are those ending in *-ment*. These are formed as follows.

1. By adding *-ment* to the adjective if it ends in a vowel. Examples: *poli, poliment; facile, facilement.* The exception is *gai*, which gives *gaiement* or *gaîment*.

2. By changing *-e* to *-é* in certain cases before adding the ending: *aveugle, aveuglément; commode, commodément; conforme, conformément; énorme, énormément; opiniâtre, opiniâtrément.*

3. If the masculine of the adjective ends in a consonant, *-ment* is added to the feminine:

heureux	*heureuse*	*heureusement*
actif	*active*	*activement*

The exception is *gentil*, which becomes *gentiment*.

4. *Commun, confus, exprès, importun, obscur, précis* and *profond* change the *e* mute of the feminine to *é* before adding the ending:

commun	*commune*	*communément*

5. Adjectives which end in *-ant* or *-ent* (with the exception of *lent* and *présent*) change their endings to *-amment* or *-emment: constant, constamment; évident, évidemment.*

6. Some adverbs use the adjectival form, usually in set expressions: *voir clair, parler fort, parler haut, parler bas, frapper fort, marcher droit, peser lourd, couper court, s'arrêter net, chanter faux, raisonner juste, coûter cher.* Note the unusual *l'échapper belle* — to have a narrow escape.

7. The adverb with *-ment* may be avoided by the use of *d'une manière* + adjective, or *d'une façon* + adjective: *Il parle d'une façon précise.*

(ii) *Comparison of adverbs of manner* Adverbs follow the pattern of adjectives in comparison, using *plus* and *le plus: la raison est celle qui se développe le plus difficilement et le plus tard* — 7.1.1. Note that *le plus* is invariable. Note the irregular forms:

bien	*mieux*	*le mieux*
mal	*pis* or *plus mal*	*le pis, le plus mal*
beaucoup	*plus* or *davantage*	*le plus*
peu	*moins*	*le moins*

6.2 Adverbs of Quantity

Adverbs of quantity include *assez, aussi, autant, beaucoup, combien, comme, comment, davantage, environ, fort, guère, moins, pas mal, peu, plus, presque, quasi, quelque, si, tant, tellement, tout, très* and *trop*.

(i) *assez* is used with adjectives, verbs and adverbs. It regularly precedes any adjective that it modifies: *des maisons assez bien bâties* — 3.1.1. Note that it here means 'quite'. Followed by *de* and a noun, it means 'enough'.

(ii) *aussi* means 'also' or 'as well': *c'est peut-être plus superficiel aussi* — 6.4.1. Used in comparisons, it means 'as': *sous cette nouvelle surface . . . aussi mobile, aussi éphémère que l'ancienne* — 1.2.1; *le froment y était aussi bon* — 3.1.1.

(iii) *si* used as an adverb means 'so': *c'est pour ça que c'est si surprenant justement de voir que ça existe* — 4.4.1. It may replace *aussi* in a negative comparison: *Il n'est pas si intelligent que Maurice*.

(iv) *tant* means 'so much', 'so many' and *autant* 'as much': *Il travaille tant; Il travaille autant que vous*. Note that in a negative comparison, *tant* replaces *autant: Il ne travaille pas tant que vous*.

(v) *beaucoup* and *bien* indicate intensity: *Il s'intéresse beaucoup à ce travail. — Oui, c'est bien évident*. When used to indicate quantity, *beaucoup* is followed by *de*, but *bien* is usually followed by *des* (but never by *de*): *un secteur artisanal plus florissant que dans beaucoup d'autres régions* — 2.2.1; *bien des gens*.

(vi) *combien* is used in exclamations: *Combien il est bête!* — How stupid he is! *Que* may replace *combien* in this context. Before a noun, *combien* requires *de: Combien de Bretons bretonnants y a-t-il?* Note that *combien* may be split from its *de: Combien y a-t-il de Bretons bretonnants?*

(vii) *davantage* means 'more': *chacun vivait davantage chez soi* — 5.3.1; *Liliane . . . était davantage dans le coup* — 6.3.1.

(viii) *peu, un peu* and *un petit peu* are used adverbially: *Leur construction est peu propre* — 3.1.1; *On est de Paris, on est des gens bien, quoi? Un petit peu, quoi?* — 1.3.1. Followed by partitive *de, un peu* means 'a little': *Ajouter un peu de vinaigre*.

(ix) *guère* means 'hardly' and is used with *ne: les Bretons ne seraient guère moins justifiés que leurs pères irlandais* — 2.1.1.

(x) *plus* and *moins* are used to form the comparative and superlative of adjectives. With nouns and numbers, *de* follows *plus: plus d'un quart des jeunes . . . sont chômeurs* — 4.2.1; *ils ont souvent plus de problèmes* — 5.3.1. Note the constructions *plus . . . plus, plus . . . moins, moins . . . plus, moins . . . moins: Plus on travaille, plus on gagne; Moins on a d'argent, plus on veut en dépenser. Ne . . . plus* means 'no longer': *ma vie quotidienne ne me rassasiait plus* — 5.1.1.

(xi) *tout* means 'quite' or 'completely'. It is invariable, except before a feminine adjective beginning with a consonant or *h* aspirate, when it becomes *toute: pas même de la bicyclette, tout aussi usinée que l'automobile* — 3.2.1; *une force possible, c'est l'Europe, mais pas la France toute seule* — 4.4.1. *Tout* may be used to mean 'however' when an adjective follows it. In such cases the verb is in the indicative: *Tout grand qu'il est* — 1.2.1.

(xii) *très* reinforces adjectives, and cannot stand alone: *on utilise surtout le biniou qui donne un son très, très, très aigu* — 2.3.1.

(xiii) *trop* — 'too' or 'too much' — may modify an adjective (*c'est trop cher* — 1.3.1) or a verb (*on a trop fait pour lui*). Before a noun, the partitive *de* is required: *On a trop de travail.*

6.3 Adverbs of Time

Adverbs of time include *alors, après, aujourd'hui, auparavant, aussitôt, autrefois, bientôt, déjà, demain, depuis, désormais, encore, enfin, ensuite, hier, jadis, jamais, longtemps, lors, maintenant, naguère, parfois, puis, quand, quelquefois, sitôt, soudain, souvent, tantôt, tard, tôt, toujours.*

(i) Since *alors* can mean 'well, then' when placed at the head of a sentence, it is placed after the verb to avoid ambiguity: *J'habitais alors à Paris.*

(ii) For the use of *depuis*, see 5.5(a)(i)3 and 5.5(a)(ii)3.

(iii) *jamais* used alone within a sentence means 'ever', and with *ne* means 'never': *Vous avez jamais vu ça? — Non je ne l'ai jamais vu.* Used alone as an exclamation, *jamais* means 'never': *Moi, faire ça? Jamais!*

(iv) *tantôt* usually occurs twice, with the meaning of 'sometimes . . . sometimes': *Jamais il ne dévora tant de livres, tantôt en haut de la pile de rames, tantôt dans la rue* — 6.2.1.

6.4 Adverbs of Place

Adverbs of place include *ailleurs, arrière, autour, avant, contre, dedans, dehors, derrière, dessous, dessus, devant, ici, là, loin, où, partout, près, proche*, and a number of adverbial expressions such as *en arrière, en avant* and *quelque part.*

(i) Note the expression *çà et là* — 'here and there'. Accents serve to differentiate these words from *ça* and *la*.

(ii) *dessus* means 'on it'. *Par-dessus* conveys the idea of motion: *Il a sauté par-dessus le mur.*

6.5 Adverbs of Affirmation

Adverbs of affirmation include *assurément, aussi, certainement, exactement, absolument, bien, certes, oui, précisément, si, soit, volontiers* and *vraiment.*

(i) *Oui* is used in answer to a question which does not contain a negative: *Pensez-vous que la condition féminine ait beaucoup changé . . .? —Oui—* 9.4.1. It is also used to reinforce a statement: *C'est une impression. Oui.* — 6.4.1.

(ii) *Si* is used in answer to a question containing a negative: *Vous n'avez pas fini? — Si.*

(iii) *Soit* confirms a wish or intention, and is equivalent to 'so be it'. The final *t* is pronounced.

6.6 Adverbs of Negation

The adverbs of negation are *non* and its weaker form *ne*. The latter is usually combined with *aucun, aucunement, guère, jamais, nul, nullement, personne, pas, plus, point, que, ni . . . ni . . ., rien.*

(i) *ne* may be used alone with the verbs *bouger, cesser, oser, pouvoir* and *savoir: Il n'oserait faire cela.*

(ii) *point* means 'not', and is no stronger than *pas.*

(iii) *aucunement* and *nullement* mean 'not at all'.

(iv) If *ni . . . ni . . .* modify verbs, then both verbs require *ne: Tout cela ne se planifie ni ne se légifère* — 2.2.1.

(v) If more than one negative is required, the order is *ne — plus — jamais — rien/personne — que — aucun — nulle part: On ne trouvera plus jamais rien de ce genre-là.*

(vi) Note the important *ne . . . que*, meaning 'only' or 'no other . . . but'. The *ne* is placed before the verb (or auxiliary) and the *que* immediately before the element in the sentence which it modifies. There may thus be a considerable gap between the *ne* and the *que: les acheteurs du monde n'avaient d'autre solution que d'y passer* — 1.1.1; *ils ne se nourrissent que des produits (biologiques) de leur jardin* — 3.2.1; *ils n'en sont donc que plus représentatifs* — 7.3.1. If it is the verb itself that is modified, then the construction *ne faire que* must be used: *Je ne faisais que regarder les roues* — 6.3.4(5). *Ne . . . que* may also be used to mean 'not until'. *Je n'ouvrais les yeux que vers sept heures* — 5.2.1.

6.7 Adverbs of Doubt

The main adverbs and adverbial expressions of doubt are: *apparemment, peut-être, probablement, sans doute, vraisemblablement.*

Peut-être may follow the verb: *Les pouvoirs locaux . . . arrivent peut-être à contourner des lois* — 3.3.1. If *peut-être* precedes the verb, then inversion takes place: *Peut-être n'était-il même pas tout à fait conscient* — 1.1.1. Inversion may be avoided by the use of *peut-être que: Mais peut-être que cela traduit une inquiétude générale* — 4.4.1.

6.8 Interrogative Adverbs

The interrogative adverbs are *combien, comment, où, pourquoi* and *quand*. In the written language, these are followed by *est-ce que* or inversion of subject and verb: *Et pourquoi ne faut-il pas faire cela?* — 7.1.1. In the spoken language, particularly in highly informal situations and in the speech of less well educated people, the subject may follow the interrogative adverb: *Pourquoi tu as fait ça?*

6.9 Position of the Adverb

The position of the adverb varies as follows.
1. After the verb that it modifies in a simple tense: *On trouve là un bouc émissaire* — 4.4.1; *je les tirais férocement contre la porte* — 5.2.1.
2. In a compound tense, between the auxiliary and the past participle: *Mania a beaucoup travaillé — et très bien travaillé* — 6.1.1.

Exceptions:

(i) *ailleurs, aujourd'hui, autrefois, demain, hier, ici, là, partout, tard* and *tôt* may be placed before or after the verb, but never between auxiliary and participle: *Aujourd'hui il a fait beau, mais il pleuvra demain.*

(ii) Polysyllabic adverbs are usually placed after the participle: *Il a agi imprudemment.*

(iii) Adverbs of quantity and negation, and the adverbs *bien, mal, mieux, pis*, etc., are placed between a verb and any infinitive that they govern: *Il ne faut pas trop dire; Il vaudrait mieux ne pas y aller.*

7 The Preposition

Prepositions are invariable words, whose function is to indicate position, or to link expressions together within a sentence. Space here does not permit a full analysis of the preposition, but the uses of some of the prepositions are listed here:

à	position	*vivre à Paris* *à la maison* *à la campagne*
	preparedness, beginning	*prêt à* *commencer à* *se mettre à*
	suitability	*propre à* *convenable à*
	time	*à cette époque-là* *à l'heure actuelle* *à deux heures*
	instrumentality	*s'éclairer à l'électricité*
	following verbs (see 5.5(d)7)	*réussir à* *chercher à*
chez	place	*chez moi*
	figurative usage	*chez les Français* — among the French
dans	position	*dans la banlieue parisienne* *dans la famille* *les montées dans les sentiers* — the climbs up pathways
	time	*dans deux heures* — in two hours' time
de	possession, association	*les amis de mon père* *des jeunes de première* *l'histoire de France*

	meaning 'from'	*il est revenu de France*
	instrumentality	*envahi de productions allemandes*
	time	*de temps en temps* *de nos jours*
	following verbs (see 5.5(d)6)	*essayer de* *s'efforcer de*
en	position	*en France* *en Bretagne* *en ville*
	time	*en 1988* *en deux heures* — within two hours
	means of transport	*en voiture* *en bateau*
	material	*des souliers en cuir*
	figurative usage	*parler en français* *de plus en plus* *en sortant*
par	position	*par les rues* *par terre* *par ici*
	time	*par un beau jour* *une fois par semaine*
	agency	*il a été tué par des terroristes*
	means of transport	*par le train* *par avion*
	figurative usage	*par contre*
pendant	time	*pendant deux heures*
	space	*pendant des kilomètres*
pour	'for'	*c'est pour vous*
	purpose	*la France n'a rien fait pour retrouver* *sa place légitime*
	time	*nous y allons pour deux semaines* (future)
	figurative usage	*pour de bon*

sous	position	*sous la terre*
	figurative usage	*sous quelque forme qu'elle se présente*
sur	position	*sur la terre*
	figurative usage	*une émission sur la délinquance juvénile* *trois sur quatre*
	after verbs	*s'inquiéter sur* *se pencher sur* — to study

As will be seen from the above examples, English and French differ in their choice of prepositions with respect to set expressions (cf. to worry *about* — *s'inquiéter* sur). The student must pay close attention to such usage, and should study the books mentioned in the Bibliography.

A preposition in English may be rendered in French by another construction: he ran into the house — *il entra dans la maison en courant*; they swam across the river — *ils traversèrent la rivière à la nage*; she gazed down into the water — *elle plongea le regard dans l'eau*.

8 The Conjunction

Conjunctions are invariable words or phrases which serve to link two sections of a sentence, paragraph or text together. They may be co-ordinating or subordinating.

8.1 Co-ordinating Conjunctions

These serve to link words, phrases, clauses or sentences, and fall into the following categories.

Linking: *et, ni, puis, ensuite, alors, aussi, bien plus, jusqu'à, comme, ainsi que, aussi bien que, de même que, non moins que, avec.*
Cause: *car, en effet, effectivement, bien.*
Consequence: *donc, aussi, partant, alors, ainsi, enfin, par conséquent, en conséquence de quoi, en conséquence, conséquemment, par suite, c'est pourquoi, dans ces conditions.*
Transition: *or, donc.*
Opposition, restriction: *mais, et, au contraire, au demeurant, cependant, toutefois, néanmoins, pourtant, quoique, d'ailleurs, aussi bien, au moins, du moins, au reste, en revanche, par contre, sinon, encore, seulement.*
Alternative: *ou, soit . . . soit, soit . . . ou, tantôt . . . tantôt, ou bien, ou au contraire.*
Explanation: *à savoir, c'est-à-dire, soit.*

8.2 Subordinating Conjunctions

These serve to link a subordinate clause to the clause on which it depends. They can therefore only link clause to clause (but see 8.3, on reduced clauses). They fall into the following categories.

Cause: *comme, parce que, puisque, attendu que, vu que, étant donné que, c'est que, d'autant que.*

Purpose: *afin que, pour que, de crainte que, de peur que, de façon que, de manière que.*

Consquence: *que, de sorte que, de façon que, de manière que, si bien que, tellement que.*

Concession, opposition: *bien que, quoique, encore que, alors que, quand même, sans que, tandis que, au lieu que.*

Condition, supposition: *si, au cas où, si ce n'est que, supposé que, à condition que, pourvu que, à moins que.*

Time: *quand, lorsque, comme, avant que, tandis que, depuis que, dès que, après que, aussitôt que, jusqu'à ce que, pendant que, en attendant que, au fur et à mesure que.*

Comparison: *comme, de même que, ainsi que, autant que, plus que, moins que, comme si.*

It is important to note that many subordinating conjunctions require a verb in the subjunctive mood after them (see 5.5(c)).

8.3 Reduced Clauses

Some subordinate clauses may be reduced by the omission of the verb and its subject: *des produits [qui sont] plus compétitifs parce que [ces produits sont] mieux adaptés* — 4.1.1; *quoique [il fût] malade, il décida de sortir.* This type of construction may be found with such conjunctions as *car, parce que, puisque, lorsque, bien que, quoique* and *une fois: sachez que ces images étaient mensongères, puisque impressionnées, imprimées et diffusées . . .* — 3.2.1; *nos principes intellectuels n'étaient pas applicables car trop irréalistes* — 7.2.1.

9 Differences between Spoken and Written French

Spoken and written French differ considerably in both vocabulary and grammar. What is considered appropriate in speech may sometimes be regarded as unsuitable when cast into written form, and vice versa. Much depends on the degree of formality which obtains between speaker and listener — the spoken language of a stall-holder in the open market at Versailles will differ considerably in both grammar and vocabulary from the language of a député arguing a point in the Assemblée Nationale. Similarly, the written language of a love-letter will be markedly different from the legal exactness of the Journal Officiel, which carries the texts of all new laws.

9.1 Register

To define the degree of formality or informality between speakers or writers, Batchelor and Offord (see reference in Bibliography) use the term 'register', dividing the continuum into three areas, known as R1, R2 and R3. They define the characteristics of the language of these registers as follows:

Extreme informality		Extreme formality
R1	R2	R3
very informal, casual, colloquial, familiar, careless, admitting new terms almost indiscriminately, certain terms short-lived, at times truncated, elliptical, incorrect grammatically, prone to redundant expressions, includes slang expressions and vulgarisms, likely to include regional variations	standard, polite, educated, equivalent of 'BBC English', compromise between two extremes	formal, literary, official with archaic ring, language of scholars and purists, meticulously correct, reluctant to admit new terms

Therefore, the recorded interviews in this book fall between R1 and R2, since they have been made by educated speakers speaking on serious topics, while showing the hesitancy, uncompleted and ungrammatical sentences, interjections and vocabulary that are characteristic of language used in an informal situation. The speech of Josyane and Liliane in 6.3.1 is a written version of R1, showing slang vocabulary, the use of highlighting (see below) and a general disregard for the conventions of the language. The majority of the other extracts are in R3, this being, by definition, the register in which serious works of fiction and non-fiction are written.

9.2 Vocabulary

Vocabulary varies according to the register being used; thus, 'teacher' may be rendered as: *prof* (R1), *professeur* (R2), *enseignant* (R3). Abbreviation is common, particularly in R1. Thus, *un restaurant* becomes *un resto; un intellectuel, un intello*; and *le cinéma, le cinoche*. R1 speech may border on the vulgar (*la gueule*) where R3 is formal and neutral (*la face*). Regional words will be used with no hesitation: *André, toi qui as été joueur de «biniou»* — 2.3.1. In areas with other linguistic cultures, such as Brittany and Provence, these regional words will, of course, appear in print as well.

9.3 Highlighting

By changing the normal word-order of a sentence, a particular element may be highlighted, and thus stressed. Since French cannot apply stress in the same way as English (*I* like her; I *like* her; I like *her*), highlighting is a common feature of the spoken language, although it is also to be found in writing.

Sometimes the subject is reinforced by the use of a pronoun to repeat it: *Ça, ce n'était pas senti avant* — 4.3.1; *Les souvenirs, ça commence un peu plus tard* — 5.3.1; *Elle, c'était ce qu'on peut appeler une jolie fille* — 6.3.1. The subject may be placed after the occurrence of its pronoun: *Il était vraiment idiot, ce type*. The object may be placed first and reinforced by a pronoun: *Moi, des franges, je m'en serais passée* — 6.3.1. This example could have yielded the inverse (*Moi, je m'en serais passée, des franges*), in which the object itself is left until last so that it receives stress.

An element may be highlighted by the use of *c'est . . . que: Non, mais c'est pour ça que c'est si surprenant* — 4.4.1. This construction is also used in the written language: *C'est sur les vagues qu'est tracé le chemin du progrès* — 2.1.1. The use of *c'est . . . qui* has the same effect: *C'est lui qui a fait ça* — *He did that.*

9.4 Elision

Where the written language includes all the logical elements necessary to make a sentence comprehensible, the spoken language is characterised by the elision, or dropping, of sounds (or letters) or even whole words. Thus, *tu* becomes *t'* before a vowel: *T'as tapé dans l'oeil à Didi* — 6.3.1. The impersonal *il* is often dropped: *Y a moins d'attractions* — 1.3.1. The negative *ne* is often dropped: *on a évolué du point de vue de . . . je dirais pas de technique* — 4.4.1; *Avant, on ressentait pas ce problème-là* — 4.4.1; *T'as qu'à regarder les types qui passent* — 6.3.1. More careful R2 speech would include these elements.

9.5 Inversion

The written language makes considerable use of inversion of subject and verb. Not only is it used to form questions (*A votre avis, la société française, est-elle en pleine évolution* — 4.4.1), but also it is used when a lengthy adverbial phrase begins a sentence (*De 1950 à 1968 se produisent d'importants flux migratoires* — 4.1.1). Adverbs of doubt and *à peine* produce inversion (*Peut-être n'était-il même pas conscient* — 1.1.1), and subject and verb may be inverted in a relative clause, particularly if the subject is longer than the verb (*il conserve quelques quartiers «bourgeois» que côtoient des quartiers anciens* — 4.3.1). Inversion is also used with interpolations: *Le premier fléau est, semble-t-il, en voie d'être enrayé* — 4.2.1. *Ainsi*, meaning 'thus', demands inversion: *Ainsi la France apparaissait-elle* — 4.1.1. Finally, inverted expressions such as *dit-il, fit-elle* or the verb plus a noun subject must be used after the quotation of direct speech: *Tiens, disait l'oncle Henri, voilà vingt francs* — 6.2.1.

The spoken language uses inversion much less for questions, using instead either the normal subject–verb–complement order with a rising tone at the end (*Vous avez fini ce livre?*) or using *est-ce que* (*Bernard, est-ce que vous avez l'impression que la langue française change en ce moment?*).

Where *à peine* begins a sentence and requires inversion in the written language, it will be placed after the subject in R2, and thus require no inversion: *Il était à peine sorti, que . . . .*

9.6 Other Variations in Grammar

The formal rules regarding the use of the subjunctive have been noted above (Text 6.2.1; Grammar 5.5(c)). In spoken French, these rules are not so strictly observed with regard to relative clauses. Thus, while R3 written French would have *Il n'y a plus personne qui puisse faire cela*, spoken French might well have *Il n'y a plus personne qui peut faire cela*.

The reverse is true in the case of *après que*. While formal written French demands an indicative, spoken French uses a subjunctive, probably by analogy with *avant que: Nous partirons après qu'il soit arrivé*.

As the language changes, rules drawn up by the Académie Française for «*le bon usage*» have to be altered. Thus, as popular usage produces *C'est là de beaux résultats*, this variation on *Ce sont là de beaux résultats* has been acknowledged in a government decree. Similarly, the written form *C'était ceux que nous attendions* has gained ground over *C'étaient ceux que nous attendions*. These changes and many others are to be found in the French government's *Tolérances Grammaticales ou Orthographiques* of 28.12.1976, reproduced in Judge and Healey's grammar (see Bibliography). Attention is also drawn to the *Arrêté* of 26.2.1901, reproduced in Grevisse's *Le Bon Usage*.

10 Word Formation

In this section, we shall look very briefly at the ways in which groups of words are related to each other. There are very few definite rules for deriving one word from another, and students are advised to note related forms as they encounter them.

10.1 Opposites

Some words create their opposite by adding a prefix, such as *dé-, il-, im-, in-* or *ir-*. Examples:

faire	→	défaire
lisible	→	illisible
légal	→	illégal
possible	→	impossible
connu	→	inconnu
résolu	→	irrésolu

10.2 Nouns and Verbs

Some verbs are formed by the addition of a suffix to a noun. Examples:

le regard	→	regarder
l'achat	→	acheter
le choix	→	choisir
la fin	→	finir

Sometimes the noun is based on a part of the verb:

recevoir	→	un reçu
mettre	→	la mise
voir	→	la vue

In some cases the noun adds a suffix to the verb. Many *-er* verbs produce nouns in *ion* or *tion*:

accepter	→	l'acceptation
adhérer	→	adhésion
augmenter	→	l'augmentation

$$fréquenter \quad \rightarrow \quad la\ fréquentation$$

Other -er verbs produce nouns ending in -ment:

$$commencer \quad \rightarrow \quad le\ commencement$$
$$encourager \quad \rightarrow \quad l'encouragement$$
$$fonctionner \quad \rightarrow \quad fonctionnement$$

Some -ir verbs produce nouns in issement:

$$accomplir \quad \rightarrow \quad l'accomplissement$$
$$établir \quad \rightarrow \quad l'établissement$$

10.3 Adjectives and Verbs

Some adjectives add a prefix to produce a verb which gives a verb with the meaning of a process:

doux (soft)	→	*adoucir* (to soften)
ferme (firm)	→	*affermir* (to make firm)
prêt (ready)	→	*apprêter* (to make ready, prepare)

10.4 Adjective to Verb to Noun

It is sometimes the case that the above process may be extended to produce a noun:

fou	→	*affoler*	→	*affolement*
grand	→	*aggrandir*	→	*aggrandissement*
mou	→	*amollir*	→	*amollissement*

10.5 Noun to Verb to Noun

A similar process is observed with regard to nouns, which may give a verb, which, in turn, produces a noun:

croix	→	*croiser*	→	*croisement*
niveau	→	*niveler*	→	*nivellement*
standard	→	*standardiser*	→	*standardisation*

10.6 Nouns and Adjectives

There seems no systematic way in which nouns are related to adjectives. Some adjectives follow the pattern of 10.4; others show complete irregularity:

la joie	→	*joyeux*
le contentement	→	*content*
le bonheur	→	*heureux*

Students wishing to further their knowledge of word-formation should look at *Le Bon Usage*, by Maurice Grevisse (see Bibliography).

INDEX TO GRAMMAR SUMMARY

This index is designed to enable the student to find grammatical information in both the texts and the grammar summary. Entries appear under the grammatical category (e.g. Pronoun, relative) and the actual word (e.g. dont). Thus, if the student finds dont in a text and wishes to look it up, he or she will find it under both dont and Pronoun, relative.

In the references, figures in bold type (e.g. **5.3(a)**) refer to a section of the grammar. Other figures refer to texts in which grammatical points are to be found. Since it is impossible to list every occurrence of a grammatical point, a selection of occurrences has been listed. If these figures are in italics (e.g. *2.1.4(2)*), it means that this particular point is dealt with in some detail. Thus, *2.1.4(2)* refers to Exercise 2 in Section 4 of Text 2.1. Note that the full list of irregular verbs is given at the beginning of Section 5.3.

à, 1.1.1; 2.2.1; 3.1.1; 4.1.1; 5.3.1;
 7.2.4(2); **7**
 following verb, **5.5(d)(ii)7**
 = 'with', 2.2.1; 5.1.1
à cause de, 1.3.1; 3.1.1; 4.4.1
à condition de, *2.2.4(2)*; **5.5(d)(iv)**
à la fois . . . et, 4.1.1
à moins que, + subjunctive,
 5.5(c)(a)(xiii)9
à part, 2.3.1
à partir de, 4.3.1
à peine, 6.1.1; **5.5(a)(vi)**
Active voice, **5.4**
Adjective, **3**
 + à, 3.3.1
 agreement of, 2.1.1; 2.2.1; 3.3.1;
  5.1.1; **3.1(a)**
 comparative, 1.3.1; 2.1.1; 3.3.1;
  9.3.1; **3.1(d)**
 demonstrative, 1.1.1; 2.1.1; 2.3.1;
  3.1.1; 4.1.1; 9.2.1; **3.2(e)**
 feminine form, 2.2.1; 4.1.1; 5.1.1;
  8.1.1; **3.1(b)**
 il est + adjective + de, 8.3.1;
  9.2.1; *9.2.4(1)*; **4.3(b)(ii)4**
 indefinite, 3.2.1; 4.2.1; 8.3.1;
  10.2.1; **3.2(g)**
 interrogative, 1.3.1; 7.1.1; **3.2(f)**
 irregular comparatives, **3.1(d)(iii)**
 masculine form, 1.1.1; 3.3.1;
  4.3.1; 5.2.1; **3.1(a)**
 meaning and position, *2.1.4(2)*;
  2.2.1; 4.4.1; *6.1.3*; 7.2.1; **3.1(e)**
 as noun, 1.1.1
 numeral, **3.2(a)**; **3.2(b)**
 plural, **3.1(c)**
 position of, 2.2.1; 6.1.1; 5.2.1;
  3.1(e)
 possessive, 1.1.1; 1.2.1; 2.1.1;

 2.2.1; 5.1.1; **3.2(d)**
 superlative, 2.2.1; 4.2.1; 6.3.1;
  3.1(d)(iv)
Adverbs, 1.1.1; *1.2.4(2)*; 4.4.1;
 6.1.1; 7.3.1; 10.1.1; **6**
 adjectival form of, *1.1.3*; 1.3.1;
  4.2.1; **6.1(i)6**
 of affirmation, **6.5**
 comparison of, 7.1.1; **6.1(ii)**
 of doubt, **6.7**
 interrogative, **6.8**
 of manner, **6.1**
 of negation, **6.6**
 of place, **6.4**
 position of, 1.2.1; 4.3.1; 5.1.1;
  5.2.1; *6.1.3*; **6.9**
 of quantity, **6.2**
 superlative of, 2.2.1; 6.2.1; 10.2.1;
  6.1(ii)
 of time, **6.3**
Adverb phrase, 1.2.1; *6.1.3*; *6.1.4(2)*
afin de, 3.2.1; 5.2.1
ainsi, 2.1.1; 6.2.1
 + inversion, 4.1.1; 7.3.1; **9.5**
ainsi que, 4.1.1
aller, 1.3.1; 3.1.1; 4.4.1; 5.2.1; **5.3(a)**
alors, **6.3(i)**
alors que, 2.3.1; 8.3.1
ancien, 1.2.1; 2.1.1; 2.2.1; 4.3.1;
 7.2.1; **3.1(e)(ix)**
apercevoir, 6.1.1; **5.3(d)(vi)**
apparaître, 1.1.1; **5.3(c)(iv)**
 + infinitive, 4.1.1
Apposition, 2.2.1; 6.1.1; *7.2.4(3)*;
 2.4(iv)
après + past infinitive, **5.5(e)(i)**
Article, **2**
 definite, 1.1.1; 1.3.1; 3.3.1; 5.2.1;
  2.1

indefinite, 1.1.1; 1.2.1; **2.2**

omission of, 1.3.1; 5.1.1; 6.1.1; **2.4**

partitive, 1.1.1; 1.2.1; 1.3.1; **2.3**

reduced partitive, 1.2.1; 4.1.1; 6.1.1; **2.3(b)**

assez, 3.1.1; 3.3.1; 4.3.1; 6.1.1; **6.2(i)**

au contraire, 4.1.1

au fur et à mesure que, 1.3.1; 8.2.1; 9.2.1

au moins, 4.2.1; 4.4.1

au moment où, 5.2.1

aucun

    as adjective, *1.2.4(1)*; 3.2.1; 6.1.1; **3.2(g)(i)**

    as pronoun, 1.2.1; **3.2(g)(i); 4.6(viii)**

auquel, à laquelle, auxquels, auxquelles, 1.2.1; 3.1.1; 8.1.1, **4.4(a), 4.4(b)(iii)**

aussi, 2.2.1; 6.4.1; **6.2(ii)**

aussi . . . (que), 1.2.1; 3.1.1; 5.2.1; **3.1(d)(i)**

autant de, 2.1.1; 6.2.1; 8.1.1

autant que, 4.2.1; 6.1.1, **6.2(iv)**

autre(s), 1.2.1; 3.3.1; **3.2(g)(ii); 4.6(ix)**

autrui, 9.1.1; **4.6(v)**

Auxiliary verbs, **5.2**

avant, 4.4.1; 6.4.1

avant de, 2.3.1; 6.1.1

avant que + subjunctive, **5.5(c)(a)(xvi)**

avis (à mon/votre), 4.4.1; 8.3.1

avoir, 1.3.1; **2.4(vii); 5.2(a)**

ayant, 2.3.1

beau, 1.1.1; 1.3.1

beaucoup (de), 1.3.1; 2.2.1; **6.2(v)**

ben, 1.3.1; 8.3.1

bien, 2.1.1; 2.2.1; 3.1.1; 7.2.1; **6.2(v)**

    as adjective, **1.3.1**

bien que + subjunctive, *4.2.4(1)*; 7.3.1; *9.1.4(2)*; 9.4.1, **5.5(c)(a)(xiii)**

bon (filler), 1.3.1; 3.3.1; 4.4.1

ça, 1.3.1; 3.3.1; 4.4.1; 5.3.1

car, 2.1.1; 3.2.1; 5.2.1

Cardinal numbers, **3.2(a)**

c'est v. il est, 1.2.1; 1.3.1; 2.1.1; 2.3.1; 5.3.1; **4.3(b)(ii)4**

c'est-à-dire, 1.3.1; 2.3.1; 5.2.1

c'est . . . que, *2.1.4(3)*; 4.4.1; 6.3.1; *7.1.4(1)*; **9.3**

c'est que, 1.3.1; 5.1.1

c'était, 1.3.1; 3.1.1

ce (*see* Adjectives, demonstrative; Pronouns, demonstrative)

ce que, 2.3.1; 4.3.1; 5.3.1; 7.2.1; 8.2.1; **4.3(b)(ii)**

ce que . . . c'est que, 2.3.1

ce qui, 2.2.1; 5.1.1; 7.2.1; 8.1.1; **4.3(b)(ii)**

    referring to clause, 6.3.1; 9.2.1; 9.4.1

ce qui . . . c'est que, 8.2.1

ceci, cela, 1.3.1; 2.2.1; 4.4.1; 5.3.1; **4.3(b)(iii)**

celui, celle, ceux, celles (*see* Pronouns, demonstrative)

cent, **3.2(a)(i)**

cependant, 9.3.1

certains

    as adjective, 4.4.1; 8.3.1; **3.2(g)(iii)**

    as pronoun, 8.2.1; **4.6(x)**

ces (*see* Adjectives, demonstrative)

cette (*see* Adjectives, demonstrative)

celui, ceux (*see* Pronouns, demonstrative)

chacun(e), 1.2.1; 4.3.1; 8.1.1; **4.6(xi)**

chaque, 1.2.1; 5.3.1; 7.2.1; 8.1.1; 10.2.1; **3.2(g)(iv)**

chez, 1.3.1; 6.1.1; 7.3.1; 8.1.1; 10.2.1; **7**

Cognates, *4.1.3(2)*; *9.2.3(2)*

combien, **6.2(vi)**

comme, 1.1.1; 2.1.1

comme!, 6.1.1

commencer par, 5.2.1; **5.5(d)(ii)8**

comment, 4.4.1; 6.3.1

Comparative, 1.3.1; 2.1.1; 3.3.1; 9.3.1; **3.1(d)**

    with pronoun, 2.3.1; 6.4.1; **4.1(b)(v)**

    with verb, 1.3.1; 2.3.1; 8.3.1; 9.3.1; 9.4.1

Conditional, 2.1.1; 4.4.1; *7.1.4(2)*; 9.2.1; 9.4.1; 10.2.1; **5.5(a)(ix)**

    used to express uncertainty, *10.2.4(1)*; **5.5(a)(ix)3**

Conditional perfect, 1.1.1; **5.5(a)(x)**

    used to express supposition, 1.2.1; **5.5(a)(x)**

Conjunction, *8.1.4(4)*; *10.2.4(5)*; **8**

    co-ordinating, **8.1**

    subordinating, **8.2**

contre, 2.2.1; 7.2.1

coudre, 6.1.1; **5.3(c)(iii)**
Countries, 2.1.1; 3.3.1; 4.1.1
croire
  + à + noun, 4.4.1; 6.1.1
  croire (se), 7.1.1
  + infinitive, 2.1.1; *2.1.4(1)*;
    5.5(d)(iii)
  ne pas croire + que +
    subjunctive, 2.3.1; 5.3.1;
    5.5(c)(a)(iv)
  past infinitive, 8.2.1; *8.2.4(1)*;
    5.5(e)(iv)
  + que + indicative, 2.3.1; 4.4.1
  + que + subjunctive, *9.3.4(2)*

d'abord, 1.3.1; 2.3.1
d'ailleurs, 4.2.1; 5.3.1; 6.3.1; 8.1.1
dans, 2.1.1; 2.2.1; 2.3.1; 4.4.1; **7**
dans la mesure où, 2.3.1
Dates, 4.3.1
d'autant plus, 2.3.1
d'autant plus (de) . . . que, 2.2.1;
  3.1(d)(ii)
d'autre part, 8.3.1
d'autres, 1.2.1; 1.3.1; 2.2.1; 4.2.1;
  6.1.1; 6.2.1; **2.3(b)(v)**
davantage, 5.3.1; 6.3.1, **6.2(vii)**
de, *2.2.3(2)*; **7**
  following verb, **5.5(d)(ii)6**
  = from, 1.3.1; 2.2.1; 4.3.1
  = made of, 2.1.1; 2.2.1
  after numbers, quantities, 4.2.1
de . . . en . . ., 3.1.1
de moins en moins, 9.2.1; **3.1(d)(ii)**
de plus, 3.2.1
Decimal point, *4.1.4(1)*; 8.1.1
Definite article (*see* Article)
déjà, 2.1.1
demander quelque chose à
  quelqu'un, 1.1.1
demander à quelqu'un de faire
  quelque chose, 5.2.1; **5.5(d)(ii)6**
demi, 4.3.1
demi (à), 5.2.1
Demonstrative adjective (*see*
  Adjective, demonstrative)
Demonstrative pronoun (*see*
  Pronoun, demonstrative)
depuis, 1.1.1; 4.2.1; 4.3.1; 4.4.1;
  7.2.1; **5.5(a)(i)3; 5.5(a)(ii)3**
dernier, 6.1.1; **5.5(c)(a)(ix)**
dès, 4.3.1; 7.2.1
désirer que, 9.3.1; *9.3.4(1)*;
  5.5(c)(a)(ii)

devoir, 2.2.1; 7.2.1; 8.1.1
  used to express certainty, *5.2.4(4)*;
    5.5(d)(ii)4
différents, **3.2(g)(v)**
dire + infinitive, 10.2.1; **5.5(d)(iii)**
divers, **3.2(g)(v)**
donc, 1.3.1; 2.3.1; 3.3.1; 6.4.1; 9.2.1
dont, 1.2.1; 2.1.1; 3.2.1; 5.1.1;
  8.1.1; 8.2.1; **4.4(b)(iv)**
  la façon dont, 4.2.1
Double rhythm, *2.2.3*
du moins, 4.4.1; 5.3.1
durant, 4.3.1; 6.1.1
du reste, 8.1.1

Elision, 1.3.1; 6.3.3; **9.4**
elle, elles (*see* Pronouns,
  disjunctive; Pronouns, personal)
émouvoir, 3.3.1; 5.1.1
en, **7**
  with countries, 2.2.1; 3.3.1; 4.1.1
  = de + pronoun, 1.3.1; 2.3.1;
    3.3.1; 5.1.1; 5.2.1; **4.1(b)(xiv)**
  = for that, 7.3.1, **4.1(b)(xiv)**
  = made of, 3.1.1; 5.2.1
  with months, 6.2.1
  + present participle (*see*
    Participle, present)
  + time, 3.2.1; 4.4.1; 8.1.1
  + vehicles, **7**
  + year, 4.1.1; 4.3.1
en ce qui concerne, 2.3.1
en fait, 4.1.1
en général, 3.1.1
en moyenne, 4.1.1
en plus, 3.3.1
en revanche, 3.2.1
encore moins (que), **3.1(d)(i)**
encore plus (que), 3.1.1; 4.2.1;
  5.1.1; **3.1(d)(i)**
étant donné que, 5.3.1
être, **5.2(b)**
  + adjective + de, 5.2.1; *9.2.4(1)*;
    4.3(b)(ii)4
  + de + infinitive, 7.1.1; *8.2.4(3)*;
    9.1.1
  + de + number, 4.1.1; *4.1.4(1)*;
    4.2.1; **3.2(c)(iii)**
être en train de, 4.4.1
eux (*see* Pronoun, disjunctive)
exclure, 4.2.1; **5.3(c)(xi)**

faire (X de Y), 5.2.1; 7.1.1
faire en sorte que, 7.1.1

faire + infinitive, 1.1.1; 2.3.1;
   5.1.4(4); 5.2.1; **5.4(b)**
falloir, 1.1.1; 2.2.1; 3.1.1; 5.3.1;
   7.1.1; *9.3.4(3);* **5.4(d)(ii)**
   + Subjunctive, **5.5(c)(a)(vi)**
fatal (il est) + subjunctive, 2.1.1;
   2.1.4(5); **5.5(c)(a)(vi)**
Faux amis, *1.2.3; 3.1.3;* 4.2.1; 7.1.1
finir par, 4.4.1; **5.5(d)(ii)8**
fois (à la), 4.1.1
fois (une) + reduced clause, 1.1.1
   1.1.4(2); **8.3**
fort (adverb), 7.1.1
Fractions, 4.2.1; 4.4.1; 5.2.1; 7.2.1;
   7.2.4(4); **3.2(b)(v)**
fuir, 5.1.1; **5.3(b)(iv)**
Future tense, 3.3.1; 4.2.1; 5.2.1;
   4.3.1; 7.1.1; **5.5(a)(vii)**
Future perfect, 2.1.1; 8.3.1;
   5.5(a)(viii)

se garder de, 9.1.1
Gender, *6.1.3(2);* **1.2**
gens, 1.1.1; 1.3.1; **1.2(a)(xix)**
grâce à, 2.2.1; 3.2.1; 4.1.1; 6.2.1
grand'chose (à), 1.3.1
grand temps que, il est, 2.2.1;
   5.5(c)(a)(vi)

hein?, 2.3.1; 5.3.1; 8.3.1
Highlighting, *2.1.4(3);* 2.2.1; 4.4.1;
   6.3.4(1,2); 7.1.4(1); 8.1.4(1,2); **9.3**
Historic present, 4.3.1; **5.5(a)(i)1**

'If' clauses, 1.1.1; 2.3.1; 5.2.1;
   7.1.4(2); 9.2.1; 9.4.1; 10.1.1;
   5.5(a)(i)4; 5.5(a)(ii)6; 5.5(a)(v)1
il est (= il y a), 1.2.1; 10.1.1
il est + adjective + de, 8.3.1;
   9.2.4(1); **4.3(b)(ii)4**
il y a, 1.2.1; 1.3.1; **5.4(d)(iii)**
   reduced in speech, 1.3.1; 7.4.1
il y a (ago), 1.3.1; 3.3.1; **5.4(d)(iv)**
il y a eu, 2.3.1; 3.3.1; 4.4.1; 10.3.1
il y avait, 2.3.1; 10.3.1
Imperative, 1.1.1; 3.2.1; **5.5(b)**
   to replace si, 7.1.1
Imperfect tense, 1.1.1; 2.3.1; 3.1.1;
   5.1.3; 5.2.3; **5.5(a)(ii)**
   after si, 4.4.1; 7.1.1; *7.1.4(2);*
   5.5(a)(ii)6
Impersonal verbs, 1.2.1; *1.2.4(1);*
   2.3.1; 3.1.1; 3.3.1; 4.3.1; 5.2.1;
   5.4(d)

to replace passive, **5.4(b)**
Indefinite adjective (*see* Adjective,
   indefinite)
Indefinite article (*see* Article,
   indefinite)
Indefinite pronoun (*see* Pronoun,
   indefinite)
Indicative mood, **5.5.(a)**
Infinitive, 1.1.1; 1.2.1; 6.3.1; 7.1.1;
   10.2.1; **5.5(d)**
   with être + de, 4.1.1; **5.5(d)(v)**
   negative, 2.2.1; *5.2.4(1);* 10.1.1;
   10.2.1; **5.5(d)(vi)**
   with passive sense, 10.1.1;
   10.1.4(2); **5.4(b)**
   past, 2.2.1; 3.1.1; 5.3.1;
   7.2.1; *10.2.4(3);* **5.5(e)**
   past negative, 7.2.1
   past passive, *1.2.4(3);* **5.5(e)(iii)**
   with set expressions, **5.5(d)(iv)**
   as subject, 7.1.1; *7.2.4(1);* **5.5(d)(i)**
   with verbs of believing, stating,
   10.2.4(2); **5.5(d)(iii)**
   with verbs of perception, *5.1.4(1);*
   5.2.1; 6.3.1; *10.1.4(2);*
   5.5(d)(ii)2
insu, à son, 8.2.1
Interrogative pronoun (*see* Pronoun,
   interrogative)
Interrogative adjective (*see*
   Adjective, interrogative)
Inversion, 4.1.1; 4.2.1; *4.3.3;*
   4.3.4(1); 5.1.1; 6.2.1; 9.1.1; **9.5**
   in relative clause, 4.3.1; 6.2.1;
   4.4(b)(viii)
   in written language, **9.5**

jamais, **6.3(iii)**
jamais . . . ne . . ., 3.3.1; 6.2.1
jusqu'à, 4.3.1; 6.1.1
jusqu'à ce que, 5.2.1; 6.1.1;
   5.5(c)(a)(xvii)
   + imperfect subjunctive, 5.2.1
   + present subjunctive, 6.1.1;
   6.1.4(4)
jusqu'au moment où, 1.1.1

là où, 6.2.1
laisser, 1.1.1; 3.1.1; 4.1.1; 6.3.1;
   5.5(d)(ii)2
le/la leur, 8.2.1
lequel, laquelle, lesquels,
   lesquelles, 1.2.1; **4.5(iv)**

lequel (preceded by preposition), *2.2.4(1)*; 4.3.1; *6.2.4(2)*; 7.1.1; 7.2.1; **4.4(b)(iii)**
leur (*see* Pronoun, personal)
leur(s) (*see* Adjective, possessive)
l'on, 7.1.1; 7.2.1
lorsque, 4.3.1; 5.2.1
lui (*see* Pronoun, disjunctive; Pronoun, personal)
lui-même, 7.1.1

ma (*see* Adjective, possessive)
maint, **3.2(g)(vi)**
mais, 1.2.1; 2.3.1
mal, 3.1.1
malgré, 4.2.1; 6.1.1
me (*see* Pronoun, personal)
Measures, 1.1.1; 7.2.1
meilleur, **3.1(d)(iii)**
même
    = even, 2.2.1; 2.3.1; 8.3.1
    with negative, 1.1.1
    = same, 2.2.1; 4.2.1; 7.2.1; **3.2(g)(vii)**
mes (*see* Adjective, possessive)
mesure
    dans la mesure où, 2.3.1
    dans quelle mesure, 9.2.1
    dans une certaine mesure, 9.2.1
    dans une faible mesure, 9.3.1
    dans une large mesure, 9.3.1
mien (le), mienne (la) (*see* Pronoun, possessive)
mieux, 6.2.1; **6.1(ii)**
mille, **3.2(a)(i)**
    = mile, 2.1.1; **3.2(a)(ii)**
millier, 3.2.1; 4.2.1; **3.2(a)(ii)**
million, 8.3.1; **3.2(a)(v)**
moi (*see* Pronoun, disjunctive)
moindre, 3.1.1; 9.1.1; **3.1(d)(iii)**
moins, 1.3.1; 2.1.1; 5.3.1; 9.2.1; *9.2.3(1)*; **3.1(d)(i)**
    moins . . . moins, **3.1(d)(ii)**; **6.2(x)**
    de moins en moins, *9.2.3*; 10.2.1
mon (*see* Adjective, possessive)

naître, 1.2.1
ne
    omission of, 1.3.1; 4.4.1; *6.3.3*; 10.3.1
    as expletive, 1.3.1
ne . . . aucun

as adjective, 3.2.1; 6.1.1; **3.2(g)(i)**
as pronoun, 1.2.1; **3.2(g)(i)**; **4.6(viii)**
ne . . . aucunement, **6.6(iii)**
ne faire que, *6.3.4(5)*; **6.6(vi)**
ne . . . guère, 2.1.1; 5.1.1; *5.1.4(2)*; **6.2(ix)**
ne . . . jamais, 1.3.1; 3.2.1; 5.1.1; *5.1.4(2)*; 6.1.1; **6.3(iii)**; **6.6(v)**
ne . . . ni (ne), 2.2.1; 7.3.1; **6.6(iv)**
ne . . . ni . . . ni, 7.3.1; *7.3.4(1)*
ne . . . nullement, 8.2.1; **6.6(iii)**
ne . . . pas, 1.1.1; 3.2.1; 5.3.1; **6.6**
ne . . . pas . . . ni même, 2.3.1
ne . . . personne, **6.6(v)**
ne . . . plus, 4.2.1; *5.1.4(2)*; 7.1.1; 7.2.1; **6.2(x)**
ne . . . point; 2.1.1; *5.1.4(2)*; 7.1.1; 9.1.1; **6.6(ii)**
ne . . . que, 1.3.1; 3.2.1; 4.1.1; 4.2.1; 4.3.1; *6.3.4(4)*; 7.3.1; **6.6(vi)**
    = 'not until', *5.2.4(3)*; **6.6(vi)**
ne . . . rien, 1.1.1; 3.3.1; **6.6(v)**
Negatives, *5.1.4(2)*; **6.6**
n'importe, 3.2.1; **5.4(d)(xi)**
n'importe comment, 3.3.1; 6.4.1
n'importe quel, **3.2(g)(viii)**
n'importe quoi, 4.6(xviii)
Nominalisation, *4.3.3(3)*; *5.1.3(2)*; *6.1.4(1)*; *6.2.3(1)*; *9.3.3(3)*; *10.2.3(2)*; **10.2**; **10.4**; **10.5**
non plus, 1.1.1
non que, **5.5(c)(a)(xii)**
non seulement, 1.2.1; 10.2.1
nos (*see* Adjective, possessive)
notamment, 4.3.1; 4.4.1
notre (*see* Adjective, possessive)
nôtre (le/la) (*see* Pronoun, possessive)
Noun, **1**
    definition, **1.1**
    feminine, formation of, **1.2(a)**
    gender, **1.2**
        recognition of, rules for, **1.2(b)**
    number, **1.3**
nous (*see* Pronoun, disjunctive; Pronoun, personal)
nul (le)
    as adjective, 1.2.1; **3.2(g)(ix)**
    as pronoun, **4.6(xii)**
Numerals, 4.3.1; *4.3.4(2)*; 8.3.1; **3.2(a)**; **3.2(b)**
    être + de + numeral, *4.1.4(1)*; 4.2.1; **3.2(c)(iii)**

Omission of article (*see* Article)
on, 1.1.1; 2.3.1; 3.1.1; 5.1.1; 7.1.1; **4.1(b)(iii)**
on dit que, 4.4.1
or, 2.3.1; 8.3.1
Ordinal numbers, **3.2(b)**
ou, 1.2.1; 1.3.1; 4.3.1; 5.1.1
ou bien, 6.1.1
où
    as relative pronoun, 1.2.1; 2.1.1; 4.3.1; 5.2.1; 5.3.1; 6.1.1; 9.1.1; **4.4(b)(v)**
    interrogative, 1.2.1
oui, **6.5(i)**
par, 1.1.1; 1.2.1; 2.1.1; 5.2.1; **7**
parce que, 1.1.1; 1.3.1; 6.4.1; 9.4.1
parmi, 4.2.1
Participle, past, 1.1.1; 3.2.1; 4.2.1; 5.1.1; **5.5(f)(ii)**
    agreement, 3.2.1; 5.1.1; 6.1.1; **5.5(a)(iv)4–6**
    as noun, **5.5(f)(ii)4**
Participle, present, 3.1.1; 10.2.1; **5.5(f)(i)**
    as adjective, 5.2.1; 6.1.1; **5.5(f)(i)3**
    en +, 3.1.1; 4.2.1; 5.2.1; 6.1.1; *7.3.4(2);* **5.5(f)(i)2**
    irregular, **5.5(f)(i)**
    used to express reason, 3.3.1; 4.3.1; 6.2.1; *7.3.4(3);* **5.5(f)(i)4**
    used to replace relative clause, 3.2.1; 4.4.1; 7.2.1; **5.5(f)(i)5**
Partitive (*see* Article, partitive)
pas, omission of, 4.1.1; 4.2.1; 5.1.1; **6.6(i)**
pas de, 1.1.1; 1.3.1
pas un, 1.1.1; 3.2.1
Passive voice, 3.1.1; 3.2.1; 4.4.1; 6.1.1; 10.3.1; **5.4(b)**
    agent in, **5.4(b)**
    infinitive, 1.2.1; 2.3.1; 3.3.1; 4.3.1; 9.2.1; **5.4(b)**
    replaced by reflexive verb, 2.2.1; *2.2.4(4);* 4.2.1; 4.3.1; 9.3.1; 10.2.1; **5.4(b)**
    use of on, 7.1.1; **5.4(b)**
Past anterior, **5.5(a)(vi)**
Past historic, 1.2.1; 5.1.1; *5.1.3;* 5.2.1, *5.2.3.* 6.2.1; *6.2.3;* **5.5(a)(iii)**
Part participle (*see* Participle, past)
pendant, 1.1.1; 1.3.1; 6.1.1; 7.2.1; **7**
pendant que, 4.4.1
penser que, 1.3.1; 3.3.1; 4.4.1; 6.4.1; 9.4.1

+ subjunctive, 2.3.1; **5.5(c)(a)(v)**
Percentages, 4.1.1; *4.1.3(1);* 7.2.1; 8.1.1; 10.2.1; **3.2(a)(viii)**
Perception, verbs of + infinitive (*see* Verb)
Perfect tense, 1.1.1; 1.2.1; 2.2.1; 3.2.1; 4.2.1; 5.1.1; *5.1.3;* 5.3.1; **5.5(a)(iv)**
    omission of auxiliary verb, 1.1.1; 1.2.1
    word order with adverbs, 3.2.1; 4.1.1; 5.3.1; *6.1.3; 6.1.4(2);* **6.9(2)**
personne ne . . ., 3.3.1
peu, 2.3.1; 3.1.1; 3.3.1; 5.1.1; **6.2(viii)**
peut-être, 1.3.1; 3.3.1; **6.7**
    + inversion, 1.1.1; 10.1.1; **9.5**
    + que, 4.4.1; 8.3.1
pire, **3.1(d)(iii)**
plupart (la), 7.2.1
Pluperfect, 1.1.1; 3.1.1; 3.2.1; 4.4.1; 5.1.1; 5.2.1; 7.2.1; **5.5(a)(v)**
Plural of nouns (*see* Noun)
plus
    plus de, 3.1.1; 4.2.1; 5.3.1; 6.4.1; **6.2(x)**
    plus encore, *9.2.3*
    plus encore (que), 2.2.1
    plus . . . moins, **6.2(x)**
    plus . . . plus, **6.2(x)**
    plus ou moins, 2.3.1; 3.2.1; *9.2.3;* 10.2.1
    plus . . . que, 2.1.1; 2.2.1; **3.1(d)(i)**
    de plus, 3.2.1; *9.2.3*
    de plus en plus, 1.3.1; 4.3.1; *9.2.3;* **3.1(d)(ii)**
plusieurs
    as adjective, **3.2(g)(x)**
    as pronoun, **4.6(vi)**
plutôt, 1.3.1
plutôt que (de), 9.3.1
Position of adjective (*see* Adjective, position of)
Position of adverb (*see* Adverb, position of)
Possessive adjective (*see* Adjective, possessive)
Possessive pronoun (*see* Pronoun, possessive)
pour, **7**
    + infinitive, 1.2.1; 2.1.1; 3.3.1; 6.2.1; 8.3.1; 10.2.1; **5.5(d)(ii)8**

+ past infinitive, *7.1.4(3)*; 7.2.1; **5.5(d)(ii)8; 5.5(e)(ii)**
pour peu que + subjunctive, 2.1.1, *2.1.4(5);* **5.5(c)(a)(xiii)7**
pour que + subjunctive, *1.1.4(1); 6.2.4(1); 9.3.4(4);* **5.5(c)(a)(xi)**
pourquoi?, 7.2.1
  + infinitive, 6.3.1
pourtant, 2.2.1; 3.1.1; 3.2.1; 4.2.1; 9.3.1
pourvu que + subjunctive, 6.3.1; **5.5(c)(a)(xiii)8**
pouvoir, 1.1.1; 2.2.1; 4.2.1; 6.1.1; **5.5(d)(ii)3**
Preceding direct object, **4.1(b)(x)**
premier à, 2.3.1
Preposition, *1.2.3; 3.2.3; 4.1.3(3); 4.2.3(2); 5.1.3(1); 6.1.3(1); 6.2.3(2); 8.2.3(2); 10.1.3(2);* **7**
  after verbs, **5.5(d)**
Present tense, **5.5(a)(i)**
Present participle (*see* Participle, present)
presqu'île, 2.1.1; 5.1.1
Pronouns
  demonstrative, 1.1.1; 3.1.1; 3.2.1; 4.2.1; 5.1.1; 5.2.1; 7.1.1; 8.2.1; **4.3**
  disjunctive, 1.3.1; 6.3.1; 8.1.1; 9.2.1; 9.3.1; **4.1(a); 4.1(b)(xii–xiii)**
  with faire and laisser, 5.1.1; *5.1.4(4);* **4.1(b)(ix)**
  indefinite, 1.3.1; 2.1.1; 3.2.1; **4.1(a); 4.6**
  with infinitives, **4.1(b)(ix)**
  interrogative, **4.5**
  with -même, 1.2.1; 3.2.1; 5.1.1; 7.1.1
  object, 1.1.1; 2.3.1; 3.2.1; 3.3.1; 5.3.1; **4.1(a); 4.1(b)(iv)**
    with être, 1.3.1; **4.1(b)(v)**
    with imperative, 7.3.1; 9.3.1; **4.1(b)(iv); 4.1(b)(viii)**
  order of, 1.1.1; 1.2.1; 3.2.1; 3.3.1; 5.1.1; *5.1.4(3);* **4.1(b)(vii)**
  personal, **4.1**
  possessive, 8.2.1; **4.2**
  relative, 1.1.1; 1.2.1; 7.3.1; **4.4**
    position of, **4.4(b)(vii)**
  subject, 1.1.1; 5.1.1; 6.1.1; **4.1(a); 4.1(b)(ii–iii)**
propre (= 'own'), 1.2.1; 2.1.1;

2.3.1; 7.2.1
propre à, 1.2.1; 7.1.1; 8.1.1
puis
  as filler, 5.3.1
  = then, 3.3.1; 5.2.1
puisque, 1.3.1; 2.3.1; 3.2.1; 3.3.1; 4.2.1; 5.1.1
pur, *2.1.4(2)*

quand (= même si), 8.3.1; **5.5(a)(ix)6**
quand même, 1.3.1; 4.4.1; 8.3.1
quant à, 1.1.1; 5.1.1
que
  = if, *8.1.4(3);* **5.5(c)(a)(xiii)6**
  relative pronoun, 1.1.1; 5.3.1; 7.3.1; **4.4(b)(ii)**
  repeated, 5.3.1; 6.1.1
  subordinating conjunction, 1.2.1; 1.3.1; 2.1.1; 2.2.1; 2.3.1; 5.2.1; 7.2.1; 8.1.1
  = whether, 2.2.1; *2.2.4(4)*
qu'est-ce que . . .? 1.2.1; 2.3.1; 4.2.1; 8.3.1
qu'est-ce que c'est que . . .? 2.3.1
qu'est-ce qui, 2.3.1; 7.1.1
quel, quels, quelle, quelles (*see* Adjective, interrogative)
quel(le)!, 2.1.1; **2.4(v); 3.2(f)(iii)**
quelconque, **3.2(g)(xiii)**
quel que + verb, 3.1.1; **3.2(g)(xi); 5.5(c)(xiii)4**
quelque(s), 1.1.1; 1.3.1; 3.1.1; 4.2.1; 4.3.1; **3.2(g)(xii)**
quelque chose à, 1.3.1
quelque chose de, 4.4.1; 5.3.1; **4.6(iv)**
quelque . . . que + subjunctive, 2.2.1; 3.2.1; **3.2(g)(xii); 5.5(c)(a)(xiii)3**
quelques-un(e)s, 8.1.1; **4.6(xiii)**
quelqu'un de, **4.6(iv)**
Questions, **9.5**
qui, as relative pronoun, 3.2.1; 4.2.1; 4.4.1; 5.1.1; 5.3.1; 7.2.1; 9.1.1; **4.4(b)(i)**
qui que se soit, **4.6(xvii)**
quiconque, 1.2.1; **4.6(iii)**
quoi, as relative pronoun, **4.4(b)(vi)**
quoi?, 1.3.1; 2.3.1; 6.4.1; **4.5(iii)**
quoique, **5.5(c)(a)(xiii)1**
quoi que, *4.2.4(2);* **5.5(c)(a)(xiii)5**
quoi que ce soit, **5.5(c)(a)(i)**

rapport à (par), 4.2.1; 4.4.1; 6.4.1
reconnaître + infinitive, 10.2.1
Reduced clause, 1.1.1; 3.2.1;
   4.1.4(2); 5.1.1; 7.2.1; **8.3**
Reflexive verb, 1.1.1; 2.1.1; 4.1.1;
   4.4.1; 5.2.1; **5.4(c)**
   with adverbs, word order of, 4.1.1
   used as reciprocal, 5.3.1
   used to replace passive (*see*
     Passive voice)
Register, **9.1**
regretter que, 7.3.1; **5.5(c)(a)(iii)**
Relative pronoun (*see* Pronoun,
   relative)
rendre + adjective, 2.2.1
rien de + adjective, 1.2.1; 2.2.1;
   7.1.1; **4.6(iv)**
rien ne, 6.1.1 (*see also* ne . . . rien)
rien que, 6.1.1
risquer de, 3.3.1; 4.3.1

sa (*see* Adjective, possessive)
sans, 1.2.1; 2.1.1
   + infinitive, 1.2.1; 4.2.1; 6.2.1;
     7.3.1; *9.2.4(2)*; **5.5(d)(ii)8**
sans . . . ni . . ., 7.2.1; 7.3.1
sans que + subjunctive, *9.2.4(2)*;
   5.5(c)(a)(xviii)
savoir, 1.3.1; 2.2.1; 3.2.1; 3.3.1;
   4.1.1; **5.3(d)(vi)**
   + infinitive, 6.4.1; **5.5(d)(ii)3**
se (*see* Pronoun, personal)
s'en falloir de beaucoup, *3.1.4(1)*;
   5.5(c)(a)(vi)
se garder de, 9.1.1; *9.1.4(1)*
selon, 4.2.1; 7.2.1
sembler
   + adjective, 7.3.1
   il semble que + subjunctive,
     2.1.4(4,5); **5.5(c)(a)(vi)**
   il me semble que + indicative,
     5.3.1; **5.5(c)(a)(vi)**
   + infinitive, 1.2.1; *1.2.4(3)*
servir à, 2.2.1
ses (*see* Adjective, possessive)
seul, 1.1.1; 3.2.1; 7.2.1
   + article + noun, 1.1.1
seul à + infinitive, 7.2.1
si
   = 'however', *1.2.4(5)*;
     5.5(c)(a)(xiii)2
   = 'if', 1.1.1; 2.3.1; 5.2.1; *7.1.4(2)*;
     9.2.1
   = 'so', 4.4.1; **6.2(iii)**

   = 'such', 2.2.1
   = 'yes', 4.4.1; **6.5(ii)**
si bien que, 8.3.1; 10.3.1
sinon, 1.3.1; 4.3.1; 8.1.1
soi (*see* Pronoun, disjunctive)
soit, **6.5(iii)**
soit . . . (soit), 1.3.1
son (*see* Adjective, possessive)
sous, **7**
Subjunctive mood, **5.5(c)**
   à moins que, de peur que,
     5.5(c)(a)(xiii)9
   avant que, **5.5(c)(a)(xvi)**
   after bien que, quoique, *4.2.4(1)*;
     7.3.1; *9.1.4(2)*; **5.5(a)(c)(xiii)1**
   in clauses expressing purpose,
     6.3.1; 7.1.1; 7.2.1; **5.5(c)(a)(xi)**
   with desired quality, **5.5(c)(a)(viii)**
   in expressions of chance,
     5.5(c)(a)(xiv)
   with expressions of emotion,
     6.2.1; 7.3.1; **5.5(c)(a)(iii)**
   with expressions of lack of belief,
     2.3.1; **5.5(c)(a)(iv)**
   with expressions of necessity,
     2.3.1; 9.1.1; 9.3.1; *9.3.4(4)*;
     5.5(c)(a)(vi)
   with expressions of possibility/
     impossibility, 3.1.1; *3.1.4(1)*;
     5.5(c)(a)(vi)
   formation, **5.1; 5.2; 5.3**
   fût-ce, = 'even if it were (only)',
     3.1.1; **5.5(c)(a)(i)**
   'however' + adjective, *1.2.4(4)*;
     2.2.1; **5.5(c)(a)(xiii)2**
   il est grand temps que, 2.2.1;
     2.2.4(3); **5.5(c)(a)(vi)**
   il semble que, 2.1.1; *2.1.4(4)*;
     2.1.4(5); **5.5(c)(a)(vi)**
   imperfect, 3.1.1; *3.1.4(2)*; 5.2.1;
     6.2.1; *6.2.4(1)*
   after initial que, 7.3.1;
     5.5(c)(a)(vii)
   jusqu'à ce que, 5.2.1; 6.1.1;
     6.1.4(4); **5.5(c)(a)(xvii)**
   after non que, ce n'est pas que,
     5.5(c)(a)(xii)
   perfect, 2.2.1; 4.2.1; *4.2.4(1)*
   pluperfect, for conditional perfect,
     7.1.1; **5.5(c)(a)(xix)**
   pour peu que, *2.1.4(5)*;
     5.5(c)(a)(xiii)7
   after pour que, *1.1.4(1)*; *6.2.4(1)*;
     9.3.4(4); **5.5(c)(a)(xi)**

pourvu que, 6.3.1; **5.5(c)(a)(xiii)8**
present tense, 2.1.1; 4.2.1;
    4.2.4(2); 6.2.1; 7.1.1
after que
    = 'if', *8.1.4(3)*; **5.5(c)(a)(xiii)6**
    = 'whether', 2.2.1; 4.1.1;
        4.1.4(3); 4.2.1; **5.5(c)(a)(xiii)6**
after que replacing si,
    5.5(c)(a)(xv)
after quel que + verb + noun,
    3.1.4(3); **5.5(c)(a)(xiii)4**
after quelque . . . que, 2.2.1;
    5.5(c)(a)(xiii)3
in questions, 2.3.1; 8.3.1; *9.3.4(2)*;
    9.4.1; **5.5(c)(a)(v)**
after quoi que, *4.2.4(2)*;
    5.5(c)(a)(xiii)5
in relative clause with negative
    antecedent, 10.1.1; **5.5(c)(a)(x)**
sans que, *9.2.4(2)*; **5.5(c)(a)(xviii)**
s'en falloir de beaucoup, 3.1.1;
    3.1.4(2); **5.5(c)(a)(vi)**
sequence of tenses, **5.5(c)(b)**
after a superlative, **5.5(c)(a)(ix)**
with verbs of wishing, allowing,
    ordering, 3.2.1; 7.2.1; 9.3.1;
    9.3.4(1); **5.5(c)(a)(ii)**
Superlative, 2.2.1; 4.2.1; 6.3.1; 7.1.1
    adverb, 7.1.1; **6.1(ii)**
    + subjunctive, **5.5(c)(a)(ix)**
sur, **7**
surtout, 1.3.1; 2.2.1

ta (*see* Adjective, possessive)
tandis que, 1.3.1; 4.3.1; 4.4.1;
    5.2.1; 6.4.1
tant (de), 3.4.1; 7.1.1
tant que, 1.3.1; **6.2(iv)**
tantôt . . . tantôt, 6.2.1; **6.3(iv)**
te (*see* Pronoun, personal)
tel(le), 1.2.1; *2.2.4(3)*; 7.3.1;
    3.2(g)(xiv)
tel que, 9.2.1
tellement, 6.1.1
temps: il est grand temps que +
    subjunctive, *2.2.4(3)*; **5.5(c)(a)(vi)**
tenir, *1.1.3(3)*; 6.2.1
tes (*see* Adjective, possessive)
tien (*see* Pronoun, possessive)
toi (*see* Pronoun, disjunctive)
tout (toute, tous, toutes)

as adjective, 1.1.1; 1.2.1; 3.3.1;
    5.2.1; 7.1.1; **3.2(g)(xv)**
as adverb, 3.2.1; 4.2.1; 4.3.1;
    5.2.4(2); 8.3.1; **6.2(xi)**
as adverb + indicative, *1.2.4(4)*
as pronoun, 6.2.1; **4.6(xv)**
tout à fait, 1.1.1; 2.3.1; 9.4.1; 10.2.1
tout ce que, *1.2.4(5)*; 7.1.1
tout ce qui, *1.2.4(5)*; 8.3.1
tout d'un coup, 4.4.1
tous les jours, 1.3.1
toutefois, 3.1.1
très, 2.3.1; **6.2(xii)**
Triple rhythm, 1.2.1; *1.2.3*; 2.2.1;
    4.3.1; 4.4.1
trop, 1.3.1; 7.2.1; **6.2(xiii)**

un: les uns . . . les autres, 6.3.1;
    4.6(ix)

valoir, 2.3.1; **5.3(d)(iv)**; **5.4(d)(x)**
valoir mieux, 1.3.1; **5.4(d)(x)**
venir + infinitive, 1.1.1; 1.2.1; 5.2.1
venir de, 3.2.1; **5.5(a)(i)6**; **5.5(a)(ii)7**
Verbs, **5**
    auxiliary, **5.2**
    irregular, **5.3**
    of perception + infinitive,
        5.1.4(1); 5.2.1; 6.3.1; *10.1.4(2)*;
        5.5(d)(ii)2
    regular, **5.1.1**
    as subject, 7.2.1; **5.5(d)(i)**
vers, 2.1.1
vis-à-vis, 2.3.1
vivre, 4.2.1; 10.2.1; **5.3(c)(viii)**
voire, 4.3.1
vos (*see* Adjective, possessive)
votre (*see* Adjective, possessive)
vôtre (le/la) (*see* Pronoun,
    possessive)
vouloir, 1.1.1; **5.3(d)(ii)**
    + infinitive, 3.3.1; 4.4.1; 5.2.1
    + subjunctive, **5.5(c)(a)(ii)**
    se vouloir, 1.3.1; 6.4.1
vous (*see* Pronoun, personal)

Word formation, **10**

y, 1.1.1; 3.1.1; 3.3.1; 8.2.1; 9.2.1;
    4.1(b)(xv)

3 Guide to Pronunciation

This guide should be used in conjunction with the accompanying cassette. Since the written versions of the words and sentences differ considerably from the spoken versions, the student should practise listening to the cassette and repeating what is heard, as well as reading aloud the transcript of the tape.

It is assumed that the student is already familiar with the phonetic values of the letters in written French, and this guide deals with the pronunciation of French in context, rather than with individual sounds. Any student wishing to refresh his or her memory on the individual values of letters or combinations of letters should consult the Guide to Pronunciation in *Work Out French GCSE*, by E. J. Neather, published by Macmillan.

Stress

The stress pattern of the sentence in French is much less marked than its English counterpart. Stress falls on the last syllable of each sense group, giving a more regular, rhythmic pattern than is the case in English. Thus:

Ben, on peut dire une *chose*, c'est qu'à Par*is*, on a l'impress*ion*, par ce que disent les Parisi*ens*, qu'il y a toujours quelque chose à *faire*.

Le Bret*on*, même de mon âge enc*ore*, se souvi*ent* d'avoir eu *honte*, d'avoir eu peur de parler bret*on*, d'avoir été élevé en Bret*on*.

C'est un *terme* un peu nouv*eau* et les gens ne le connaissent *pas*. Donc, ne connaissant pas vrai*ment* les problèmes de l'environne*ment*, ils n'ont pas consci*ence*, pour l'inst*ant*, des probl*èmes*.

Intonation

Intonation in French is closely associated with stress, and thus the movement up or down of the voice occurs at those points which bear the stress, i.e. the final syllable of the sense group.

In a statement or a command, a falling intonation is used:

Je ne crois pas à la grandeur de la France à l'heure actuelle.

In longer statements, the intonation rises at pauses before falling on the final syllable:

Cette politique, cette xénophobie, notamment avec le Pen, ça marche, ça a beaucoup de succès auprès des gens les plus divers.

In a question which requires either oui or non as an answer, the intonation rises:

Catherine, pensez-vous que la condition féminine ait beaucoup changé au cours de ces dernières années?

Questions which begin with an interrogative word (e.g. an interrogative pronoun or adverb) have a falling intonation:

Bernard, pour vous, qu'est-ce que c'est que la Bretagne?

Elision

As has been pointed out in the section on Differences between Spoken and Written French, sounds or even whole words may be dropped in the spoken form of the language. This is partly dependent on the register which is being used. In a formal situation (R3), speech will be more careful, and fewer elisions will be made, whereas an informal situation (R1/R2) will produce more careless speech, with a consequent increase in the number of elisions. Thus, R3:

Est-ce que tu as vu cela?

R1/R2 will produce:

T'as vu ça?

The pronoun il is often reduced:

Il fait mauvais
I' fait mauvais

Il may even be dropped:

Il y a moins d'attractions
Y a moins d'attractions

A similar phenomenon is to be noted with respect to the sound l, which may disappear in R1 speech:

J'ai quelque chose à te dire
J'ai que(-)que chose à te dire

The negative ne may also be dropped in R1/R2 speech:

Je ne sais pas
Je sais pas

Liaison

The final consonant of a word is not usually pronounced (notable exceptions to this rule include un fils and un oeuf). The final consonant may be pronounced in certain circumstances when the next word begins with a vowel. This phenomenon, known as liaison, is compulsory in some cases, prohibited in some, and optional in others, and affects the final consonants d, t, s, x, r, n, p and g.

Some consonants change their sound in liaison.

d is pronounced as t:

un grand animal
quand il arrivera

g is pronounced almost as k:

un long oubli

v and x are pronounced as z:

vis-à-vis
deux hommes

f is pronounced as v in the following expressions:

neuf ans
neuf autres
neuf heures
neuf hommes

The final nasal vowels ain, ein, en, on are denasalised in liaison:

un certain espoir
en plein air
le moyen âge
un bon auteur

This does not apply to the possessives mon, ton and son, which remain nasalised, even in liaison:

mon ami
ton arrivée
son âge

This is also true of un, aucun, commun, on, rien, bien, en, combien and non:

un ami
aucun homme
d'un commun accord
on ira
bien agréable
non-existant

Compulsory Liaison

Liaisons must be made in the following circumstances:

(a) Between a qualifier and a noun or adjective:

> les‿amis
> ses‿amis
> deux‿hommes
> un‿autre moyen
> un grand‿arbre
> certains‿élèves
> tout‿enfant

(b) Between a personal pronoun and a verb or y or en, and between a verb and a pronoun:

> elles‿ont
> ils y‿arrivent
> allons-y
> dit-il

(c) After c'est in impersonal expressions or before prepositions:

> c'est‿inutile
> c'est‿après cela

(d) Between a verb and a noun or an adjective:

> je suis‿homme
> nous sommes‿heureux

(e) Between the third person singular of the auxiliary and past participle, and the third person singular of a modal verb and an infinitive:

> elle est‿arrivée
> il veut‿aller à Paris

(f) After adverbs:

> tant‿ignorant
> pas‿aujourd'hui
> tout‿entier
> plus‿important
> bien‿aise

(g) After the prepositions avant, devant, pendant, dans, dès, sans, chez, sous, en:

> avant‿elle
> devant‿eux
> dans‿aucun cas
> en‿Angleterre

244

(h) After quand (as a conjunction) and dont:

> quand il arrivera
> dont on est ignorant

(i) In certain fixed expressions:

> pas à pas
> plus ou moins
> de plus en plus
> d'un bout à l'autre
> les Champs-Élysées
> les États-Unis

Liaison Prohibited

Liaison is prohibited in the following circumstances:

(a) Between words which are not linked by sense. Thus, there can never be a liaison after a pause in speech, or after a punctuation mark in the written language.

(b) Between an article and a noun beginning with an h aspirate:

> un héros
> le héros

(c) Before a numeral beginning with a vowel:

> le onze
> cent un

While huit is included in the above category, note:

> dix-huit
> dix-huitième
> vingt-huit
> vingt-huitième

(d) After the final consonant of a singular noun, if that consonant is not pronounced when the word is in isolation:

> un regard insolent
> un discours agréable

(e) After the internal s of compound words in the plural:

> des arcs-en-ciel
> des vers à soie

(f) After et and before oui:

> et il partit
> il dit oui

(g) After a proper noun:

Jacques est sorti

(h) After words ending in a nasal vowel, which are not specified above:

selon elle

(i) After second person singular (indicative and subjunctive) ending in **es**:

si tu restes ici
il est impossible que tu te conduises ainsi

(j) In certain fixed expressions:

à tort et à travers
nez à nez avec

Liaison Optional

Liaison is optional in the following circumstances:

(a) Between a plural noun and its verb, or a plural noun followed by an adjective or adverb:

les garçons arrivent
les garçons‿arrivent
des expressions impossibles à maîtriser
des expressions‿impossibles à maîtriser

(b) Between a verb and a past participle, infinitive, adjective, adverb or prepositional expression:

je suis entré
je suis‿entré
tu veux aller
tu veux‿aller
on est ignorant
on est‿ignorant
elle est assez sage
elle est‿assez sage
il était aux anges
il était‿aux anges

(c) After polysyllabic adverbs and prepositions:

absolument éberlué
absolument‿éberlué
pendant une année
pendant‿une année

Assimilation

Neighbouring consonantal sounds within a word or between words may influence each other. This process is known as assimilation, and may take the following forms:

(a) When two identical consonants are in phonetic contact, a slight hesitation, or lengthening of the first consonant, is followed by a relaxation of the muscles, producing two sounds:

> un collègue
> un oeuf frais
> une robe bleue

(b) If two consonants are pronounced at the same point in the mouth, with one consonant voiced and the other unvoiced, the first will be assimilated into the second. Thus, an unvoiced consonant will become voiced:

> une tasse de thé
> la Place de la Concorde
> chaque gare

and a voiced consonant will become unvoiced:

> une corde tendue
> un village charmant

(c) If the two consonants differ in the point or manner of articulation (e.g. plosive v. fricative), but have the same vocalic value (voiced or unvoiced), then the first consonant remains unchanged:

> D(e)Mander
> aCH(e)Ter
> baSCule

(d) If the two consonants differ both in manner and point of articulation and in vocalic value, the first will become voiced if the second is voiced, unvoiced if the second is unvoiced:

> une aneCDote
> un paQU(e)Bot
> une roB(e) Tachée
> aBSolument
> un méD(e)Cin

General Advice

Good pronunciation of French will come only with practice. Above all, it is essential to *listen* to French speakers. French radio broadcasts are easily picked up in Britain, and this enables the student to listen every day to native French speakers. Speak French whenever possible. A sympathetic French listener will correct pronunciation if asked, and the learner should not hesitate to ask for advice.

Part II Reference Section

The 'A' Level Examinations

The 'A' Level examinations in Modern Languages have recently been subjected to close scrutiny by teachers, lecturers and the Examinations Boards, and, as a result, many changes have been made. Emphasis is now placed on the student's making use of the language in realistic contexts, as well as appreciating the finer points of language, literature and culture.

Aims

Taking a synthesis of the views of the Examinations Boards, the aims of 'A' Level in Modern Languages may be seen as the following.

(1) To develop in the candidates a range of practical skills which will enable them to understand and communicate in the written and spoken language, understanding and using a variety of registers for a variety of purposes in the worlds of work and leisure.

(2) To foster an awareness and understanding of the cultural, social and political background of the country in which the language is spoken, and to encourage first-hand contact with that country.

(3) To offer enjoyment, intellectual stimulation and challenge appropriate to an advanced course at this level, and to encourage positive attitudes to foreign language learning.

(4) To further intellectual and personal development by promoting learning, social and study skills, thus equipping candidates to further their study of a language and/or undertake the study of others.

The Examinations

Traditionally, language learning is divided into the four skills of listening, speaking, reading and writing. The new examinations will examine all of these skills, but not necessarily individually. At least one Board (Oxford) will require all texts and questions to be in French, and all answers to be in French. Thus, students will have to use various skills simultaneously. Other Boards will require French answers to questions on an English text, or English answers to English questions on a recorded text in French. It is impossible to cover here all the requirements set by the various Boards, but the following outline of the types of tests to be set will give the student an idea of some of these requirements. Examples of tests taken from the Boards' sample papers follow at the end. As stressed in the Author's Preface, it is essential that the student should register with an Examinations Centre, and see which Board's papers are to be set.

Listening

In general, a number of short recordings are used, followed by one or two longer passages. The former will consist of items such as newsflashes, public announcements or advertisements, and the latter of longer items such as interviews or news articles. Questions may require factual answers, or students may be asked to summarise an item, say what the attitude of the speaker is or transcribe a part of the text. Candidates may be required to give answers to multiple-choice or true/false questions, or to enter information on a grid or time-table.

The use of video for comprehension is planned by the Oxford Board, and this will no doubt become more widespread as a means of testing comprehension.

Speaking

The demands of the oral test vary greatly from Board to Board. For the Oxford Board, the student must discuss texts that he or she has studied, as well as respond to a prepared stimulus, such as a brochure, and conduct a general conversation. Other Boards will require students to speak for about three minutes on a chosen topic, carry out role-plays, or explain a situation based on a stimulus in English. Examiners are looking not only for evidence of understanding and adequate preparation, but also for the ability to sustain a conversation or argument, substantiating, clarifying and qualifying where necessary. Candidates will be expected to be able to deduce and infer from documents, as well as from arguments presented by the examiner. A reasonable knowledge of current events in the world and in France is generally assumed for the purposes of the Oral.

Reading

The reading papers are often closely associated with writing in the foreign language. While some Boards set English questions on a French text (e.g. the Associated Examining Board), others have French questions requiring answers in French (e.g. Oxford) or non-verbal responses such as placing crosses in columns or grids. One interesting test is that of setting French questions on an English text, the questions to be answered in French (AEB). Some Boards such as the Joint Matriculation Board and University of Cambridge Local Examinations Syndicate set questions involving the ability to manipulate the language, e.g. by finding words in the text for which synonyms or dictionary definitions are given, or by filling in gaps in a text with appropriate words. Translation into English is also used as a test of understanding words in the text.

The materials may be drawn from advertisements, brochures, newspaper items, magazine interviews or works of literature. Many may be presented in their original form, i.e. as a photocopy of the original. Others will be set in the Board's own typeface.

Writing

As the traditional barriers dividing the four skills are disappearing, so the demands made on students in the writing paper are changing. Some Boards incorporate the writing paper into the reading paper, so that students are required to respond at some length in French to a text which they have had to read and understand. For other Boards, it is in the written paper that the student's knowledge of literary or other set texts is tested in the form of an essay in French. Translation into French may also be required, generally involving a passage of a journalistic or socio-economic nature.

Literature and Civilisation

A number of texts are set each year for study. These may be drawn from well-known and important works of literature, usually from the seventeenth century onwards, or may be socio-economic texts on present-day France. The student's knowledge of these books may be tested in a written paper and/or the Oral. The texts change from year to year. Examiners will seek not only factual knowledge of the books, but also the student's opinions and ideas on the issues raised in them.

Course Work and Optional Papers

Course work is for some Boards compulsory, for others optional, and forms no part of the examination for the remainder. In general, the student is required to submit a number of essays in French, some fairly short, others longer, for assessment by examiners or teachers. Course work must be submitted by a set date, which may well be several months before the 'A' Level examinations themselves.

It is now possible for students to choose to take certain parts of papers, or to opt to submit some course work and undergo a final examination at the end of their period of study. The arrangements for such options tend to be somewhat complicated, and the student is advised to examine the Board's syllabus very carefully.

'AS' Level

The Advanced Supplementary ('AS') Level examination has been introduced to allow students to pursue their study of an area of the curriculum without making this a major study at 'A' level. The course is taken over two years.

In Modern Languages, the Boards have developed examinations which place less emphasis on written French, and more emphasis on the ability to understand spoken and written French, and to speak the language. Some Boards have incorporated the 'AS' Level into the 'A' Level examination, so that all students take the listening, reading and speaking examinations, and those wishing to go on to 'A' level take supplementary papers. The 'AS' Level thus forms the core of the 'A' Level.

Special Papers

In addition to the main 'A' Level tests, the Boards offer an extra paper, usually entitled the Special Paper. In this paper, the candidate is given the opportunity to show a wider and deeper knowledge of language, literature and culture. This paper may involve translation of a difficult passage (from or into French), the critical appreciation of a passage of French, and an essay on a general or literary topic. The standard of this paper is considerably higher than that of the 'A' Level.

Schemes of Examination

The table opposite summarises the various types of tests set by the various Examinations Boards, as from 1989, and shows the percentage of marks allotted to each paper.

Note that the Southern Universities Joint Board (SUJB) and the London Board offer two syllabuses, A and B. Where the 'AS' Level papers form the core of the 'A' level, this has been noted with the word 'core'. A number of abbreviations have been used. These are as follows: LC = listening comprehension; RC = reading comprehension; O = oral; T = translation; CW = course work; E = essay; CA = critical appreciation; * = approximation.

Sample Material

Publisher's Note

The material that follows is a selection from the sample papers for the new 'A' Levels, and is drawn from examinations of various Boards. This material is intended to be illustrative of the types of test that will be set, and no model answers are provided.

For reasons of space, each text is recorded on the cassette once only. You can listen to each recording as many times as you like. In the examination you will be tested according to your Board's instructions, as printed below.

📼 Listening

*This paper is made up of four parts: you will hear each recording twice. There will be pauses before, during and after each listening text, and the length and placing of these pauses is marked on your paper. You will have two minutes before you hear each text for the first time to study the questions and, if necessary, to look up words. You may write at any time but you must not use your dictionaries while a text is being read out. Single 'bleeps' will be used to mark the beginnings of passages and at the beginnings and ends of pauses within passages. Double bleeps will indicate the ends of passages, and three bleeps will signal the end of the paper. The first two passages have **one** 30-second gap inserted in each reading; the third and fourth passages have **two** 30-second gaps inserted in each reading.*

You may now look at the questions for section one, and the text will begin in two minutes.

PART ONE

Here are ten statements about the text you are going to hear. Five of them are correct; put a tick against those five, and do not put any mark against the others.

You will hear the text once with a 30-second pause within the text; you will then have two minutes in which to answer. Next you will hear the text again, and it will again be followed by a two-minute pause. Two bleeps at the end of that pause will indicate that you should turn to the questions on part two, and you will then have two minutes before the text of part two begins.

1   Elle s'entend bien avec son père.

2   Elle est fille unique.

Part III The 'A' Level Examinations

3 Son père est très chaleureux avec elle.

4 Elle a l'impression de ne pas connaître son père.

5 Son père a été élevé en Italie.

6 Elle est toujours au CES.

7 Elle n'habite plus chez ses parents.

8 Elle croit que son père lui en veut.

9 Elle tient à rester en contact avec sa mère.

10 Elle a fait un effort réel pour comprendre ce problème.

PART TWO

Here are eight questions on the interview you are going to hear. Answer in English, but not necessarily in full sentences.

You will hear the text once with a 30-second pause within the interview; you will then have three minutes in which to write. Next you will hear the text again, and it will be followed by a four-minute pause to allow you to complete your answers.

Two bleeps at the end of that pause will indicate that you should turn to the questions on part three, and you will then have two minutes before the text of part three begins.

1 What does Michel Vautraux do for a living when he is not refereeing?

2 Why, in his opinion, is it more difficult to be a referee than a judge?

3 Why might his refereeing hinder the progress of his full-time career?

4 How much does he earn per match?

5 Does he have to pay tax on his earnings from refereeing?

6 Describe two of the five types of referee mentioned by the journalist.

7 Why was Michel Vautraux not able to go in for sport when he was young?

8 What kind of people (to the journalist's surprise) are now becoming referees?

PART THREE

Answer **A** *and* **B.**

You will hear the text once with **two** 30-second pauses within the news; you will then have three minutes in which to write. Next, you will hear the text again, and it will be followed by a four-minute pause to allow you to complete your answers.

Two bleeps at the end of that pause will indicate that you should turn to the questions on part four — you will then have two minutes before the text of part four begins.

A You will hear six separate news items. Choose six appropriate descriptive phrases from the following list of nine, and put numbers 1–6 against them to indicate the order in which you hear them.

(a)   Students demonstrate against reform of higher education.

(b)   Stock Exchange news — dollar stronger.

(c)   News about the P.T.T.

(d)   Teachers' union challenges government.

(e)   Who will be the new head of the French employers' organisation?

(f)   French nationals expelled from Africa.

(g)   Privatisations — massive over-subscription.

(h)   Pro-government demonstration in Paris.

(i)   Illegal immigrants expelled from France.

B   Give, in English or in figures, the answers to the following questions.

1   Combien valent les actions de Saint-Gobain?

2   Combien vaut le dollar en ce moment?

3   Combien de personnes ont manifesté à Paris?

4   Combien de Maliens ont été mis à la porte?

PART FOUR

The three women are, in general, in agreement about this topic. With which five of the following opinions would they agree? Tick those five and do not mark any of the others. You will hear the discussion once (with two 30-second gaps), then there will be a 3-minute pause. You will then hear the discussion again (again with pauses) and you will then have four minutes to complete your answers. Three bleeps will signal the end of the paper.

1   Les étudiantes anglaises sont plus féministes que les françaises.

2   Les étudiantes anglaises ne sont pas très indépendantes vis-à-vis de la famille.

3   Les femmes mariées anglaises ne sont pas féministes.

4   'Sois belle et tais-toi' — c'est la devise de la femme libérée.

5   Les femmes mariées anglaises se font belles pour elles-mêmes.

6   Les femmes anglaises qui frisent la quarantaine se maquillent beaucoup.

7   En France, plus on vieillit, plus on fait attention à son apparence.

8   Pour les Anglaises, se maquiller, c'est se dévaloriser.

9   Si une femme se maquille c'est pour les hommes.

10   On ne peut pas être à la fois féministe et coquette.

11 · On se maquille pour soi-même.

Oral

Role-Playing Task

The outline of the role-play is given below. During the role-play you will be expected to respond to the examiner's questions as fully as possible, and to put questions of your own where appropriate. The examiner, who will play the part of the shop assistant, may ask for any information which may be suggested by the outline.

> You have bought a watch in a Paris shop. The day before your holiday is due to end the watch stops working. Take it back to the shop and ask in a polite but firm way for a replacement or for your money to be refunded. Explain that you cannot wait for it to be repaired as you are going home tomorrow.

The 'vous' form of address should be used throughout this exercise.

Reporting Task

Early one morning, while hitch-hiking in France, you witnessed an accident involving a tractor and a motor car. The tractor suddenly came out of a country lane, just outside a small village, in front of a passing car. After a second's hesitation, you ran to the nearest telephone box and called the Gendarmerie. A police car arrives swiftly on the scene and, as you are the only witness, a gendarme now asks you to describe the accident while the victims, who are fortunately not seriously hurt, are taken to hospital. Base your description on the plan below.

The 'vous' form of address should be used throughout this exercise.

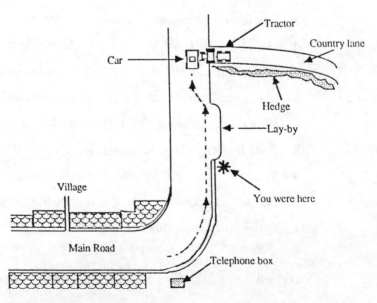

© Joint Matriculation Board

Reading/Writing

Read the following passage carefully. Then attempt all of the questions.

The World Problem of Illiteracy

L'analphabétisme, touchant des centaines de millions d'individus, reste une des tares principales dont souffrent les pays en voie de développement. Le problème dépasse à bien des égards les individus et même les nations prises séparément pour revêtir les dimensions d'un phénomème
5 planétaire dont les conséquences économiques et sociales ont une influence sur le développement de régions entières du monde.

Bien que l'analphabétisme ne soit plus l'apanage des pays en voie de développement, puisque certains pays industrialisés *prennent conscience* qu'ils *sont atteints* du même mal, *nul n'ignore que* la carte de l'anal-
10 phabétisme recoupe *à peu de chose près* la carte de *la misère* et que, dans les 25 pays du monde les plus arriérés, la proportion d'*illettrés* reste *supérieure à 80%. En dépit des* efforts *menés par* les nations du tiers monde dans *la sphère* de l'éducation, on *prévoit* qu'en 1980 il y aura encore 240 millions d'enfants de 5 à 14 ans qui *ne seront pas scolarisés* et
15 que l'humanité *comptera* 820 millions d'analphabètes, *soit* 20 millions de plus qu'*aujourd'hui.*

Pour tarir définitivement les sources de l'analphabétisme, il est indispensable d'assurer l'accès à l'enseignement élémentaire de base à tous les jeunes gens en âge de fréquenter l'école. Or, les statistiques relatives aux
20 inscriptions scolaires dans les 25 pays les moins développés indiquent que si les tendances observées au cours des vingt dernières années se maintiennent jusqu'en 1985, moins de 30% des enfants de 6 à 11 ans y seront scolarisés à cette date.

Nous savons aussi que, dans de nombreux pays en développement, le
25 pourcentage des enfants qui parviennent à la fin du cycle primaire avec un bagage suffisant est malheureusement très faible. De surcroît, le manque d'écoles, le surpeuplement des classes et la formation insuffisante des maîtres font que des millions d'enfants n'atteignent jamais, avant de quitter l'école, le seuil de connaissances qui les empêchera de retomber
30 dans l'analphabétisme.

D'autre part, on ne doit pas oublier qu'en raison de l'essor démographique, une diminution du pourcentage des analphabètes peut s'accompagner d'un accroissement de leur nombre absolu. Ainsi la réduction du pourcentage d'analphabétisme en Afrique par exemple, de
35 74 à 67%, pourrait coïncider avec une augmentation du nombre absolu des illettrés, qui serait de l'ordre de 25 millions. C'est dire qu'un mouvement puissant d'alphabétisation des adultes est plus que jamais nécessaire.

Il est devenu évident qu'un processus d'alphabétisation ne peut être
40 efficace que s'il se fait avec la participation des intéressés eux-mêmes, chaque adulte ayant conscience de la nécessité de cet engagement personnel. Celui-ci implique que l'alphabétisation soit conçue comme une entreprise de libération humaine. C'est aussi par une participation authen-

tique des populations que les programmes d'alphabétisation peuvent
45 contribuer à renforcer leur sentiment d'appartenance culturelle et à conso-
lider les langues nationales.

Autre principe essentiel: l'intégration des programmes d'alphabétisation
au processus d'éducation permanente suppose que soit assurée la postal-
phabétisation. Rien ne sert d'avoir appris à lire, écrire et compter si ces
50 connaissances fondamentales ne trouvent pas d'application quotidienne,
si le nouvel alphabète n'a pas à sa disposition des textes rédigés dans sa
langue.

1. Rewrite paragraph 2 of the passage providing another word or phrase that
means the same as the ones in italics and making any other changes rendered
necessary by your version.

2. For each of the following items from the extract write a new version that
includes the words given in capitals.

Example: qui les empêchera de retomber dans l'analphabétisme (ll. 29–30)
   OUBLIER
   qui les empêchera d'oublier ce qu'ils ont appris

(i) sur le développement de régions entières du monde (l.6)
   DÉVELOPPER

(ii) tous les jeunes gens en âge de fréquenter l'école (ll. 18–19)
   ASSEZ

(iii) si les tendances observées au cours des vingt dernières années
   (l. 20)
   DEPUIS

(iv) le surpeuplement des classes (l. 27)
   TROP

(v) une diminution du pourcentage des analphabètes peut
   s'accompagner d'un accroissement de leur nombre absolu
   (ll. 32–33)
   POSSIBLE

(vi) s'il se fait avec la participation des intéressés eux-mêmes (l. 40)
   PARTICIPENT

(vii) ayant conscience de la nécessité de cet engagement personnel
   (ll. 41–42)
   SACHANT

(viii) Rien ne sert d'avoir appris à lire, écrire et compter (l.49)
   CELA

(ix) ne trouvent pas d'application quotidienne (l.50)
   RAPPORT

(x) si le nouvel alphabète n'a pas à sa disposition des textes
   rédigés dans sa langue (ll. 51–52)
   DISPOSE

3. Explain briefly, but as clearly as possible, **in French**, the meaning of the
following items from the extract. Use as few words from the extract as possible.

Example: l'accès à l'enseignement élémentaire de base (l. 18)
    la possibilité d'aller à l'école primaire

    (i)   revêtir les dimensions d'un phénomène planétaire (ll. 4–5)
    (ii) tarir définitivement les sources de l'analphabétisme (l. 17)
    (iii) l'essor démographique (ll. 31–32)
    (iv) qui serait de l'ordre de 25 millions (l. 36)
    (v)   renforcer leur sentiment d'appartenance culturelle (l. 45)

4. All of the verbs in the left-hand column figure in the text, though not necessarily in the infinitive form. Fill in the blank spaces in the centre with items taken from the right-hand column which are nearest in meaning to those on the left. Use **all** the words in the right-hand column.

toucher (l. 1)	continuer
revêtir (l. 4)	suggérer
assurer (l. 18)	fournir
indiquer (l. 20)	vouloir dire
se maintenir (ll. 21–22) .	atteindre
coïncider (l. 35)	envisager
impliquer (l. 42)	concourir
concevoir (l. 42)	aller de pair
contribuer (l. 45)	prendre

5. The following is a continuation of the extract. Fill in each of the gaps with a single French word which will complete the sense, making any necessary minor adjustments.

On notera . . . . ce point que certains pays ont tenté avec . . . . des innovations intéressantes, faisant . . . . à la fois aux traditions culturelles qui . . . . sont propres et aux technologies les plus . . . . C'est le cas notamment . . . . la Jamaïque, ... utilise la radio, la télévision et les cassettes pour son programme d'alphabétisation, le théâtre et la musique populaire pour la mobilisation et la motivation des popuations.

Enfin, dans un domaine où il se . . . . avant tout de . . . . des objectifs, de choisir des stratégies et de . . . . les forces vives de la nation, ses ressources matérielles, financières et humaines, pour faire . . . . l'alphabétisation un des leviers de la nécessaire transformation de la société, les gouvernements ont un . . . . essentiel . . . . jouer.

© Oxford and Cambridge Schools Examination Board

Literature and Civilisation

GIDE: *La Porte étroite*

Read the extract below and answer the questions which follow it. You should *not* translate the extract.

Vers la fin de décembre, nous partîmes donc pour le Havre, Abel et moi. Je descendis chez ma tante Plantier. Elle n'était pas à la maison quand j'arrivai. Mais à peine avais-je eu le temps de m'installer dans ma chambre qu'un domestique vint m'avertir qu'elle m'attendait dans le salon.

Elle ne se fut pas plus tôt informée de ma santé, de mon installation, de mes études que, se laissant aller sans plus de précautions à son affectueuse curiosité:

—Tu ne m'as pas encore dit, mon enfant, si tu avais été content de ton séjour à Fongueusemare? As-tu pu avancer un peu tes affaires?

Il fallait endurer la maladroite bonhomie de ma tante; mais, pour pénible qu'il me fût d'entendre traiter si sommairement des sentiments que les mots les plus purs et les plus doux me semblaient brutaliser encore, cela était dit sur un ton si simple et si cordial qu'il eût été stupide de s'en fâcher. Néanmoins je me rebiffai d'abord quelque peu:

—Ne m'avez-vous pas dit au printemps que vous considériez des fiançailles comme prématurées?

(i) Explain clearly the point in the story at which this incident occurs.
(ii) What impression does this extract give of the character of tante Plantier and of Jérôme's relationship with her?
(iii) To what extent are these impressions borne out elsewhere in the text?

Or (b)

(i) Analyse Juliette's relationship with Jérôme before her marriage to Édouard.
(ii) «Je craignais un peu dans ses lettres toujours gaies, qu'elle ne me jouât la comédie du bonheur». What were the reasons for Alissa's fears? Where they justified?
(iii) What impression of Juliette's relationship with Jérôme and Édouard is conveyed in the last chapter of the book?

© University of London School Examinations Board

Answer in French in about 350 words one question on each of two topics

Une région de la France

1. EITHER: (a) 'On peut juger l'importance d'une ville en étudiant son histoire'. Discutez ce point de vue en vous référant à la région que vous avez étudiée.

   OR: (b) Évaluez l'importance de l'industrie ou de l'agriculture dans la région que vous avez étudiée. (1988)

Paris vu par les écrivains

1. EITHER: (a) Dans les romans que vous avez étudiés examinez l'importance du milieu dans lequel se situe l'action.

   OR: (b) Quel portrait de la société parisienne est révélé dans les oeuvres que vous avez lues? (1988)

L'année 19—

1. EITHER: (a) Quel événement de 19— a eu le plus grand effet sur la vie du Français moyen, et pourquoi?

OR: (b) 'La mort de . . . . nous a enlevé un personnage de première importance'. Évaluez ce jugement à partir des informations que vous avez lues dans la presse française.

L'Urbanisme en France

1. EITHER: (a) Quelle est votre impression des tentatives faites en France depuis 1945 pour améliorer la vie en ville?

OR: (b) Quelle image avez-vous du mode de vie de ceux qui habitent une HLM située dans la banlieue d'une grande ville?

© The Associated Examining Board

Course Work

FRENCH — EXAMPLE A

Topic 1: Deux chefs d'oeuvre de la littérature française

(Books chosen: *L'Étranger* (Camus), *Les Mains Sales* (Sartre)

The purpose of this coursework would be for the candidate to show understanding and appreciation of two works, the themes and philosophy running through them and the techniques employed by the authors. Candidates will see a film version of *L'Étranger* and will be encouraged to produce their own performance of two scenes from *Les Mains Sales* as background to their studies. The three pieces of writing to form the coursework could therefore be:

1. Quelles sont les qualités de *L'Étranger* en tant que roman, et dans quelle mesure le film a-t-il réussi à les dépeindre? Donnez vos propres impressions de ce film.
2. Pensez-vous que *Les Mains Sales* soit du bon théâtre? Donnez vos raisons, et expliquez les difficultés et les plaisirs que vous avez éprouvés en mettant en scène une partie de cette pièce.
3. Comparez les thèmes principaux des deux oeuvres.

FRENCH — EXAMPLE B

Topic 2: Une région ou une ville de France

The purpose of this coursework would be for the candidate to show knowledge and understanding of an area of France (Caen/Normandy), its geography, industry and traditions, including its importance to France as a whole. As background to the coursework, the candidate will have visited the area as part of a school exchange, collected material in the region, made recordings of interviews with local inhabitants on aspects such as housing, leisure activities and occupations and have made an illustrated class presentation lasting half an hour on a selected aspect of the region.

The three pieces of work could therefore be:

1. Faites un résumé de l'aspect de la région que vous avez présenté à la classe. Vous pouvez rejoindre à ceci les diapositives/photos utilisées pour illustrer l'exposé.
2. Écrivez une brochure sur la ville de Caen pour convaincre les étudiants de l'année prochaine de participer à l'échange. Expliquez les bénéfices d'un tel séjour aussi bien que les attraits de la région. Pour rendre la brochure plus attirante, vous pouvez utiliser des illustrations, photos, cartes etc et incorporer une cassette de quelques interviews que vous avez enregistrés.
3. Faites une analyse de l'importance de la Normandie pour la France. N'oubliez pas de parler de l'histoire, de la géographie et de l'économie de la région.

© University of Oxford Delegacy of Local Examinations

Bibliography and Sources of Information

(a) Works of Reference

(i) Dictionaries

Harrap's New Standard French and English Dictionary (Harrap, London)
Collins Robert French and English Dictionary (Collins, London)
Le Petit Robert 1 (Le Robert, Paris)

(ii) Grammars

A. Judge and F. G. Healey: *A Reference Grammar of Modern French* (Edward Arnold, London)
M. Grevisse: *Le Bon Usage* (Duculot, Gembloux, Belgium)
R. E. Batchelor and M. H. Offord: *A Guide to Contemporary French Usage* (Cambridge University Press, London)
E. Astington: *French Structures* (Collins, London)

(iii) Other Works

E. J. Neather: *Work Out French GCSE* (Macmillan Education, London)
E. Astington: *Equivalences* (Cambridge University Press, London)

(b) Opportunities for Listening to French

The most accessible radio broadcasts from France are those of France-Inter (kHz 164, LW 1829) and Europe No 1 (kHz 182, LW 1648). The BBC usually has a series of *Télé-Journal* at least once a year, broadcasting the French evening news a few hours after it has been seen and heard in France. The BBC also broadcasts radio programmes for sixth forms, as well as radio and television programmes of general interest to learners of French. ITV broadcasts sixth form programmes, as well as programmes for other learners of French.

(c) Bookshops Specialising in French Books

Grant and Cutler, 55–57 Great Marlborough Street, London W1V 2AY
W. Heffer and Sons, 20 Trinity Street, Cambridge CB2 3NG
B. H. Blackwell, 48–51 Broad Street, Oxford
Foyles, 119 Charing Cross Road, London WC2

(d) Other Sources of Information about France and the French Language

Institut Français, Queensbury Place, South Kensington, London SW7
French Government Tourist Office, Piccadilly, London W1
French Railways, Piccadilly, London W1

(e) Information on the 'A' and 'AS' Level Examinations

Information is available from the various Examinations Boards listed on pages xii and xiii.